Éloges pour
La quête du dragon

« *La quête du dragon* de Donita K. Paul a une trame riche de créatures, de personnages et d'aventure. Une allégorie fantaisiste jetant une lumière vive sur la vérité ultime. »

— Lyn Cote, auteure de la série *Women of Ivy Manor*

« On ne sait jamais à quoi s'attendre dans un monde magique rempli de créatures comme les mordakleeps, les blimmets et les doneels. Mais une chose est sûre : vous serez emporté par la grande odyssée fantastique de Kale, la Gardienne des dragons. »

— Robert Elmer, auteur de la série fantastique pour enfants *Hyperlinkz*

« Fermez les yeux, retenez votre souffle et plongez dans l'imagination déchaînée de Donita K. Paul ! Dans *La quête du dragon*, le périple de découverte de soi entrepris par Kale se poursuit à travers une succession d'aventures et de mésaventures qui font sourire et rendent fébrile, vous incitant à lire ce livre passionnant d'un coup. J'admire la complexité du monde créé par Donita K. Paul qui peut se tenir fièrement aux côtés de maîtres conteurs tels que Lewis et Tolkien. Il y a une telle profondeur de cœur dans cette aventure fantastique qu'il est difficile de dire ce que j'ai le plus aimé. Ce récit fantastique doit absolument être lu par les très jeunes de cœur, peu importe leur âge. »

— Linda Wichman, auteure de *Legend of the Emerald Rose*

« *La quête du dragon* de Donita K. Paul reprend l'histoire de Kale et de ses compatriotes bien campés qui se lancent dans une autre quête au service de Dieu en servant son peuple. Écrit avec intelligence et d'une manière irrésistible, *La quête du dragon* est une suite remarquable pour *Le sortilège du dragon*, qui fera à coup sûr les délices des lecteurs de tout âge. »

– Kathleen Morgan, auteure de *Giver of Roses*

La quête du dragon

Donita K. Paul

Traduit de l'anglais par
Lynda Leith

Originally published in English under the title:
DragonQuest by Donita K. Paul

Published by WaterBrook Press
an imprint of The Crown Publishing Group
a division of Random House, Inc.
12265 Oracle Boulevard, Suite 200
Colorado Springs, Colorado 80921 USA

All non-English language rights are contracted through:
Gospel Literature International
P.O. Box 4060, Ontario, California 91761-1003 USA

This translation published by arrangement with
WaterBrook Press, an imprint of The Crown Publishing Group
a division of Random House, Inc.

Éditions AdA
1385, boul. Lionel-Boulet
Varennes, Québec, Canada, J3X 1P7
Téléphone : 450-929-0296
Télécopieur : 450-929-0220
www.ada-inc.com
info@ada-inc.com

Diffusion
Canada : Éditions AdA Inc.
France : D.G. Diffusion
Z.I. des Bogues
31750 Escalquens — France
Téléphone : 05-61-00-09-99
Suisse : Transat — 23.42.77.40
Belgique : D.G. Diffusion — 05-61-00-09-99

Éditeur : François Doucet
Traduction : Lynda Leith
Révision linguistique : Isabelle Veillette
Correction d'épreuves : Nancy Coulombe, Carine Paradis
Typographie et mise en pages : Sébastien Michaud
Graphisme de la page couverture : Matthieu Fortin
ISBN Papier 978-2-89565-787-3
ISBN Numérique 978-2-89683-068-8
Première impression : 2009
Dépôt légal : 2009
Bibliothèque et Archives nationales du Québec
Bibliothèque Nationale du Canada

Imprimé au Canada

Participation de la SODEC.
Nous reconnaissons l'aide financière du gouvernement du Canada par l'entremise du Programme d'aide au développement de l'industrie de l'édition (PADIÉ) pour nos activités d'édition.
Gouvernement du Québec — Programme de crédit d'impôt pour l'édition de livres — Gestion SODEC.

Catalogage avant publication de Bibliothèque et Archives Canada

Paul, Donita K.

La quête du dragon
Traduction de: Dragonquest.
Pour les jeunes de 13 ans et plus.

ISBN 978-2-89565-787-3

I. Leith, Lynda. II. Titre.

PS3616.A94D7214 2009 j813'.6 C2009-941377-9

Ce livre est dédié à ces premiers lecteurs,
qui « testent » mon travail pour moi :

Mary et Michael Darnell
Jason McDonald
Alistair et Ian McNear
Claire et Rachael Selk
Amy Stoddard
Sarah White
Michael et Rebecca Wilber

Table des matières

Remerciements

Parce que le fer aiguise le fer :

Margie Barritt
Dudley Delffs
Evangeline Denmark
Jani Dick
Michelle Garland
Dianna Gay
Cecilia Gray
Michelle Griep
Jack Hagar
Beth Jusino
Christine Lynxwiler
Chip MacGregor
Paul Moede
Sandra Moore
Jill Nelson
Shannon McNear
Jeanne Paton
Kathryn Porter
Armin Sommer
Faye Spieker
Stuart Stockton
Case Tompkins
Ahneka Valdois
Brenda White
Laura Wright

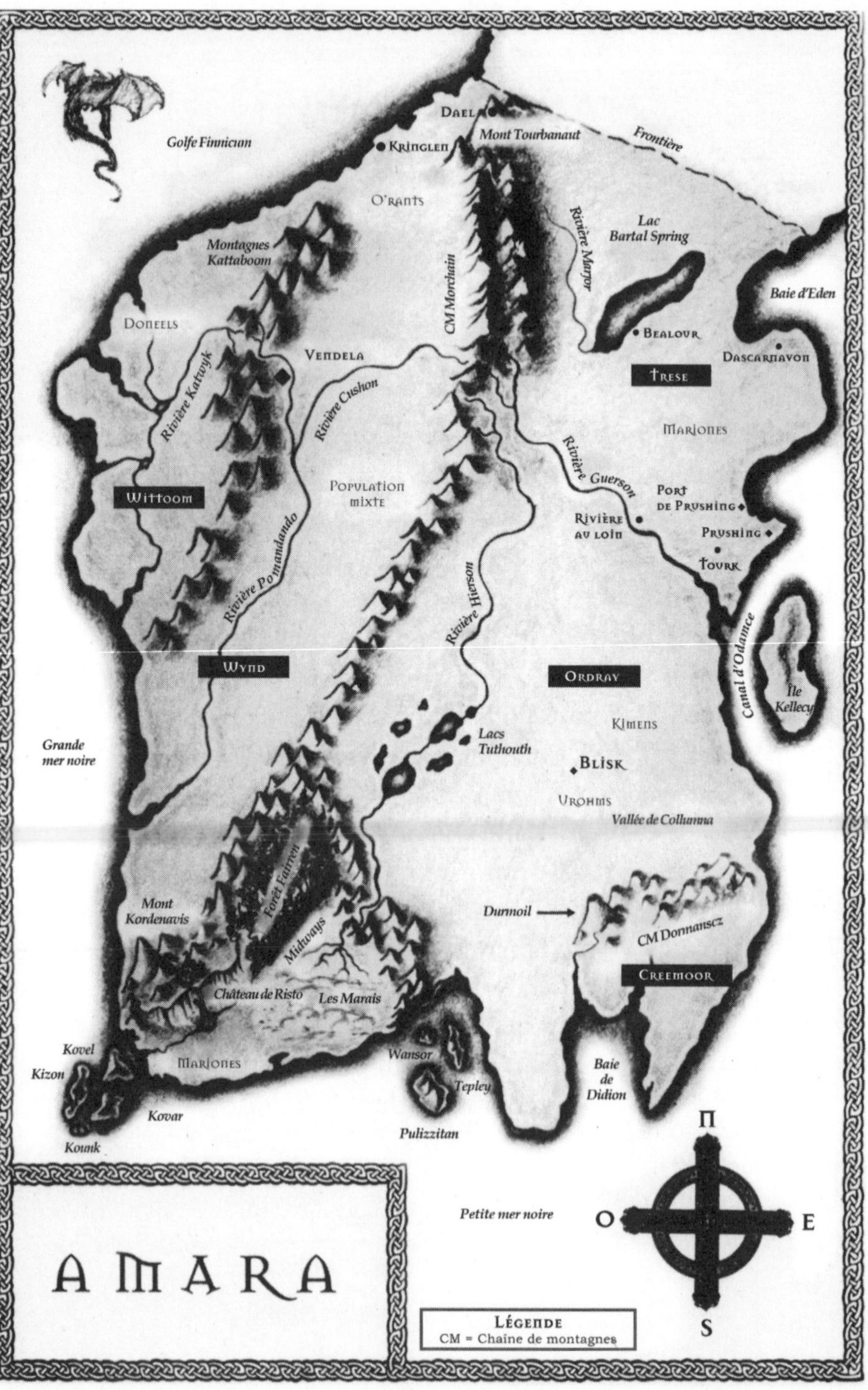
Golfe Finnicum
Dael
Kringlen
Mont Tourbanaut
Frontière
O'rants
Montagnes Kattaboom
CM Morchain
Rivière Maryor
Lac Bartal Spring
Baie d'Eden
Doneels
Bealour
Dascarnavon
Vendela
Rivière Katwyk
Rivière Cushon
Trese
Mariones
Rivière Guerson
Wittoom
Population mixte
Port de Prushing
Rivière au loin
Prushing
Tourk
Rivière Pomandando
Rivière Hierson
Canal d'Odamce
Wynd
Ordray
Île Kellecy
Kimens
Lacs Tuthouth
Grande mer noire
Blisk
Urohms
Vallée de Collumna
Mont Kordenavis
Forêt Fairren
Midways
Durmoil
CM Dornanscz
Creemoor
Château de Risto
Les Marais
Kovel
Kizon
Mariones
Wansor
Tepley
Baie de Didion
Kovar
Kounk
Pulizzitan
N
Petite mer noire
O
E
S
AMARA
Légende
CM = Chaîne de montagnes

I

LES SURPRISES DE VENDELA

– Nous courons vers les ennuis, grommela Kale.

Elle avait perdu de vue son ami doneel dans un marché de Vendela. La capitale d'Amara grouillait de gens issus de chacune des sept races supérieures. Kale trouvait la foule fascinante et intimidante.

Elle dépassa très lentement deux femmes, une marione et une o'rant, qui marchandaient le prix d'un chandelier en cuivre, puis elle baissa vivement la tête quand un conteur étira brusquement le bras pour illustrer son histoire écoutée par trois hommes. Elle fonça dans un kimen et dit « excusez-moi » en se dirigeant vers le milieu de la rue.

J'aurais dû rester sur place. J'aurai dû me détourner et revenir droit au Manoir. Mais non ! Dar dit « allons explorer », et je lui emboîte le pas.

Kale contourna une charrette à fruits. En tant qu'o'rant, elle était plus grande et plus mince que les mariones dans la foule. Beaucoup plus grande que les kimens. Un bon soixante centimètres de plus que Dar. Pourtant, sa grandeur ne lui avait pas servi pour garder un œil sur le doneel.

Elle secoua la tête devant la cohue dans la rue. Les gens semblaient pressés de se rendre quelque part, ou ils restaient fermement plantés sans bouger, et elle devait se faufiler entre eux.

Les gestes agiles de Dar l'avantagent dans ces immenses artères. Moi, je suis constamment bousculée et écartée d'une poussée.

Dar ! cria-t-elle dans son esprit.

Elle écouta, s'attendant à ce qu'il lui réponde avec une pensée aussi claire que s'il avait parlé dans son oreille. La télépathie était un don qu'elle avait développé récemment et qui la surprenait encore. Elle était aussi intriguée par le fait qu'en théorie Dar ne pouvait pas pratiquer la télépathie. Elle lui parlait et l'écoutait en pensée, mais lui ne pouvait pas entamer la conversation.

Kale aperçut la tête duveteuse de Dar, ses oreilles dressées par l'excitation et un sourire qui s'élargissait sur son visage. Il se tenait debout sur quelque chose, elle ne savait pas quoi, et il agitait son chapeau au-dessus de la foule. Il avait trouvé une longue plume rouge et deux autres blanc crème à passer sous la bande brun terne de son chapeau de leecent.

Des têtes se tournèrent pour se former une opinion sur l'image présentée par un leecent sombrement vêtu portant de coquettes plumes. Certains sourirent. Son uniforme à elle était partiellement dissimulé sous sa cape de rayons-de-lune.

– Nous courons vers les ennuis, répéta Kale en grommelant.

Dar fut retiré à sa vue, et elle zigzagua à travers les chalands fourmillant autour en essayant de le rejoindre. Les charrettes pleines de babioles, de vêtements et de joujoux attirèrent son œil, mais elle ne s'arrêta pas. Elle devait rattraper Dar et le convaincre de retourner au Manoir.

Bien sûr, il a affirmé que je n'étais pas obligée de venir avec lui. Mais quand il est sorti par la porte est au lieu du portail ouest, je l'ai suivi. Quand vais-je enfin apprendre ?

Elle repoussa un doute qui la tenaillait en se disant qu'elle pourrait sûrement retrouver son chemin jusqu'au Manoir. Vrai : tous les toits de la cité affichaient le même bleu azur. Cependant, de nombreux clochetons et plusieurs tourelles dans une immense variété de couleurs et de formes couronnaient les grands édifices tels des joyaux. Elle reconnaissait plusieurs points de repère, même si elle ne pouvait pas les nommer.

Chaque après-midi, Kale passait du temps à admirer la métropole depuis sa fenêtre. Elle devait lire, étudier en fait. Sauf qu'elle n'avait jamais vécu dans une ville. La vue l'intriguait davantage que les livres.

Trois tours azur s'élevaient en spirale au-dessus de l'enceinte du Manoir, et un globe transparent flottant les chapeautait. Même maintenant, elle pouvait voir par-dessus son épaule une des tours d'un bleu distinctif dépassant des bâtiments.

Je pourrais y retourner.

Sauf qu'elle ne voulait pas vraiment rentrer tout de suite. Tout comme Dar, elle avait choisi la porte est et la liberté au lieu de la monotonie. Le portail ouest menait directement dans la cour carrée arrière du Manoir. La vieille abbaye et son complexe d'édifices se trouvaient au centre d'un renouveau spirituel et intellectuel pour tout le continent. Kale et son ami suivaient une formation pour servir Paladin dans un bâtiment avec de nombreuses fenêtres où d'éminents savants flânaient dans les couloirs.

Kale et Dar résidaient au Manoir depuis deux semaines. Au cours de cette période, ils avaient reçu des uniformes et des directives : deux uniformes complets beige et brun de leecent par personne et une douzaine de listes de directives, de règles et de consignes, d'édits et de codes d'éthique, d'ordres, d'injonctions et de décrets. Ils avaient terminé le dernier cours d'orientation ce matin-là, et on leur avait accordé l'après-midi pour se détendre.

Kale et Dar avaient appelé deux amis dragons. Répondant au puissant lien mental avec les cavaliers, Merlander et Célisse avaient volé jusqu'à eux depuis les collines.

Elles avaient plongé du ciel et atterri dans le champ des dragons. Les écailles de Merlander brillaient de couleurs vives tandis que les écailles ébène et argenté de Célisse paraissaient discrètes et élégantes.

Kale caressa le long cou de Célisse et sentit un peu de sa tension s'apaiser. Sans mots, elles échangèrent des détails sur les deux dernières semaines. Tous les dragons et leur cavalier partageaient un lien spécial, plus fort que l'amitié. Elle fut tentée de grimper sur le dos de Célisse et de s'envoler loin par-dessus la ville, d'oublier toutes les listes de règles et les piles de livres.

Trop vite, Dar et Kale saluèrent les dragons de la main. Avec un bruissement de leurs larges ailes tannées, Célisse et Merlander s'élevèrent au-dessus de la prairie en fleurs. Les deux montèrent en vrille en exécutant une danse aérienne, tournant, passant et repassant l'une à côté de l'autre jusqu'à ce qu'elles ne ressemblent plus qu'à deux points minuscules au-dessus du champ des dragons. Kale les observa se diriger vers les montagnes, puis elle regarda avec mécontentement les nombreux bâtiments autour d'elle. Le champ paraissait faire partie de son ancienne vie. Le Manoir lui offrait un avenir très différent.

Un mur de brique, et non une clôture de bois, ourlait le beau champ. Dar hocha la tête en direction de l'imposante barrière.

– Allons-y, dit-il.

Derrière le mur, la ville leur faisait signe. Des spectacles jamais vus par la jeune o'rant élevée à la campagne remplissaient les rues animées. Elle ne dépensa pas d'énergie à résister à la suggestion de Dar de partir en exploration.

Et c'était amusant ! Elle n'avait pas regardé d'un air ahuri comme une dévisageuse accomplie. Elle avait déjà vu des urohms, des kimens et des tumanhofers auparavant. Elle admira quand même un groupe de soldats urohms géants qui passait.

Ses genoux cédèrent presque sous elle quand une petite créature frappa ses mollets de plein fouet. Sa cape se resserra autour d'elle, comme si elle se refermait dans une étreinte protectrice. Kale oscilla, rétablit son équilibre et baissa les yeux.

La tête duveteuse d'une enfant doneel atteignait à peine ses genoux. La minuscule fillette lui lança un sourire et décocha un clin d'œil sous ses sourcils bouffants.

— Désolée, Dame.

Dame ! Je ne suis pas assez vieille pour diriger une maison. Je n'ai pas un seul cheveu gris sur la tête ni pli au menton. Je n'ai que quinze étés.

La gamine leva le bras et plaça sa main crasseuse dans celle de Kale.

Les doneels tiraient de la fierté de leur apparence. Pourtant, ce petit garçon manqué avait raté cette leçon. Kale l'examina plus attentivement. L'enfant possédait le flair des doneels pour les beaux vêtements aux teintes vives, mais son ensemble avait été rescapé des boîtes d'articles de seconde main. Elle portait une blouse de soie jaune deux fois trop grande pour elle, fixée à la taille avec une cravate violette. Un pantalon large vert criard pointait sous la lisière de la blouse enfilée comme un chandail. Des chaussons décorés de façon désordonnée avec des boutons rejetés recouvraient les pieds de la fillette.

Le sourire édenté sur le petit minois de la doneel charma Kale aussi facilement que tous ceux déjà lancés par Dar. Elle se surprit à sourire en retour.

— Chipeuse ! Voleuse !

Une voix aiguë perça le babillage sur la place du marché. La main serra convulsivement celle de Kale, puis la lâcha. Kale leva les yeux sur la cause de la perturbation. À cet instant, l'enfant disparut.

Trois mariones en uniforme de gardien de la paix surgirent dans la foule. Le tissu de leurs vestes grises se tendait sous leurs muscles puissants. Des épaulettes jaune vif et des garnitures de cordes ne contribuaient en rien à rendre leur apparence plus sympathique. Kale avait rencontré peu de mariones à l'air un peu joyeux. Ces hommes affichaient l'expression aigre typique et se dirigeaient sans se presser vers leur devoir.

Un marchand tumanhofer rougeaud les suivait en agitant un bâton pointu dans les airs.

– C'est une peste, un poison, un fléau pour le marché.

Le petit homme rond dépassa les gardes en hâte et enfonça son bâton de bois entre deux caisses appartenant à un vendeur de légumes.

– Elle est rapide, sournoise et paraît innocente comme une margua dans un pot de fleurs.

La tête du tumanhofer pivota sur son cou épais pendant qu'il cherchait activement parmi les étals du marché. Il frappa un baril retourné avec son arme rudimentaire, puis il se leva sur le bout des orteils pour en scruter l'intérieur. En tournant dans tous les sens, il regarda les observateurs avec colère. Son regard les accusait tous de cacher la jeune vagabonde. Il brandit le poing en direction de plusieurs hommes qui sourirent devant sa fureur, puis, toujours irrité, il se dirigea à pas lourds pour défier le gardien en chef. Il agita son bâton sous le nez de l'homme.

– Attrapez cette enfant et placez-la dans un orphelinat. Encore mieux, envoyez-la à la campagne. Trouvez un petit village aussi éloigné d'ici que possible.

En grognant, il reprit sa vérification en plongeant son bâton dans tous les petits trous à sa portée.

– Cela va lui faire le plus grand bien de devenir esclave de village. On lui apprendra le service et la droiture au lieu de la laisser courir sans surveillance.

Les mots de l'homme touchèrent le cœur de Kale. Elle avait été élevée dans un obscur hameau marione en tant qu'esclave de village. En fait, elle y serait toujours si elle n'avait pas découvert l'œuf de dragon : c'est à ce moment-là qu'on l'avait envoyé à Vendela. Kale regarda vite dans les environs en se demandant où était passée la polissonne.

Une bouffée d'air chaud et de poussière vola autour des jambes de Kale. La cape en rayons-de-lune s'immobilisa. Kale plissa le front en essayant de comprendre l'étrange événement.

Pourquoi la cape s'était-elle resserrée sur elle pour ensuite relâcher sa prise ? Elle se douta qu'elle ne connaissait pas encore toutes les mystérieuses particularités de son extraordinaire vêtement.

Mamie Noon, une sage émerlindian, avait offert la cape à Kale. Le tissu repoussait l'eau, ne se déchirait pas et se débarrassait de la saleté. Elle pouvait déposer n'importe quelles quantités d'objets dans les cavités spéciales sans créer de renflement ni ajouter de poids. Mamie Noon avait cousu des poches pour les huit œufs de dragon que Kale transportait. Deux avaient éclos.

Elle considérait la cape comme son trésor personnel, même si elle était de couleur crème et plutôt fade. Elle n'avait pas reçu beaucoup de présents dans sa vie, et celui-ci venait d'une personne qui l'avait traitée avec gentillesse. Ce cadeau était merveilleux de plusieurs autres façons aussi. Si elle se tenait complètement immobile dans un lieu faiblement éclairé, la cape la camouflait.

Elle observa les gardes alors qu'ils déambulaient parmi les clients en habits de couleurs joyeuses en fouillant plusieurs kiosques. En détournant les yeux, elle admit en elle-même qu'elle n'avait aucune envie de les voir capturer la petite doneel. Elle avança dans la direction où elle se rendait plus tôt.

Dar ? Dar ?

Pas de réponse. *C'est étrange. Il doit être préoccupé.*

Elle sursauta quand sa voix s'infiltra dans son esprit.

– *Kale, j'ai repéré l'auberge.*

L'Auberge de l'oie et du jars ?

– *Celle-là même.*

Kale sourit. Un gentil vieux fermier lui avait une fois parlé de l'auberge et d'une femme prénommée Maye. Elle voulait rencontrer la dame.

– *Peux-tu me trouver ?* s'enquit Dar.

Pas dans cette foule.

– *Tu ne peux pas suivre mes pensées ?*

Dar !

Kale ravala son exaspération.

Je m'améliore en télépathie, mais il y a ici des centaines de personnes. Chacune d'entre elles pense assez bruyamment pour faire vibrer les fenêtres. C'est difficile de t'entendre. Toute la population de Vendela s'affaire et réfléchit autour de tes paroles.

– *Hum !*

Le doneel marqua une pause.

– *Es-tu encore sur la place du marché ?*

Oui.

– *Je vais revenir te chercher.*

Kale grommela pour elle-même :

– Il n'aurait pas besoin de revenir me chercher s'il n'était pas parti à toute vitesse au départ.

Merci.

Elle marmonna le mot dans sa tête.

– *Je t'en prie.*

Le petit rire de Dar résonna après sa réponse polie. Kale savait qu'il avait perçu le sarcasme sous ses remerciements.

Elle jeta un œil sur les gardiens de la paix qui passaient d'un kiosque commercial à un autre. La petite coupable semblait s'être fait la malle.

Traînant autour de la place, Kale examina les marchandises – une étoffe délicatement tissée en provenance des provinces du sud, de la faïencerie des collines de Blandel et des statues de pierre finement sculptées. Elle s'arrêta pour faire courir ses doigts sur un fruit violet luisant qu'elle ne reconnaissait pas. L'odeur acidulée des agrumes lui chatouilla les narines. Un petit coup sur sa cape l'incita à baisser le regard sur une minuscule silhouette cachée sous un comptoir de bois. Deux grands yeux la fixaient avec tristesse.

– Aide-moi ?

Le murmure atteignit tout juste les oreilles de Kale, mais le regard apeuré de la doneel la toucha en plein cœur.

Elle regarda par-dessus son épaule et vit les gardes approcher. L'un guettait la foule pendant que les deux autres fouillaient systématiquement chaque étal. Kale attendit que le marione qui surveillait les clients du marché ait détourné la tête. Vite, elle ouvrit son manteau et adressa un signe à l'enfant. La fillette bondit hors de son trou entre les paniers de fruits et se colla aux jambes de Kale comme un petit singe.

En tant que leecent, Kale avait juré dix jours plus tôt de faire respecter la justice au nom de Paladin. Au lieu de cela, elle traversa la place pour s'arrêter devant un kiosque déjà inspecté par les gardiens. En faisant semblant d'examiner des pantalons et des blouses dans l'étalage du marchand. Kale tendit l'esprit pour parler à la fugitive qu'elle abritait.

Qu'as-tu pris ?

– *Tu pratiques la télépathie ?*

Qu'as-tu pris ?

– *Un cornichon.*

Kale jeta un œil par-dessus son épaule pour voir les gardes se diriger vers une charrette remplie de sacs de céréales.

– *Je m'appelle Toopka. Quel est ton nom ?*

Leecent Kale.

Une main rugueuse s'abattit sur le bras de Kale et la fit pivoter.

– Celle-ci !

Un doigt charnu pointé sur le visage de Kale, le commerçant vomit son accusation.

– C'est elle. Elle cache la voleuse sous sa cape. Elles sont complices.

– Seigneur Tellowmatterden, elle est avec Paladin, dit le garde arborant l'insigne de capitaine sur son collet.

– Ha ! grogna le marchand tumanhofer. Elle a probablement volé l'uniforme.

– Allons, voyons !

La voix de Dar s'éleva au-dessus du murmure de la foule.

– Ce n'est pas une façon de traiter une servante de Paladin.

Le commerçant poussa Kale contre le large torse du capitaine. Le garde saisit ses bras d'une poigne solide.

Tellowmatterden s'en prit à Dar.

– Un doneel ! L'enfant est une doneel. Arrêtez-le. C'est lui qui l'a formée au vol.

Dar se redressa dans sa position la plus digne. Son regard furieux aurait dû faire trembler le rustre marchand.

– Je vous demande pardon.

Il se tourna vers le gardien en chef.

– Cet incident malheureux peut facilement être résolu. Puis-je suggérer que vous envoyiez un représentant au Manoir ? Leecent Kale est, en effet, au service de Paladin, tout comme moi.

– Ce n'est que du vent ! cria le marchand. Qui a déjà entendu parler d'un doneel en service ?

Dar ignora l'homme et parla avec une politesse formelle au garde retenant Kale.

– Devrions-nous résoudre notre affaire à l'intérieur, Capitaine ?

– C'est cela, tonna la voix du commerçant. Amenez-les à la prison de la ville.

– Je pense, dit Dar, s'adressant toujours d'une voix aimable et douce uniquement au capitaine, qu'une auberge tout près serait plus appropriée pour attendre. Ce serait moins embarrassant pour vos supérieurs si nous réglions ceci sans l'intervention de la cour.

Le capitaine regarda le doneel calme et le tumanhofer rougeaud. Il hocha la tête en direction de ses compagnons.

– Nous allons escorter ces deux-là à l'Auberge de l'oie et du jars. Hamwell ! Va au Manoir. Trouve quelqu'un qui se portera garant d'eux.

2

L'Auberge de l'oie et du jars

Trois portes étaient ouvertes en façade de l'auberge animée. Au-dessus de celle de gauche, une enseigne indiquait « L'oie » et un oiseau blanc portant un bonnet regardait l'entrée en bas avec de petits yeux en boutons de bottine. Chapeautant celle de droite, une pancarte semblable disait « Le jars » et présentait un gros volatile, la bouche grande ouverte comme s'il criait un mot de bienvenue.

La porte du milieu menait à un couloir divisant l'auberge en deux parties. Par cette entrée, Kale pouvait voir l'arrière du bâtiment et le jardin. Elle suivit le capitaine et Dar sous l'arche et dans le passage sombre.

Le poids plume sur sa jambe se déplaça, et Kale sentit la polissonne ramper plus haut et dépasser son genou. Toopka agrippa la tunique de la jeune o'rant. Kale serra un des bords de sa cape ouverte et le tira plus près de l'autre. Elle observa les gens autour d'elle. Personne n'avait remarqué le léger renflement remuant sur son flanc sous la cape en rayons-de-lune.

Qu'est-ce que tu fabriques ? demanda-t-elle à Toopka.

– *Je regarde dans toutes ces poches.*

Arrête.

– *Il n'y a pas de mal à jeter un coup d'œil.*

L'enfant traversa le dos de Kale en se cramponnant au matériau solide de son uniforme de leecent.

– Savais-tu que c'est plutôt éclairé ici ? Il y a beaucoup de poches aussi, certaines petites, d'autres grandes. J'aurais vraiment besoin d'une cape comme celle-ci. Quand j'ai tendu la main la première fois, la cape me l'a presque arrachée, comme si elle était vivante.

Elle ne l'est pas.

– Voici une poche plus grande.

Non !

La bosse sur le flanc de Kale s'aplatit, et elle ne sentit plus les bras et les pieds de la fillette remuer sur son corps.

Toopka !

Kale s'arrêta dans le couloir et ferma les paupières, espérant que ses pensées se transmettraient dans l'esprit de la petite doneel.

Le garde marione se cogna sur Kale. Elle ignora les paroles impatientes de l'homme. Ses yeux s'ouvrirent d'un coup.

Rien ! Oh non ! Les mains de Kale volèrent autour de sa taille en tentant de localiser Toopka. *Elle a dû entrer dans une des cavités. Est-ce sécuritaire ?*

Le gardien lui donna un petit coup dans le dos. Kale avança. Quatre pas plus loin, elle émergea dans la cour de l'auberge. Des tables et des chaises étaient disposées à l'ombre des arbres, et une variété de fleurs sauvages écarlates, bleu gentiane et bleu cobalt fleurissaient à profusion dans des massifs éparpillés. Des gens se détendaient avec des plateaux de fruits et de minuscules sandwichs posés devant eux. Des chopes de boisson et de fines tasses de thé ornaient aussi la table. Des serveuses se hâtaient autour des clients pour assurer leur confort.

Kale tapota encore une fois le côté de sa tunique en espérant sentir la forme délicate de l'enfant. Le tissu tombait droit sur sa hanche.

Dar ! Je dois te parler.

– Je t'écoute.

Il se tenait debout devant le capitaine des gardes et semblait attentif aux propos de l'homme.

Toopka est entrée dans l'une des cavités de ma cape.

– J'imagine que Toopka est le nom de la voleuse à la tire.

Elle a pris un cornichon, et je doute qu'elle l'ait tiré de la poche de quelqu'un. Que lui arrivera-t-il à l'intérieur de la cavité ?

– Je ne sais pas. Je n'y suis jamais allé moi-même et comme cela, de but en blanc, je ne me souviens pas d'une autre personne l'ayant fait.

Gymn y est entré.

– Demande-le-lui.

Kale reporta son regard sur les deux gardiens de la paix et le grincheux marchand à la mine revêche. Elle tapa presque du pied tant elle était exaspérée. Que pouvait-elle faire alors qu'ils la regardaient ?

Dar, la fillette pourrait courir un danger.

– Mais encore, peut-être pas. Sûrement pas, même, si Gymn est entré et sorti de ces cavités.

Mais c'est un dragon, et elle est…

Le souvenir des yeux apeurés surgit comme une accusation. Que diable cette fillette rencontrerait-elle dans les cavités mystérieuses ?

Dénouant la cape autour de son cou, Kale se dirigea vers la table inoccupée la plus proche. Elle retira vivement le manteau de ses épaules et l'étendit à l'envers sur le dessus du meuble.

– Attends ! s'objecta le marchand tumanhofer. Que fais-tu là ?

Lui et le garde s'approchèrent.

Au son de son rugissement, Dar et le capitaine se tournèrent pour l'observer, tout comme chacune des autres personnes dans le jardin.

Deux dragons nains, pas plus grands qu'un chaton, bondirent hors de la cape et coururent sur la table. Un brillait de teintes violettes et l'autre scintillait en vert. Ils exécutèrent quelques culbutes en vol et pépièrent de joie.

– Gymn, Metta, dit Kale. J'ai perdu une petite doneel. Elle est entrée dans une cavité.

En un éclair, les deux dragons disparurent dans les plis de l'étoffe en rayons-de-lune. La tête verte surgit bientôt sans signe de réussite. Le dragon violet réapparut plus lentement. Serrant une manche jaune vif entre ses dents, Metta se débattait avec un bras qui battait l'air. Kale tendit la main dans la cavité et l'aida à tirer la doneel qui se tortillait pour la libérer du tissu.

— Ha!

Le marchand fit claquer son bâton dans sa paume.

— Vous voyez. La jeune o'rant l'a cachée dans sa cape!

Une voix de femme, forte et autoritaire, résonna dans la foule.

— Tais-toi, Henricutt Tellowmatterden.

— Maye Ghint, tu abrites un bandit et une voleuse à la tire, une bande de renégats, une armée de bons à rien chapardeurs, un...

— Idioties!

Une o'rant sculpturale se fraya un chemin à travers l'attroupement.

Elle regarda rapidement les gens rassemblés.

— Je vois des clients dérangés par le vacarme. Je vois mes serveuses négliger leurs devoirs. Je vois des gardiens de la paix et deux serviteurs de Paladin et une fillette doneel affamée.

Elle se tourna pour faire face au plus petit et plus gros tumanhofer.

— Et je vois un polisson qui aime chahuter et s'ébrouer pour attirer l'attention.

— Tu peux m'insulter tant que tu veux, Maye Ghint, mais je *verrai* à ce que justice soit rendue. Cette petite scélérate m'a volé jusqu'à ma chemise.

— Elle en a après ton or, ton argent et tes bijoux, c'est cela?

— Non, fulmina le marchand. Aujourd'hui, un cornichon. Hier, une miche de pain. Avant-hier, un chapelet de saucisses *et* une paspoire bien mûre.

— Oh mon doux, Seigneur Tellowmatterden.

Maye secoua la tête en mimant la compassion.

— Je suis désolée d'apprendre que les temps sont difficiles pour toi. Je ne me doutais pas que ton commerce prospère avait tellement décliné que la perte d'un cornichon, d'une miche de pain, d'un morceau de saucisse et d'un peu de fruits te mènerait à la ruine.

— Écoute, Maye Ghint, une voleuse est une voleuse, qu'elle dérobe une moitié de cornichon ou un gros cochon rose.

Il agita son bâton devant Kale.

— Et ceux qui l'aident et l'encouragent sont aussi pires.

Maye Ghint reporta ses yeux sévères sur Kale. Le regard scrutateur de la femme fit monter le rouge aux joues de Kale. Elle tenta de prendre un air confiant, mais elle savait qu'elle devait ressembler à une idiote. Elle avait remis sa cape en hâte et elle pendait de travers. Elle étreignit l'enfant frissonnante sur son cœur. Perchés sur ses épaules, les deux dragons tenaient chacun une touffe de cheveux dans une patte. Elle essayait de leur faire perdre cette habitude qui avait commencé à leur arrivée au Manoir. Non seulement cela lui donnait un air stupide, mais en plus, ils tiraient parfois dessus.

Et comme si cela n'était pas suffisant, Gymn avait heurté son chapeau de leecent quand il avait volé, et il reposait maintenant obliquement sur son crâne. D'une main, Kale le redressa. Elle fit un signe de tête à la propriétaire de l'auberge et sourit.

Tellowmatterden s'éclaircit la gorge et esquissa un pas vers les gardes.

— Elle fait obstruction à la justice, c'est un fait!

Le capitaine grimaça.

— Est-ce dame Ghint ou la leecent qui fait obstruction à la justice, Seigneur Tellowmatterden?

— Eh bien, les deux, quand j'y pense. Vous devriez tous les arrêter. Traînez-les devant le magistrat.

Le capitaine plissa les paupières.

— Je songe à la loi qui déclare qu'un citoyen ne devrait pas calomnier ni diffamer, mais permettre à la vérité d'être établi sans rancœur.

Le visage de Tellowmatterden se défigura sous les grimaces de colère. Ses lèvres se resserrèrent en une mince ligne droite, et il ne dit plus rien.

Le capitaine confronta Kale.

— Savais-tu que cette fillette doneel était celle cherchée par le gardien de la paix ?

— Oui, Monsieur.

— Et tu l'as cachée ?

— Oui, Monsieur ; mais du marchand et non du garde.

L'homme fronça les sourcils.

— Comment cela ?

— Je n'y ai pas vraiment réfléchi, Monsieur. Mais je ne voulais pas que le marchand en colère lui fasse du mal. J'ai pensé que je pourrais trouver la meilleure façon de l'aider une fois le danger immédiat passé.

Kale jeta un coup d'œil à Dar et à Maye Ghint. Les deux arboraient une mine approbative, ce qui lui donna du courage.

— Je savais que je pourrais consulter au moins deux personnes avec plus d'expérience que moi.

Elle hocha la tête vers Dar.

— Mon ami a servi d'adjoint à Paladin avant de gagner le Manoir. Il m'a offert de bons conseils dans le passé.

Elle fit un signe en direction de la propriétaire de l'auberge.

— L'homme qui m'a amené à Vendela il y a un an, le fermier Brigg, m'a conseillé de venir voir Maye à l'Auberge de l'oie et du jars si jamais j'avais des ennuis.

Une expression d'intérêt traversa le visage de la respectable femme, et ses traits s'adoucirent.

Kale rentra la tête dans les épaules et soupira.

— Je ne pensais pas vraiment à tout cela quand j'ai accueilli la fillette sous ma cape, mais Paladin m'a déjà dit que j'agissais bien quand je réagissais rapidement, et j'imagine que cela m'a donné confiance. Et la criminelle…

Elle tint la gamine loin d'elle un instant pour montrer la nature inoffensive de la petite coupable. Toopka sanglotait de manière pitoyable et baissait sa jolie tête poilue, un geste certain d'attirer la sympathie des observateurs.

— Et bien, Capitaine, continua Kale, elle ne semblait pas du genre dangereux devant être appréhendée immédiatement.

Le visage dénué d'expression du gardien de la paix remplit Kale d'effroi. Elle s'attendit à être traînée devant la cour.

Après un long moment, les yeux plissés du garde regardèrent à sa droite, puis à sa gauche. D'une voix basse, il demanda :

— Tu as rencontré Paladin ?

Kale acquiesça.

— Deux fois.

— Ha !

Le tumanhofer leva des yeux furieux vers le capitaine.

— N'écoutez pas ses mensonges. Amenez-la en prison. Menez-la devant le juge.

— Je suis le juge.

Un émerlindian plus âgé se leva à sa table en abandonnant son thé de l'après-midi. Il jetait une longue ombre mince sur la pelouse. Son visage intelligent était devenu plus sombre avec l'âge. Ses yeux bruns pétillaient de froideur, sans gaieté aucune.

— J'en ai plus qu'assez de ton brouhaha, Tellowmatterden.

Maye Ghint s'avança.

— Je vous présente mes excuses pour le dérangement, juge Hyd.

L'homme leva la main, et elle se tut. Il regarda Kale.

— Jeune fille, viens ici.

Kale obéit.

— Qui t'a offert cette cape ? demanda-t-il.

— Mamie Noon.

— Une cape en rayons-de-lune ne *peut pas* être volée.

Il annonça ce fait d'une voix puissante qui atteignit tout le monde autour. Son attention revint à Kale.

— Comment t'appelles-tu, mon enfant ?

— Je me nomme Kale Allerion. Leecent Kale.

Les sourcils de l'homme tressaillirent et un nouvel éclat parut dans ses yeux.

— Tu ferais bien de suivre attentivement les enseignements de Paladin et de respecter Wulder dans tous tes faits et gestes.

Cette phrase revenait souvent dans la bouche des habitants du Manoir. Obéissante, Kale acquiesça.

Le juge Hyd leva une main et caressa pensivement son menton brun et lisse. Il examina Kale jusqu'à ce qu'elle ressente l'envie de se tortiller sous son regard.

Enfin, ses yeux se tournèrent vers Toopka, et il parla.

— Es-tu orpheline ?

Elle hocha rapidement de tête et s'accrocha à Kale, ses doigts se refermant très fortement sur la cape.

L'attention du magistrat se reporta sur Kale.

— Tu prendras la fillette doneel sous ta garde.

Kale sursauta en entendant l'ordre.

— Mais…

— Dar t'assistera.

— Excusez-moi, Votre Honneur, essaya de nouveau Kale. Mais je…

— Tu es pleinement capable d'assumer cette responsabilité, Kale Allerion. Ne refuse pas ce qui t'est donné.

— Oui, Votre Honneur.

Le juge Hyd regarda par-dessus l'épaule de Kale.

— Je crois qu'une escorte vient d'arriver du Manoir. Bonne journée, Kale.

— Bonne journée, Votre Honneur.

Kale se détourna pendant que le juge se rasseyait.

Maye s'avança pour offrir du thé fumant fraîchement infusé et des petits pains nordy, chauds et odorants, tout droit sortis du four de l'auberge. Les gardes posèrent chacun une main sur le bras du tumanhofer mécontent et le guidèrent vers la porte. Dar les observa avec un sourire content sur les lèvres. Quand Kale tourna la tête pour voir les gardiens de la paix escorter Tellowmatterden pour traverser le centre du passage, elle perdit son propre sourire. Le représentant du Manoir se tenait à côté de l'auberge.

Kale ravala un grognement sur le point de lui échapper.

Lehman Bardon, le seul o'rant du Manoir qui me traite comme si je n'existais pas. Il ne m'a jamais parlé. Il regarde à travers moi lorsque nous nous croisons dans les couloirs. Et à présent, il a l'air d'avoir avalé une coccinelle batteuse. Quoi d'autre pourrait mal tourner ?

3

LA FRESQUE

Bardon s'inclina en direction du magistrat et fit un signe de tête à Kale et à Dar. Kale se demanda comment une personne pouvait poser un regard si désintéressé sur le jardin aux airs de fête. Les invités et les serveuses portaient des habits colorés. Un doux parfum s'élevait des fleurs. Des guitaristes jouaient une musique cadencée. Lehman Bardon donnait l'impression que rien n'émouvait son âme de bois.

Kale fronça les sourcils en regardant le sévère lehman.

Dar leva une main pour saluer le représentant du Manoir.

— Une minute, Bardon, dit-il. Je souhaite remercier le juge pour son intervention.

Eh bien, Bardon ne doit pas aimer cela. Dar n'est que leecent alors que Bardon est lehman. Dar aurait certainement dû l'appeler par son titre. Et, un leecent ne devrait-il pas obéir promptement aux ordres d'un lehman ?

Kale observa le visage de Bardon pour voir sa réaction. Pas un muscle ne bougea. Il acquiesça gravement et s'écarta devant une serveuse portant un plateau de grands verres.

Hum ? Nos professeurs ne cessent de rappeler à Dar son rang modeste. Mais je parie que Bardon laisse Dar agir à sa guise, puis qu'il rapporte son inconduite. C'est un observateur officiel, et tout le monde dit que c'est seulement le terme compliqué pour désigner un rapporteur.

Dar s'approcha du juge Hyd et engagea la conversation avec lui. En tant que diplomate pour sa région, Wittoom, le doneel avait visité toutes les grandes métropoles et paru à la cour de nombreux chefs d'État.

Kale admirait l'éloquence de Dar. Il pouvait parler à un cultivateur de navet, un magicien ou un roi sans jamais prononcer un seul commentaire inapproprié. Dar pouvait agir comme un noble, se battre comme un chevalier et jouer comme un paysan. Il prenait plaisir à tout ce qu'il faisait et réussissait bien dans presque tout.

Gymn et Metta décollèrent des épaules de Kale. Elle était sur le point de les rappeler lorsqu'elle vit ce qui les avait attirés. Une serveuse se tenait à la fenêtre de l'auberge avec un plateau. Elle le déposa sur le large rebord, et les dragons atterrirent de chaque côté.

La serveuse blonde exécuta une courte révérence devant les petits dragons et rit quand ils inclinèrent la tête vers elle en frappant le rebord avec leur queue une fois en guise de salut amical.

– Le maire du village dans lequel j'ai grandi avait un dragon nain, dit-elle. Elle était bleue et prédisait le temps.

Quelqu'un l'appela à l'intérieur. La serveuse sourit à Metta et à Gymn.

– Profitez de votre gâterie.

Elle leva les yeux sur Kale et lui décocha un clin d'œil avant de retourner à ses tâches.

Dar parlait toujours avec le magistrat. Bardon se tenait droit et raide. Donc, l'orpheline doneel lovée contre elle, Kale rejoignit les dragons. Elle savait que la serveuse avait déposé une montagne de pudding au centre d'une assiette et l'avait saupoudré de filaments de cardon. Cela ressemblait à une île recouverte de gazon au milieu d'un lac brun de bière. Avec l'enthousiasme caractéristique des dragons pour la nourriture, Metta et Gymn lapaient ce que l'on appelait le dessert des pauvres.

— J'ai faim, dit Toopka.

Kale tapota le dos de la petite.

— Je pensais que ton bedon était plein de cornichons.

Toopka lui lança un sourire espiègle.

— C'était il y a une heure.

— Voler n'est pas acceptable.

— Je sais.

Le visage de Toopka s'effondra.

— La plupart des épiciers laissent de la nourriture derrière leurs étals pour ceux qui doivent se débrouiller sans moyen. Seigneur Tellowmatterden ne le fait pas.

Elle esquissa un sourire sous sa lèvre supérieure poilue. Une étincelle s'alluma dans ses yeux.

— Et il rugit tellement fort et il devient tout rouge. C'est amusant de le regarder taper du pied.

— C'est *quand même* inacceptable de voler.

— Paladin dit de nourrir les veuves et les orphelins.

Kale se demanda si c'était écrit dans un des livres posés sur son bureau au Manoir.

— Même si c'est le cas, répliqua-t-elle lentement, tu devrais prendre ce qui t'est offert. Tu ne devrais pas voler Tellowmatterden.

— J'aimerais que tu arrêtes d'appeler cela du vol. C'était plus un jeu que du vol.

— Si c'est du vol, cela doit s'appeler du vol.

Toopka soupira longuement et posa la tête sur l'épaule de Kale.

— J'ai quand même faim.

Une serveuse passa juste à ce moment-là. Kale soupçonna Toopka d'avoir minuté sa déclaration en conséquence. La jeune femme s'arrêta, prit un minuscule sandwich sur son plateau et le remit à la petite doneel. Toopka l'accepta avec l'un de ses sourires charmeurs et un « merci » poli. Elle se blottit dans les bras de Kale et mâcha avec satisfaction en se léchant abondamment les lèvres.

Appuyée contre le mur près de la fenêtre, Kale observa les gens autour d'elle dans le jardin. Une famille marione avec de jeunes enfants occupait une table. Le père dit quelque chose, et les autres rirent. Leurs visages amicaux et détendus rappelèrent à Kale les mariones qu'elle avait rencontrés à la maison de Lee Ark. Contrairement aux habitants de Rivière au Loin, où elle avait été élevée, ces mariones appréciaient leur compagnie réciproque et la vie en général. Même si elle vivait à l'ombre du domaine du mauvais magicien Risto, la famille de Lee Ark réussissait à sourire.

Rassemblés autour d'une plus petite table, quatre femmes et plusieurs enfants kimens sirotaient leur thé et mangeaient des gâteaux secs bruns connus sous le nom de daggart. Kale renifla l'air en espérant sentir l'arôme des bonnes petites bouchées. Au lieu de cela, l'odeur forte de la bière provenant du plat à son coude l'assaillit. Plissant le nez, elle fronça les sourcils pendant que les dragons avalaient bruyamment leur friandise.

Un éclat de rire à l'intérieur de l'auberge attira son attention. À travers la fenêtre, elle aperçut une douzaine d'hommes assis confortablement autour de tables grossières en bois dans une pièce faiblement éclairée. Un âtre vide occupait une partie d'un mur et une fresque en couvrait un autre. Kale se pencha pour mieux voir.

À l'auberge de Rivière au Loin, il y avait une œuvre similaire. Kale ne s'y était pas intéressé. Cependant, au cours de son aventure, une quête pour trouver un œuf meech et l'apporter au magicien Fenworth, elle s'était retrouvée au milieu d'une vraie scène très semblable à celle dépeinte dans la fresque sur le mur de l'auberge.

Elle plissa les yeux devant la fresque à l'intérieur de l'Auberge de l'oie. Un bateau glissait sur des eaux sombres. Un filet de lumière venant de la pleine lune dessinait un chemin sur l'eau et illuminait la proue. Deux silhouettes étaient assises à l'avant. L'une ressemblait à son ami Dar. Kale s'avança vers la porte ouverte de l'auberge. Elle devait voir qui d'autre se trouvait dans le bateau.

Les bras minces de Toopka enroulés serrés autour de son cou, elle se glissa le long du mur de la pièce animée. De l'autre côté de la fresque, le couloir passait au centre du bâtiment. La peinture en occupait toute la longueur. Des vagues ondulant doucement s'étendaient d'un côté à l'autre. Certaines vagues étaient couvertes d'écume.

L'artiste avait coupé avec la monotonie des vagues turquoise seulement au centre de son œuvre. Là, la lumière de la lune dansait sur l'eau. Le bateau se dirigeait sous sa lueur brillante.

Elle examina les gens dans le bateau. Un doneel était assis à la proue avec un petit paquet sur les genoux. Un kimen avait pris place sur le bord avant du petit vaisseau, et ses jambes pendaient au-dessus de l'eau. Soit ses vêtements brillaient en blanc, soit ils reflétaient la lune. Derrière le doneel se trouvait une plus grande silhouette vêtue d'une cape grise. Cette personne s'appuyait contre un homme plus âgé, barbu, et portant un chapeau de magicien. Avec leurs têtes l'une contre l'autre, ils semblaient murmurer. Un urohm était assis dans la partie la plus large du bateau et plongeait un aviron dans les vagues. Un marione et un jeune o'rant étaient assis à côté de lui, et les deux mettaient leurs muscles à profit pour manipuler l'autre aviron.

La lumière n'atteignait pas l'arrière du bateau. Kale s'approcha pour essayer de distinguer les images dans l'ombre derrière l'immense urohm. Possiblement un tumanhofer avec des kimens. Si c'était le cas, les kimens n'avaient pas illuminé leurs habits. Une gente dame était assise à côté de l'homme trapu qui devait être un tumanhofer.

— Pourquoi regardes-tu cela ? demanda Toopka.

— Cela ressemble à une peinture que j'ai déjà vue.

— Un autre bateau ?

— Non.

– Un lac ?

– Non. C'était un col de montagne.

– Ceci ne ressemble pas à un col de montagne.

– Non, mais les gens semblent les mêmes.

– Leecent Kale ?

– Oui ?

– Je crois que nous ferions mieux de sortir d'ici.

Kale prit conscience du silence. Elle se redressa et pivota pour regarder dans la pièce. Les serveuses avaient cessé leur va-et-vient vers la cuisine. Chaque homme s'était immobilisé. Tous les yeux étaient fixés sur Kale.

– C'est le côté de l'auberge réservé aux hommes, murmura Toopka.

Devant plus d'une douzaine de regards furieux, Kale ravala péniblement sa salive.

Le petit poing de Toopka secouait le col de Kale.

– Je pense vraiment que nous devrions partir, siffla la doneel. Maintenant !

Kale esquissa une brusque révérence vers l'auditoire changée en statue. Elle avait vu Dar exécuter le mouvement élégant plusieurs fois. Sauf que, quand c'était *elle* qui le faisait, le geste paraissait saccadé. En marchant de côté le long du mur, elle arriva au coin, et le passage dégagé lui fournit une occasion de filer vers la porte arrière. Elle se hâta vers le brillant rectangle de soleil.

Plus elle s'approchait de l'ouverture, plus ses pieds accéléraient sur le sol de planches. Ses pas résonnaient comme si elle traversait un pont de bois. Ses poumons brûlaient quand elle atteignit la porte, et elle réalisa qu'elle avait retenu son souffle. Haletante, elle déboula le coin et sortit dans l'air frais et sec. Elle s'écrasa de plein fouet contre un torse large.

Un rapide pas en arrière la ramena dans le cadre de la porte. Elle leva la tête et vit l'obstacle. Bardon. Lehman Bardon. Avec un visage à faire geler l'eau.

4

Convoqués

Bardon écarta la foule du marché en avançant d'un pas ferme ponctué d'un occasionnel « excusez-moi ». Dar marchait tranquillement derrière lui, mais Kale restait près du dos de Bardon pour passer avant que les gens ne se regroupent à nouveau.

Toopka dormait paisiblement sur l'épaule de Kale. La petite fille ne s'inquiétait pas de ce qui allait arriver à leur retour au Manoir ni de devoir affronter le doyen des leecents. À l'intérieur de la cape, Metta et Gymn s'étaient confortablement installés dans leur antre de poche respective. Les dragons nains étaient repus, leur ventre gavé du dessert des pauvres. Ils n'avaient pas été humiliés par la scène à l'Auberge de l'oie et du jars.

Kale, par contre, était préoccupée par l'entrevue avec le doyen. Ses joues s'enflammaient chaque fois que lui revenait en mémoire l'expression choquée sur le visage des clients de l'auberge.

Comment étais-je censée savoir que l'auberge avait été séparée en trois il y a plus de deux cents ans ? Un côté pour les femmes, un pour les hommes. J'ignorais que la terrasse dans le jardin était réservée aux familles. Et je ne crois pas *que c'était évident, peu importe l'opinion de Bardon.*

Bardon s'arrêta brusquement et Kale fonça dans son dos. Il toucha son chapeau du bout des doigts et s'inclina devant une respectable marione pour lui permettre de traverser son chemin. Il poursuivit sa route sans un mot à Kale.

Quelles manières ! Il en montre pour certains, mais pas pour moi. Pourquoi me traite-t-il comme si j'étais un blattig ?

Elle jeta un coup d'œil par-dessus son épaule. Dar mit un doigt à son chapeau à l'intention de la même dame, puis pour une autre. Les femmes le récompensèrent d'un sourire amical.

Hum ? Dar et Bardon ont tous les deux de belles manières, mais Dar dégage quelque chose de plus.

La tête de Kale pivota d'avant en arrière pendant qu'elle tentait d'observer simultanément les deux jeunes hommes. Les gestes de Dar étaient gracieux en comparaison aux mouvements raides de Bardon. Le visage du doneel rayonnait de gentillesse et de bonne volonté. Kale ne voyait pas l'expression de Bardon, mais elle connaissait bien l'air déterminé de ses yeux et de sa bouche.

La façon dont Dar traite les gens lui attire-t-elle le même genre de traitement ? Il sourit, donc les gens sourient en retour ?

Tout au long du chemin vers le Manoir, Kale observa les deux hommes interagir avec les gens qu'ils croisaient. Cela l'empêchait de s'appesantir sur la réception désagréable à laquelle elle s'attendait dans le bureau du doyen des leecents.

Deux gardes à côté de la haute entrée en arche les accueillirent d'un hochement de tête solennelle et les invitèrent à poursuivre leur route. Un valet de pied ouvrit l'imposante porte d'entrée et leur ordonna calmement de se rendre immédiatement dans le bureau de travail du président.

Le président ! Pas le doyen ?

Kale se tourna vers Dar en espérant une explication de sa part.

Pourquoi ? lui demanda-t-elle en s'assurant que lui seul pouvait l'entendre. *Nous ne pouvons pas être* à ce point *dans les ennuis.*

Les sourcils de Dar s'arquèrent, et il haussa les épaules.

— *Je ne sais pas. Je ne comprends pas pourquoi on ferait tout un plat uniquement pour une promenade en ville. Laisse-moi parler, Kale.*

Avec plaisir !

Bardon les guida en haut d'un large escalier en colimaçon et dans un long couloir. Les rayons de soleil entraient à flots par les vitraux des fenêtres au style recherché, formant un patchwork marbré de couleurs vives sur le plancher de marbre poli. Des portraits d'innombrables dignitaires ayant marqué la célèbre histoire du Manoir regardaient de haut la délégation s'approchant des quartiers du président.

Deux hommes patientaient de chaque côté de l'une des nombreuses portes en acajou. L'un arborait la tenue simple d'un serviteur de la maison. L'autre portait l'uniforme de garde du Manoir. Bardon s'arrêta à quelques mètres de la porte.

— Nous sommes attendus, dit-il. Lehman Bardon, Leecent Kale et Leecent Dar.

Le garde resta immobile, mais ses yeux parcourent le petit groupe. De toute évidence, il ne vit aucune raison de contester leur affirmation.

Le valet de pied exécuta une révérence et ouvrit la porte. Il annonça leur arrivée d'une voix claire. Un grondement de baryton lui répondit ; une voix que Kale avait entendue prononcer des paroles sages presque tous les matins à la chapelle.

— Entrez, entrez.

Aucune colère n'enflammait cet ordre simple. Kale se détendit et pénétra dans la pièce en s'attendant à voir le président Grand Ebeck arborer un air guindé et grave. Le noir émerlindian vivait depuis longtemps et avait accumulé une immense sagesse.

— Enfin, les voici.

La voix profonde vibra dans la pièce.

Souriant largement, le président Grand Ebeck était debout près de la fenêtre, le soleil brillant découpant sa mince silhouette. Il portait une longue robe flottante à fines rayures violettes, dorées et bleu royal. Ses cheveux ébène flottaient par-dessus ses épaules et tombaient presque jusque sur le tapis luxueux. Il tenait un livre dans une main et une grande tasse dans l'autre. Le parfum du thé d'ébercorce embaumait la pièce.

Kale sourit. Puis, son regard bifurqua vers l'autre personne présente à côté du président Grand Ebeck, et elle laissa échapper un cri perçant.

– Librettowit !

Kale oublia la bienséance attendue d'une pauvre leecent visitant les quartiers du président et se précipita dans la pièce pour aller embrasser le robuste tumanhofer. Toopka se tortilla et protesta doucement, mais Kale n'y prêta pas attention.

Elle et Librettowit se retrouvèrent avec des rires et des étreintes et des questions qui déboulaient trop vite pour y répondre. Quand cette ronde de salutations se calma, Dar se joignit à eux, et ils recommencèrent.

Kale détaillait Librettowit avec sur le visage un large sourire qu'elle n'arrivait pas à atténuer. Le tumanhofer s'éclaircit la gorge, regarda par-dessus ses verres et examina ses jeunes amis. Égal à lui-même, il se montrait un peu grognon, un peu curieux, un peu impatient. C'était un tumanhofer très fiable.

– Eh bien, qui est cette petite bête dépenaillée qui ressemble à quelque chose comme une doneel ?

Librettowit tapota le dos de l'enfant aux yeux endormis.

– Toopka, répondit Kale.

Avec un soupir de soulagement, Kale réalisa qu'elle était tombée en de bonnes circonstances pour résoudre tous ses problèmes. Grand Ebeck et Librettowit l'aideraient. Elle ne pouvait penser à personne d'autre, à part Paladin, vers qui elle pourrait se tourner pour affronter cette situation difficile. Ces deux savants, deux hommes sages, compatissants et judicieux, la sauveraient. Ils sauraient comment régler cette pagaille engendrée par l'aventure du matin en ville.

Kale sourit à Librettowit.

— Nous n'avons pas eu l'occasion de donner un bain et de nouveaux vêtements à Toopka, mais nous le ferons dès que nous retournerons au dortoir. C'est une longue histoire, mais le juge Hyd l'a placée sous ma garde, et j'ignore ce que je suis censée faire exactement, mais Dar doit m'assister. Je ne sais même pas si les règles du Manoir nous permettent de prendre soin d'une orpheline. Il y a sûrement un règlement contre, ne penses-tu pas ? J'ai lu plus de règlements et d'édits et de règles de conduite que tu ne peux l'imaginer, mais je ne crois pas qu'un seul mentionnait une orpheline.

Elle se tourna vers le président Grand Ebeck.

— Je ne veux pas causer davantage d'ennuis, Votre Excellence, mais dans les circonstances, je ne peux pas l'abandonner. J'aimerais profiter de vos conseils.

En finissant son discours, Kale réalisa que c'était presque aussi bon que tout ce qu'aurait pu inventer Dar. Il lui avait dit de le laisser parler et elle avait vraiment eu l'intention de le faire. Toutefois, elle ne s'était pas montrée si mauvaise. La première partie de ses propos avaient été précipitée et un peu embrouillée. La dernière partie était bien, par contre. Elle s'était ressaisie et avait formulé un appel à l'aide convenable.

Le président Grand Ebeck posa une main sur son épaule. Ses yeux étaient dépourvus d'humour ; ils exprimaient seulement une patience compatissante.

— Ce ne sera pas un problème, Leecent Kale. Tu ne resteras pas au Manoir.

Sa mâchoire tomba. Une grosse boule se forma dans sa gorge. Elle tenta de la ravaler et de protester. Son esprit tournait à cent kilomètres à l'heure, mais ses lèvres ne bougeaient pas.

Qu'ai-je fait qui est si mal ? Je sais que je ne suis pas une très bonne étudiante. Je pourrais essayer plus fort. Est-ce parce que nous sommes allés en ville ? Est-ce à cause de Toopka ? Ou parce que je suis allée du mauvais côté de l'auberge ?

La petite main de Toopka tapota le dos de Kale. Celle-ci étreignit le petit corps chaud, réconforté par la sympathie de l'enfant.

– Oh bon sang, oh bon sang.

La voix râpeuse de Grand Ebeck gronda dans les oreilles de Kale.

– Ne soit pas si désemparée, jeune Kale. Cela n'a rien à voir avec tes insuffisances, mais concerne plutôt tes aptitudes. On a besoin de toi. Mon cher ami Librettowit est venu te chercher à la demande du magicien Fenworth. L'œuf meech a éclos, et Fenworth ne peut rien en tirer, *du dragon* veux-je dire.

L'émerlindian regarda le bibliothécaire et lui décocha un clin d'œil, puis il tapota le bras de Kale et reprit ses propos.

– Son nom est Régidor. Il est tout ce que l'on attend d'un dragon meech : intelligent, capable de parler, il a une croissance rapide et montre des signes de grands talents, et il est têtu. Oh oui, irréfutablement têtu.

Inquiète, Kale tourna des yeux suppliants vers Librettowit.

– Que suis-je censée faire ?

Il s'éclaircit la gorge.

– Je vais, bien sûr, t'aider autant que je le pourrai, Kale. Cependant, je dois admettre que, jusqu'ici, mes efforts pour raisonner et guider Régidor ont rencontré des résultats moins que satisfaisants.

Oh là là, si Librettowit et le magicien Fenworth ne peuvent venir à bout de Régidor…

– Pourquoi moi ?

– Tu as porté l'œuf meech. Il a été stimulé par ton contact. Pendant sa période d'incubation, tes dragons ont protégé l'œuf. En gros, Kale, Régidor est attaché à toi, pas à Fenworth. C'est évident pour nous, à présent. Tu es celle qui peut devenir son amie. En fait, l'affinité entre vous est déjà établie et son comportement perturbateur peut sûrement être expliqué en majeure partie par son besoin de toi à ses côtés.

Une petite pression de la main de Grand Ebeck la fit tourner pour lui faire face.

– Kale, tu dois y aller. Fenworth est vieux. Le bouleversement dans sa vie l'affaiblit. Il est affolé.

– Exaspéré, ajouta Librettowit.

Le président Grand Ebeck retira sa main de l'épaule de Kale.

– Composer avec un meech têtu a rendu Fenworth un peu désagréable.

Le bibliothécaire serra les poings.

– Irascible, revêche, grognon, irritable et colérique. Désagréable ? Ha ! Impossible !

Grand Ebeck regarda le tumanhofer enragé avec compassion.

– Nous ferons tout notre possible, lui assura-t-il.

Il se tourna vers Kale.

– Notre conseil a jugé Fenworth comme la personne la mieux équipée pour s'occuper du dragon meech et du rôle important que Régidor devra jouer dans la mise en échec de Risto. Peut-être avons-nous omis de prendre en considération l'âge avancé de Fenworth avec autant d'attention que nous l'aurions dû.

Il regarda par la fenêtre un instant, l'expression grave, les yeux tristes. Enfin, il soupira, puis il se secoua comme si un frisson lui avait parcouru l'échine.

– Nous aurons besoin du magicien et de Régidor dans les mois à venir, dit-il. Il se prépare un acte d'une grande méchanceté dans le nid de vipères sous la direction de Risto.

Il serra les mains dans son dos et la regarda sérieusement dans les yeux.

– Tu pars immédiatement. Accompagne Librettowit aux Marais et offre toute l'aide que tu peux.

– Toopka ? croassa-t-elle.

– Toopka ira avec toi.

– Dar ?

— Il restera ici pour compléter sa formation pour servir Paladin.

— Ma formation ?

— Tu entreras comme apprentie de Fenworth. C'est prématuré, mais tu as toujours été destinée à devenir magicienne. Tu réussiras bien.

Elle cligna des yeux. Aucune pensée ne lui venait. Elle sentit les deux dragons bourdonner d'excitation sous la cape. Toopka lui serra légèrement le cou et gloussa.

Grand Ebeck continua.

— Librettowit surveillera tes progrès scolaires.

Elle acquiesça.

— Et Bardon va t'accompagner. Il t'enseignera l'art de te défendre, qui aurait fait partie de ta formation ici au Manoir. Il fera aussi rapport au doyen des leecents pour le garder informé de ton cheminement.

Un mot persifleur claqua comme un fouet dans la tête de Kale. *Rapporteur !*

5

LES ATTENTES

Bardon avança d'un pas.

— Pardonnez-moi, Votre Excellence. Je ne vois pas comment je peux accompagner Leecent Kale et terminer aussi mes préparations pour devenir chevalier.

Le président Grand Ebeck attrapa les lisières avant de sa robe soyeuse et posa ses mains contre son torse.

— Il sera toujours temps pour cela une fois que tu auras volé de tes propres ailes, loin du Manoir pendant une certaine période.

Kale observa Bardon du coin de l'œil. Elle connaissait certains des propos que tenaient sur lui les autres étudiants. Bardon avait été laissé au Manoir par son père alors qu'il avait tout juste six ans, deux ans de moins que la plupart des candidats qui entraient pour recevoir leur formation. Il avait quelques années de plus que Kale, ce qui signifiait qu'il habitait là depuis au moins une douzaine d'années. Le Manoir constituait son foyer et tout le monde disait qu'il prenait au sérieux sa responsabilité de respecter la volonté de son père. En fait, ils prétendaient que c'était la raison pour laquelle Bardon était un raseur rigide et ennuyeux.

Les muscles du cou de Bardon se tendirent. Avec le même talent qui lui permettait de pratiquer la télépathie et de trouver les œufs de dragon, Kale sentit la tension du jeune o'rant. Son cœur s'emplit de compassion pour lui. L'émotion l'étonna un court instant. Quand elle était esclave, il y avait eu de nombreuses occasions où les personnes en autorité avaient rejeté ce qu'elle désirait comme si ce n'était rien. Les gens au Manoir étaient censés se montrer plus raisonnables. Ils suivaient Paladin.

Les yeux de Kale cherchèrent le visage du sage président émerlindian. Il comprenait sûrement que Bardon prendrait cet ordre de quitter Vendela comme une punition.

Grand Ebeck ne montrait aucun signe d'avoir conscience de son indignation pour le désarroi de Bardon. Le président ramassa son livre. Il feuilletait le volume, s'arrêtait pour consulter une entrée, puis poursuivait sa recherche.

Elle reporta son regard sur Bardon. Une rougeur tachait ses joues pâles. Des sourcils noirs se fronçaient sur ses yeux bleus, qui avaient l'air si souvent distants et froids. Un muscle tressaillit dans sa mâchoire carrée, et Kale soupçonna que ses dents étaient serrées ensemble comme celles d'un traqueur sur sa proie.

Le président Grand Ebeck livra sa phrase suivante sans regarder aucun des o'rants.

— Tu n'es pas prêt à continuer, Lehman Bardon.

Kale l'entendit retenir sa respiration. *Oh non ! Il ne savait pas qu'il ne possédait pas les qualités requises.*

— Nous ne pouvons rien de plus pour toi. Tu ferais aussi bien de te rendre utile auprès du magicien Fenworth pour le moment.

Elle s'irrita des paroles du président. *C'est tout simplement cruel. Mamie Noon ne se serait jamais montrée aussi méchante. Peut-être que les émerlindians vénérables masculins ne sont pas aussi gentils que les femmes. Je ne pense pas que Grand Ebeck soit terriblement sage, après tout.*

Il reprit d'une voix monotone.

— Il se peut que tu puisses poser ta candidature de nouveau dans un an ou deux.

Oh, quelle gentillesse ! Elle ne put empêcher le sarcasme de teinter ses pensées. Elle pressa les lèvres en une mince ligne afin d'éviter de dire une chose inappropriée. Elle sentait que Metta et Gymn tournaient en rond nerveusement dans leur antre de poche. Ils captaient toujours ses émotions, comme elle décelait les leurs. Si elle n'apaisait pas sa colère, ils pourraient bien sortir en sifflant et en tapant du pied, prêts à se battre.

Librettowit vint à côté d'elle et posa sa main sur le bras qui tenait Toopka.

– Va emballer tes affaires. Rencontre-moi à l'entrée de la tour Trell avant le prochain tintement de la cloche marquant les heures.

Le front plissé, elle essaya de comprendre le sens d'un tel ordre.

– Nous n'allons pas au champ de dragons? Célisse ne nous ramène pas aux Marais?

Librettowit secoua la tête.

– Je suis venu par un portail. Nous serons de retour au château de Fenworth cet après-midi.

– Mais Célisse...

– ... te rejoindra par les airs.

Il lui tapota le bras.

– Ne t'inquiète pas comme cela, Kale. Nous passerons un été charmant à étudier et à nous entraîner en bonne compagnie, avec de la nourriture délicieuse et de la musique plaisante. Pas de quêtes, pas d'aventures, juste la camaraderie de gens intelligents, raisonnables et compatibles. Une fois que tu auras Régidor bien en main, la vie redeviendra agréable une fois de plus.

Dar s'éclaircit la gorge.

– Cela me semble idyllique.

Elle connaissait Dar depuis assez longtemps pour lire l'invitation à la prudence dans ses yeux. Elle voulait l'étreindre, mais le président l'interrompit.

– Bon, dit-il, nous avons tous des choses à faire. Leecent Dar, je souhaite m'entretenir avec toi. Lehman Bardon, tu dois aussi t'occuper de tes bagages et rencontrer Kale et Librettowit. Allez-y, maintenant.

Il leur indiqua la sortie d'un geste de sa main sombre et ridée.

La porte derrière eux s'ouvrit, même si le valet de pied ne pouvait pas avoir entendu leur renvoi. Il bondit pour leur faire la révérence.

Bardon inclina la tête vers Grand Ebeck et dit :

– Bonne journée.

Le président hocha la tête d'un air absent et murmura la réponse adéquate. En portant Toopka, Kale suivit le lehman hors de la pièce.

Dès que la porte se referma, elle se hâta de rejoindre Bardon.

– Je suis désolée, dit-elle.

Il ne ralentit pas.

– Pourquoi ?

– Parce que tu ne peux pas commencer ton apprentissage.

– Wulder sait quand le moment est venu.

– C'est ce que disent les gens quand ils ne comprennent pas pourquoi les choses se passent d'une certaine façon.

Elle voulait lui parler de l'explication de Paladin en ce qui avait trait au moment opportun pour Wulder. Elle croyait le proverbe véridique, pas une platitude.

Elle ouvrit la bouche, impatiente de lui décrire les images que Paladin avait fait apparaître pour elle, mais le ton bourru de Bardon éteignit son enthousiasme.

– C'est ce que disent les gens pour s'aider à accepter les évènements. Cela fonctionne, Leecent Kale. Excuse-moi. J'ai beaucoup à faire.

Il accéléra le pas et laissa Kale à la traîne derrière lui.

– Il est furieux, déclara Toopka.

– Il n'a pas dit qu'il était furieux.

Kale tourna dans le couloir menant à l'escalier principal.

– Il est quand même furieux.

— Oui, certainement. Mais il ne veut pas que nous le sachions.

— Nous le savons quand même.

— Oui, mais prétendons le contraire. Je crois qu'il est gêné autant que déçu.

Kale et Toopka atteignirent le bas du grand escalier et traversèrent le vaste foyer jusqu'aux portes d'entrée où un valet de pied s'inclina quand elles quittèrent le bâtiment.

Dehors, le soleil brillait sur les tours azur. Le globe translucide flottait à quinze mètres dans les airs sans être touché par la brise qui agitait les drapeaux sur chacune des tourelles du Manoir.

— Puis-je avoir de nouveaux vêtements ? demanda Toopka. J'aimerais de nouveaux vêtements.

— Je ne crois pas que nous aurons le temps.

— Un bain ? J'aimerais prendre un bain, à l'intérieur, avec du savon parfumé. Peut-être du savon rose.

— Dès que nous arriverons au château du magicien Fenworth. Il possède une belle baignoire. En fait, il s'agit d'un immense baril de bois. L'eau chaude sort d'un réservoir au-dessus des arbres. Le soleil réchauffe l'eau. Pour le savon rose, je ne sais pas.

— Je pensais que je n'avais pas envie de quitter Vendela. J'ai des amis ici, tu sais. Mais peut-être que ce sera amusant. Je n'ai jamais participé à une aventure.

— Nous ne partons pas en aventure. Les aventures ne sont pas amusantes, dit Kale alors qu'elles traversaient la cour. Je le sais. J'ai *déjà* participé à une aventure.

Elle marcha d'un bon pas jusqu'au dortoir, consciente des regards curieux de ses camarades étudiants. Une fois les portes passées, elle courut le long du couloir vide, en haut de trois volées de marches étroites, et elle pénétra dans la chambre qu'elle partageait avec cinq autres filles. Il n'y avait personne.

— J'imagine que c'est bien.

— Qu'est-ce qui est bien ? demanda Toopka.

Elle étirait le cou dans une tentative pour tout voir.

– Personne n'est à la maison, alors je n'ai pas besoin d'expliquer pourquoi nous partons. Assieds-toi ici et ne touche à rien.

Elle déposa la petite doneel sur son propre lit.

– Y a-t-il quelque chose à manger ?

Toopka glissa hors du lit et se dirigea vers une commode.

– Toopka !

Kale s'empara d'elle et la déposa de nouveau sur le lit.

– Il nous est interdit de garder de la nourriture dans notre chambre.

Toopka s'approcha encore une fois du bord de la couchette en se tortillant.

– Cela ne signifie pas qu'il n'y en a pas.

– Reste où tu es. Je vais te trouver quelque chose à manger, mais pas maintenant. Je dois boucler mes valises et me rendre à la tour.

Le visage de Toopka se plissa en une grimace bougonne. Kale l'ignora et ouvrit un tiroir. Elle fourra des vêtements dans les cavités de la cape. Lorsqu'elle jeta un coup d'œil sur la doneel, elle vit les yeux écarquillés de Toopka et sa bouche ouverte.

– Tu mets toutes ces choses dans la poche dans laquelle je suis entrée ?

– Oui.

Kale tomba à genoux et tira une boîte peu profonde de sous le lit. Toopka s'allongea sur le ventre et regarda par-dessus le bord. Kale poursuivit sa tâche. Quand elle eut vidé la boîte, elle se leva et la repoussa sous le lit avec le bout de sa botte brune.

– Allons-y.

– Ne vas-tu pas apporter les livres ?

Toopka fit un signe de tête en direction du fouillis sur le bureau à côté de la couchette.

– Non. Attends de voir le château. Il y a des pièces et des pièces pleines de bouquins.

Un coup sec sur la porte amena Kale à y répondre.

– Dar !

– J'ai apporté quelques vêtements pour notre petite amie.

Il entra dans la chambre et posa une pile de vêtements pliés sur le lit à côté de Toopka. Elle cria de joie et fourragea parmi les morceaux et gazouilla en s'emparant d'un chandail blanc avec un lierre vert brodé dessus. Metta et Gymn émergèrent de la cape, volèrent jusqu'à elle et examinèrent ses nouvelles possessions.

Kale étudia le visage duveteux de son ami.

– De quoi voulait te parler Grand Ebeck ? lui demanda-t-elle.

– Oh, il veut que j'assiste à un dîner ce soir. Un diplomate doneel essayera d'influencer un gouverneur régional afin qu'il augmente le commerce avec son comté. Des trucs politiques sans intérêt.

– Je ne crois pas aimer Grand Ebeck autant qu'avant.

– Il ne s'inquiète pas outre mesure que tu l'aimes ou pas. Il était plus soucieux d'adoucir ton attitude face à Bardon.

– Quoi ?

Dar se laissa tomber sur le lit à côté de Toopka et l'aida à lacer une botte qu'elle avait trouvée.

– De la diplomatie. Il a décelé ton antipathie pour Bardon et il a monté de toutes pièces une situation où tu prendrais sa défense.

– C'est sournois.

Dar haussa les épaules et se concentra pendant un moment sur la tâche de faire entrer le minuscule pied de Toopka dans la seconde botte.

– S'il t'avait dit de considérer Bardon comme un camarade, tu aurais résisté. Cependant, quand il a révélé la faiblesse de Bardon et son besoin d'une amie, tu as immédiatement sauté sur l'occasion. Il comptait sur tes nobles instincts.

– Comment sait-il que je possède de nobles instincts ?

Dar leva les yeux au ciel et commença à enfiler les lacets dans les œillets de la botte.

– C'est un grand émerlindian. Il sait. Il souhaitait que tu découvres par toi-même que tu pouvais éprouver de la sympathie pour Bardon.

– Pour le bien que cela a fait. Bardon ne voulait pas me parler.

– Peut-être pas; mais à présent, il y a une fissure dans tes idées préconçues sur lui.

– Préconçues! Je n'ai pas de préjugés!

– Ton opinion sur Bardon est formée sur des potins et des impressions superficielles. Ce sont des idées préconçues.

Toopka leva les yeux de ses nouvelles bottes.

– Si ce sont des idées préconçues, on doit les appeler des idées préconçues.

– Très sage, déclara Dar en caressant le menton de Toopka.

Kale lança un regard furieux aux deux doneels. Elle examina les deux petites bottes noires sur les pieds de l'enfant. Elles lui allaient parfaitement.

– Où t'es-tu procuré ces habits? demanda-t-elle à Dar.

– Je ramasse des choses depuis un bout de temps afin de les envoyer à la famille de ma sœur. L'une des raisons pour lesquelles je désirais visiter le marché.

Kale songea aux nombreux parents dont se prévalait Dar et ressentit une soudaine solitude. Dar était comme un frère, et elle ne voulait pas le quitter.

Le doneel se leva et lui serra le bras.

– Ça ira bien pour toi, Kale. Tu as une grande famille de bons amis à présent. Et deux nouvelles recrues à partir d'aujourd'hui. Toopka et Régidor. Tu seras trop occupée pour t'ennuyer de moi.

– Es-tu certain de ne pas lire dans mes pensées?

Dar se contenta de rire et de se diriger vers la porte.

– Tu devrais te dépêcher.

Il sortit dans le couloir, puis pivota, une main sur le cadre de la porte.

– Tu ferais bien de suivre attentivement les enseignements de Paladin et de respecter Wulder dans tous tes faits et gestes.

Sans essayer de dissimuler le sourire sur son visage, Kale répondit d'un ton faussement approbateur.

– Comme *tu* as l'air convenable tout à coup.

– Tout à fait !

Dar lui lança un clin d'œil et la salua.

– Et, Kale ?

– Oui ?

– Donne une chance à Bardon.

⟜ 6 ⟝

Attaque

Kale et Toopka attendirent au pied de la tour Trell. Toopka joua parmi de gros rochers ronds disposés en cercle autour de la tourelle. Enchâssés dans le roc, des millions d'éclats de quartz scintillaient dans le soleil de l'après-midi. Le soir, ces brillants émettaient une lueur bleue.

Toopka sautait d'une roche à l'autre avec la même agilité innée que Kale avait remarquée chez Dar. Elle sourit en observant la petite doneel. En tant qu'esclave, Kale avait développé sa force à cause de son travail, mais elle n'était pas particulièrement agile. Elle avait passé une partie de sa première quête à tomber face première.

En jetant un rapide coup d'œil dans les environs, elle nota que l'horloge de la tour Torsk indiquait cinq minutes avant l'heure. La cour était vide. Elle bondit derrière Toopka.

— Tu ferais mieux de courir. Je vais t'attraper!

Toopka poussa un cri perçant. Metta et Gymn émergèrent de la cape de Kale, battant frénétiquement leurs ailes brillantes, et se joignirent à la chasse. Ils bombardèrent la fillette et s'approchèrent suffisamment pour lui ébouriffer les cheveux avec leurs ailes. Elle tressaillit la première fois qu'ils plongèrent au-dessus de sa tête, mais elle leur donna de petites tapes amicales quand ils fondirent sur elle par la suite.

Même avec les dragons dans son équipe, Kale avait de la difficulté à suivre le rythme de la doneel aux pieds agiles. Kale sauta en bas des rochers et se réfugia sous la porte d'entrée de la tour. Le renfoncement de pierre gravée la dissimulait pendant qu'elle préparait son embuscade.

Elle attendit que l'enfant dépasse sa cachette, puis elle attaqua. Elle enleva Toopka de sur son perchoir. La petite doneel coincée sous un bras, Kale la chatouilla avec sa main libre. Metta et Gymn volaient en cercle au-dessus d'elles en émettant des trilles d'encouragement. Kale rit presque aussi fort que sa prisonnière.

Elle vit d'abord ses bottes. Le cuir souple brun luisait sous le soleil. Ses pieds étaient écartés de trente centimètres, ses orteils pointés droit devant et ses jambes raides. Une main agrippait la poignée de son sac fourre-tout et l'autre reposait sur sa hanche.

Même si Kale avait cessé de la chatouiller, Toopka continuait de se tortiller. Kale déposa la doneel sur le gazon avant de regarder dans les yeux bleus glacés de Lehman Bardon.

Elle osa un sourire.

– Prêt à partir ?

Il hocha la tête et détourna le regard. Gymn et Metta atterrirent près de Toopka.

– J'ai faim, annonça l'enfant.

Les dragons élevèrent la voix en lançant une série de notes aiguës. Kale interpréta l'énergique chœur de pépiements des bêtes. Ils lui rappelaient qu'elle avait promis une collation à la fillette.

Bardon tendit la main vers une poche suspendue par un cordon de cuir par-dessus son épaule. En deux pas, il rejoignit la minuscule enfant et lui donna un paquet.

Toopka sourit largement en dépliant l'emballage.

– Merci. Oh ! Des daggarts !

Elle prit une grande bouchée, puis elle cassa deux morceaux pour les offrir aux dragons.

Bardon se redressa et regarda Kale.

– Tu n'as pas apporté de nourriture pour le voyage ?

— Non.

— Nous devrons peut-être parcourir une certaine distance une fois de l'autre côté du portail.

— Librettowit a dit que nous arriverions au château de Fenworth cet après-midi.

Kale haussa les épaules.

— Je n'ai pas pensé aux aliments.

— Tu es franche.

Elle ne savait pas comment répondre. Elle se détourna du regard calme de Bardon.

Espérant que Librettowit la délivrerait de cette situation inconfortable, elle fouilla des yeux le sentier venant du Manoir. Si seulement le tumanhofer se dépêchait afin qu'ils puissent se rendre au portail et partir.

— Je l'ai remarqué quand tu t'es adressé au juge Hyd.

Elle reporta son regard sur Bardon, un pli sur le front.

— Remarqué quoi ?

— Que tu es franche.

— Eh bien, la franchise est une bonne chose, non ?

— En effet. Article six : la vérité soutient la communauté de Paladin.

Metta atterrit sur l'épaule droite de Kale, et Gymn, sur la gauche.

— Des ennuis, dit-elle alors que l'angoisse des dragons s'immisçait dans ses pensées.

Elle jeta un coup d'œil au jardin paisible. Toopka se tenait au milieu d'un massif de fleurs, serrant une poignée de boutons précieux.

— Oh non !

Kale avança de deux pas, puis s'arrêta. L'agitation de Gymn n'avait rien à voir avec l'enfant. Le dragon nain pinça l'épaule de Kale avec ses griffes de derrière. Son sentiment d'un danger imminent faisait rage dans l'esprit de Kale.

Kale regarda Bardon pour constater qu'il gardait les yeux rivés vers le ciel. Suivant son regard, elle aperçut la sphère transparente flottant là-haut, sa surface parcourue de petites explosions d'énergie semblable à des éclairs. L'air crépitait, et les poils sur ses bras se redressèrent. Des trompettes résonnaient autour du périmètre du complexe du Manoir.

— Qu'est-ce que c'est ? demanda-t-elle à Bardon.

— Une menace pour la ville.

— Quoi ?

— Observe la sphère.

Elle plissa les paupières en maintenant les yeux fixés sur le globe au-dessus d'eux. Une brume légère apparut au centre, puis s'évanouit. Une image tridimensionnelle se dessina, montrant une formation de dragons dans un ciel sans nuage. Le dessin disparut et fut remplacé par celui d'une créature hideuse. De larges ailes noires surmontaient un petit corps. Une myriade de tentacules ondulait comme des serpents sur ses flancs. Des pattes griffues pendaient sous le monstre qui planait plus qu'il ne volait.

— Attaque en provenance du ciel, déclara Bardon. Des araignées creemoors.

Au loin, elle entendit les guerriers de Paladin rejoindre leurs escadrons. Des bottes résonnaient sur les sentiers. Des hommes criaient des ordres. Des serviteurs les dépassaient à la hâte, pris d'une soudaine activité frénétique. Un jeunot vêtu d'un uniforme de lehman se précipita vers Bardon, lui transmit un bref message dans un murmure, puis repartit à toute vitesse.

— Nous devons partir.

Bardon prit le bras de Kale et la tira vers la porte de la tour.

— Toopka, viens.

L'enfant détala à toutes jambes à travers la cour et se lança sur le dos de Bardon.

L'emprise de Bardon sur le bras de Kale se resserra. Il la traîna par la porte en bois.

— Mes ordres sont de te mettre en sécurité.

Le ciel était parsemé de dragons sombres. Des paquets tombaient de leur dos quand ils passaient au-dessus de la ville. Les objets plongeaient sur une certaine distance, puis leurs ailes s'ouvraient. Les araignées planaient en tourbillonnant jusqu'au sol.

Kale se pencha à la porte et leva les yeux. Directement au-dessus, une vingtaine d'araignées creemoors flottaient vers le Manoir.

— Librettowit ! protesta-t-elle.

— Il s'en vient. Tu ne dois pas rester à découvert.

— S'il doit y avoir une attaque, je peux aider. Gymn est un dragon guérisseur. On pourrait avoir besoin de nous.

Elle se débattit, mais la force de Bardon surpassait de loin la sienne. Toopka cria et pointa de l'autre côté de la porte.

Une araignée atterrit sur un sentier de gravier menant aux potagers de la cuisine. Les petites pierres volèrent sous l'impact de huit pattes dures comme une carapace. Le monstre avança en courant précipitamment à pas presque délicats, ses griffes pointues faisant clic clic en frappant le gravier. Elle donna l'impression de se tenir sur le bout de ses pattes pendant un instant, puis elle laissa échapper une respiration sifflante à faire froid dans le dos. Des tentacules ondulèrent en vague de son corps rond, ressemblant à de minces langues léchant l'air.

Deux gardes du Manoir chargèrent dans le jardin avec leur lance. La creemoor abaissa son corps rond sur le sol et bondit sur l'un des gardes, puis elle enroula ses huit pattes autour du corps de l'homme. Gêné par les tentacules qui s'abattaient sur sa lance, le second garde décrivit des cercles autour de la créature avec sa pique jusqu'à ce qu'il découvre une brèche. Il plongea son arme dans le dos noir luisant de la bête. Un fluide gris et épais jaillit. Le garde du Manoir s'écarta d'un bond des vapeurs nocives et de l'épouvantable liquide visqueux. L'araignée abandonna sa première victime et se tourna brusquement pour attaquer.

Un autre garde accourut, dégaina son sabre et l'abattit, coupant ainsi une rangée de tentacules et trois pattes. Les appendices se tortillèrent sur le sol. Accompagnée du léger bruit de claquement de ses griffes pointues sur le gravier, l'araignée avança vers le deuxième garde.

Derrière la terrible escarmouche, Kale vit Librettowit se précipiter vers le Manoir juste comme Bardon tirait sur son bras.

— Attends!

Elle se dégagea et passa la porte en courant avec sa petite épée prête à l'assaut.

Une araignée creemoor tomba bruyamment au sol devant le tumanhofer. L'épée de Librettowit était plus longue et plus lourde que celle de Kale, mais il ne dépassait son ennemi que de la tête et des épaules. Il asséna de grands coups sur la bête, et à son tour, elle tenta de mordre l'homme. Le clic clic des pinces et de ses pattes sur le sentier de gravier marquait un rythme sourd par-dessus les sons de la bataille en arrière-plan. Des hurlements de terreur, le choc des armes et les grognements de l'humain et de la bête fusaient de toute part.

Kale se faufila jusqu'à l'araignée creemoor s'attaquant à Librettowit et plongea son épée à l'arrière de la tête de la créature. Du liquide nauséabond aspergea sa main et la brûla. Malgré la douleur, elle retira son arme et l'enfonça à plusieurs reprises.

Un des tentacules de l'araignée fouetta l'air et l'encercla par la taille. La cape en rayons-de-lune siffla sous son contact et le tentacule battit aussitôt en retraite. Kale bondit de côté pour s'éloigner de la puanteur et des membres agités de la bête. Gymn et Metta fondirent en piqué et crachèrent dans le visage aux nombreux yeux de l'araignée. Leur salive verte et violette aveuglait la créature. Elle recula dans les rosiers et se retrouva prisonnière de ses branches épineuses.

— À la tour! cria Librettowit.

Elle pivota et vit Bardon combattre deux autres creemoors. Elle, Librettowit et les deux dragons se précipitèrent à ses côtés. En livrant le combat aux araignées, ils progressèrent petit à petit vers la porte ouverte de la tour Trell. Chaque fois qu'ils réussissaient à abattre une bête, une autre se joignait à la mêlée.

Les bras de Kale la faisaient souffrir et sa main semblait en feu. Au moins, les longs appendices tentaculaires la libéraient dès qu'ils sentaient la brûlure sifflante de la cape en rayons-de-lune. Une araignée attrapa Bardon par le pied. Librettowit trancha l'épais tentacule. Le tumanhofer dut être deux fois tiré des griffes d'une bête.

En se tournant vers la tour, le tumanhofer vit une autre araignée ennemie se diriger vers eux. Il chargea en agitant son épée.

— Un obstacle après l'autre, grommela-t-il. Voilà pourquoi je préfère une bibliothèque calme !

Ils tuèrent trois creemoors dans un féroce combat avant d'atteindre la porte. Bardon la fit claquer en la fermant pour ne pas être de nouveau assailli.

— Où est passée Toopka ?

La question sortit dans un souffle de la gorge de Kale.

Bardon répondit.

— Je lui ai dit de grimper jusqu'au sommet de la tour.

— Oh, mon doux, haleta Librettowit.

Il s'appuya sur le mur et s'efforça de parler.

— Il y a huit portails en haut. Si elle en traverse un, nous ne la retrouverons jamais. Allez-y, vous deux. Moi, je n'y arriverai pas tout de suite.

Kale monta quatre à quatre les marches de l'escalier en colimaçon de chaque côté de la tour. Les marches d'acier produisaient un bruit d'enfer sous ses bottes. Les pas de Bardon résonnaient derrière elle. De la lumière filtrait à travers les fenêtres étroites distribuées à intervalle régulier le long de la montée. Le mur scintillait d'une étrange lueur bleue.

Metta, Gymn, volez devant et vérifiez ce que fabrique Toopka. Éloignez-la des portails.

Les dragons nains filèrent, montant l'escalier beaucoup plus vite que ne le pouvaient les deux o'rants. Kale ouvrit la bouche pour crier un avertissement à Toopka afin qu'elle reste loin des portails, mais elle avait perdu son souffle.

Ses poumons fatigués semblaient sur le point d'éclater. Sa main brûlait. L'horreur de combattre des araignées creemoors faisait encore battre le sang dans ses veines. Elle était contente de la présence de Bardon. Sans lui, elle et Librettowit auraient été réduits en pièces.

À mi-chemin, elle entendit un bruit de verre brisé et le cri de Toopka.

7

Poison

Au virage suivant, elle aperçut le corps minuscule de Toopka suspendu au mur. Sa bouche ouverte n'émettait plus aucun son. Des gouttes de sueur et des larmes roulaient sur ses joues duveteuses. Ses paupières étaient si plissées que Kale savait qu'elle était en vie.

Derrière Toopka, une araignée creemoor sifflait, et seule sa bouche à quatre parties se voyait de la fenêtre étroite. Un tentacule serpentiforme retenait la fillette prisonnière.

Suspendue à l'extérieur de la tour, la creemoor avait tendu son appendice pour se saisir de la minuscule doneel. Avec son membre enroulé autour d'elle, elle ne pouvait pas la faire passer par la petite ouverture.

Bardon se hâta devant Kale et glissa la pointe de sa lame entre le chambranle de la fenêtre et le tentacule. Quand Kale comprit ce qu'il fabriquait, elle bondit pour l'aider avec sa courte épée. L'emprise de la creemoor se relâcha. Toopka haleta pour reprendre son souffle. Kale laissa tomber son arme et attrapa la doneel juste au moment où Bardon coupait le tentacule.

Toopka lança ses bras autour du cou de Kale et la serra, hurlant dans son oreille :

– Cours, Kale, cours !

Kale tapota le dos de Toopka et lui chantonna :

– Tout ira bien pour nous. Nous ne pouvons aller nulle part en ce moment, Toopka. Et Bardon est ici pour nous protéger.

Kale concentra son attention sur l'enfant plutôt que sur l'appendice se tortillant parmi les éclats de verre sur les marches.

La puanteur de l'araignée creemoor lui emplit les narines. Quelque chose frôla son épaule. Sa cape grésilla. Dans un sursaut, elle grimpa l'escalier avec difficulté pour s'éloigner d'autres tentacules s'insinuant à travers la petite fenêtre.

Bardon frappait le monstre menaçant avec sa lame, taillant méthodiquement un tentacule rampant après l'autre. À l'aide du bout de son épée, il poussait les pattes puantes de l'araignée par-dessus le bord de l'escalier vers le centre de la tour.

Des pattes griffues crissaient sur le mur extérieur de la tour quand l'araignée déplaçait son corps. Une pince plongea dans le bâtiment et claqua violemment. Avec ses deux mains sur la poignée de son épée, Bardon leva son arme et l'abaissa.

Après chaque coup du tranchant de la lame, la puanteur de la bête augmentait dans l'espace restreint. Kale enfouit son nez dans la tête duveteuse de Toopka. L'enfant sanglotait à présent, son visage caché contre l'épaule de Kale. Elle avait lâché le cou de Kale et couvrait ses oreilles de ses mains.

L'araignée siffla. Ses pattes dures claquaient à chaque mouvement. À l'extérieur de la tour, elles crissaient contre la pierre. Bardon se débarrassa d'un deuxième membre, puis la créature tomba. Une seconde, la creemoor les menaçait à travers la fenêtre ; la seconde suivante, elle avait disparu.

La puanteur flottait dans l'air. Kale crut qu'elle allait s'évanouir. Toopka ne lui avait jamais paru lourde auparavant. À présent, son poids faisait souffrir le bras et l'épaule de Kale.

– Va en haut de la tour, lui ordonna Bardon. Je retourne en bas pour aider Librettowit à monter ces marches.

– J'arrive. J'arrive.

La voix sifflante du tumanhofer s'éleva dans l'escalier de métal. Ses pas résonnaient à un rythme lent. Il soufflait entre deux phrases pendant qu'il avançait péniblement.

— Je ne suis plus aussi jeune qu'avant. Je n'ai jamais été doué pour les combats, les aventures et les quêtes. Je suis bibliothécaire, après tout.

Bardon essuya sa lame sur la semelle de sa botte. Il s'en servit ensuite pour pointer l'arme tombée de Kale.

— Ramasse ton épée, leecent. Nettoie la lame. Nous devons nous hâter.

En tenant Toopka avec un bras, elle se pencha et étira sa main blessée pour suivre ses ordres. Elle ravala péniblement sa salive en voyant sa peau, rouge et couverte de cloques suintant déjà de pus.

— Tu as été empoisonnée !

Bardon s'approcha d'elle et prit Toopka.

— Je ne sens plus rien, dit-elle pour essayer de le rassurer. Cela brûlait au début, mais à présent, je ne souffre plus du tout.

— C'est mauvais, pas bon. Mets vite ton dragon vert au travail avant que l'infection n'envahisse ton bras.

Librettowit apparut après avoir tourné le coin et il s'assit à quelques marches en dessous d'eux. Il tira un grand mouchoir et essuya la sueur sur son visage rougi. Il fronça les sourcils en les regardant.

— Une creemoor l'a touchée ?

— Je vais bien, protesta Kale.

Mais sa tête vacillait et sa poitrine était compressée.

Elle tenta de prendre une profonde respiration, mais ses poumons refusaient de se dilater. Une douleur brûlante récompensa ses efforts. Elle se concentra pour inspirer et expirer par petites bouffées rapides.

Bardon déposa Toopka. L'enfant se colla contre le mur de pierre de la tour. Kale voulait parler, mais sa langue était sèche et trop grosse pour sa bouche.

Peut-être que je ne me sens pas bien après tout.

Librettowit, quelque chose ne va pas.

Le tumanhofer se leva rapidement et grimpa difficilement les quelques marches les séparant.

— Le poison a déjà progressé au-delà du bras. Elle est muette.

Il leur lança un regard furieux.

— Bardon, attrape-la avant qu'elle ne tombe. Gymn, pose-toi sur sa poitrine et vois ce que tu peux faire pour l'aider. Nous devons lui faire traverser le portail et la mener à Fenworth.

Bardon rangea son épée dans son fourreau. Il prit Kale dans ses bras comme si elle ne pesait rien et courut à toute vitesse sur les marches de métal. Le fracas de ses bottes sur l'acier cassa les oreilles de Kale.

Gymn atterrit sur elle. Ses pieds l'écrasaient comme s'il enfonçait ses griffes dans sa peau. Kale savait qu'il pesait moins lourd que Toopka. Le dragon nain ne causait pas cette douleur, c'était le poison.

Elle ressentit la compassion de Gymn et son inquiétude à travers son esprit, mais elle ne sentait pas l'effet d'apaisement qu'il avait habituellement sur ses nerfs. Il se coucha et s'étira pour couvrir le corps de Kale autant que le lui permettait sa frêle constitution.

Je ne ressens rien ! La pensée paniquée tournait en rond dans sa tête. *Je devrais sentir son effet guérisseur. Il tente de me guérir, et je ne sens rien ! Je ne sens rien ! Je devrais ressentir son effet bienfaisant.*

Elle leva les yeux vers le menton de Bardon. Un muscle de sa mâchoire tressaillait.

Elle ferma les yeux.

Paladin, tu as dit que tu me protégerais. Es-tu au courant des événements ?

Bardon s'arrêta. Kale força ses paupières ouvertes et regarda autour d'elle. Sans bouger le cou, elle ne voyait pas grand-chose. Ses muscles étaient douloureux, partout sauf dans son bras. Elle ne ressentait rien dans son bras. Sa vision s'embrouilla. Non, sa vue était assez bonne, mais l'espace entre elle et les murs scintillait par endroits.

Le lehman avait porté Kale au centre de la pièce ronde. Les murs s'inclinaient vers l'intérieur jusqu'à former une pointe au-dessus de leurs têtes. De l'extérieur, chacune des tourelles du Manoir semblait couronnée par un oignon, un bulbe doré fuselé, chapeauté d'une flèche pointant vers le ciel.

L'air frissonna. Des vagues de couleurs irisées rayonnaient depuis la porte en bois jusqu'au plafond en spirale. Des portails! L'un à côté de l'autre, dessinant un cercle autour de la pièce, il y avait des portails. Comment Librettowit savait-il lequel traverser?

Les bras de Bardon resserrèrent leur étreinte.

Il est nerveux. Pourquoi? Elle connaissait la réponse. *Il n'est jamais passé à travers un portail. Comme Toopka, d'ailleurs. A-t-elle peur? Je dois leur dire que tout ira bien.*

Ses lèvres refusèrent de bouger. Sa langue prenait toute la place dans sa bouche. C'était plus difficile de respirer.

Dépêche-toi, Librettowit. Dépêche-toi!

Kale entendit son appel presque hystérique au tumanhofer. Le dessus de son capuchon en tissu apparut par le trou dans le plancher, et il grimpa les dernières marches avec Toopka dans ses bras. Il jeta un coup d'œil inquiet sur Kale, mais détourna vite le regard.

Je sais que je suis en train de mourir, lui dit-elle.

– *Pas encore, oh non! Fenworth aura ma peau si je ne te ramène pas à lui.*

Toopka gémit. Metta atterrit près d'elle sur l'épaule de Librettowit et fredonna de douces notes mélodieuses destinées à apaiser ses peurs.

Ça va, Toopka. Nous y sommes presque.

Les yeux effrayés de la petite doneel se tournèrent vers Kale, et un léger sourire frémit au coin de ses minces lèvres noires.

Bardon dansait d'un pied sur l'autre. Il lançait des regards furtifs autour de la pièce, passant d'un portail au suivant, ne s'arrêtant jamais sur l'un des endroits scintillants plus d'une seconde.

Ça va, Bardon. La lumière s'accroche à toi quand tu traverses et l'air te serre un peu, mais cela ne dure qu'une seconde. Prends d'abord une profonde respiration et relâche-la dès que tu es de l'autre côté.

— Tu pratiques la télépathie !

Il l'avait décrété à voix haute. Son menton s'abaissa brusquement. Ses yeux arrondis rencontrèrent les siens.

Elle tenta un sourire, mais son visage ne bougeait pas. Elle ne ressentait plus les élancements dans ses épaules et dans son cou. Elle ne sentait plus la présence de Gymn sur son cœur. Bardon avait dit que ne pas éprouver de douleur c'était mauvais, pas bon.

Ça va, lui affirma-t-elle. *Abandonne-toi.*

— Par ici, annonça Librettowit.

Il pointa une porte devant l'un des portails.

L'esprit de Bardon enregistra la lettre *s* pour sud, et Kale lut son soulagement momentané quant au fait que le tumanhofer ne choisissait pas un portail au hasard. Puis, elle sentit sa peur renouvelée de l'inconnu comme s'il s'agissait de la sienne. Elle avait beaucoup appris sur la façon de maîtriser l'influence des autres sur ses pensées et ses émotions. Elle savait maintenant se protéger d'un surplus de sensations venant de son entourage. Le poison sabotait ses efforts de maintenir sa garde en place.

Je ne crois pas que je vais y arriver, Bardon. Je suis trop faible.

Les muscles dans ses bras se tendirent. Il aboya un ordre.

— Tu t'en sortiras, Leecent Kale.

Une nouvelle détermination courut dans son corps et se transmit à Kale.

Un soupir de soulagement se coinça dans la gorge de la jeune o'rant. Les petits bruits d'étouffement captèrent l'attention de Librettowit. Il se tourna vers eux et les regarda d'une mine renfrognée. Sans un mot, il hâta son départ.

La lumière dans le portail étincela quand Librettowit mit un pied dedans avec Toopka. La lueur scintillante s'accrocha à eux pendant un instant, puis il avança et disparut à la vue de Kale. Metta vola à travers le portail et s'évanouit aussi, de la même façon lente et déformée que Librettowit.

Bardon prit une profonde respiration, resserra son étreinte sur son fardeau et se lança en avant.

Kale vit l'explosion de minuscules lumières autour d'elle. L'air faisait pression tout autour. Elle ne pouvait pas respirer.

Juste une seconde. Elle répéta plusieurs fois ces mots. Mais juste une seconde était une seconde de trop.

8

RÉGIDOR

Des plaintes. De longs et forts gémissements. Des sanglots.

Un sifflement vibrant dans l'air.

– Chut ! Chut ! Chut !

Kale essaya d'ouvrir les yeux. Elle désirait protester.

Ce n'est pas moi. Je ne pleure pas. Ne dites pas chut ! Je veux dormir.

Des pleurs. De doux gémissements étouffés. Des sanglots.

– Fichue créature pleurnicharde ! Va te promener.

Metta chanta de jolies chansons. Les mélodies apaisèrent les nerfs à vif de Kale.

Les beuglements firent place à de légers pleurs.

Des frissons secouèrent Kale.

– Ah ! C'est la fin de la maladie. Elle vivra.

La voix du magicien Fenworth crépita près de l'oreille de Kale.

Une autre couverture vint recouvrir son corps frissonnant. Des mains attentionnées essuyèrent la sueur sur son front.

– Sortez cette créature renifleuse et pleurnicharde de cette pièce !

Elle sourit. Fenworth se montrait en effet grognon.

⊹⊹

Kale ne désirait pas ouvrir ses yeux. Elle savait qu'elle le pouvait, mais elle se sentait merveilleusement bien à simplement rester allongée sur les coussins mœlleux.

Je suis en sécurité au château de Fenworth.

Elle pouvait sentir le parfum boisé des murs, du plancher et du plafond. Elle était déjà venue dans ce château. Un enchevêtrement d'arbres massifs et creux formait le domaine du magicien. De grandes branches englobaient des couloirs menant d'un arbre à l'autre. Dans chaque arbre imposant, des pièces étaient empilées les unes sur les autres, chacune un peu plus petite que la précédente. Des escaliers circulaires sculptés dans le bois s'élevaient en spiral dans chaque pièce.

Fenworth possédait une bibliothèque reconnue à travers le monde. Plus de chambres contenaient des livres que des lits. Des coussins rembourraient des niches et des chaises confortables éparpillées dans chaque salle et offraient une abondance d'endroits où se recroqueviller pour lire. Les lits étaient soit des hamacs suspendus aux murs, soit des structures semblables à des canots fabriqués dans ce qui ressemblait à des racines noueuses. Des oreillers colorés remplissaient ces plateformes jusqu'au rebord.

Kale respira profondément, savourant l'odeur de terre et sachant que, lorsqu'elle rouvrirait enfin les yeux, elle aurait autant de chance de voir un renard qu'un hibou ou une personne dans la pièce.

Gymn se pelotonna sur l'oreiller en posant son menton sur l'épaule de Kale. Ses pouvoirs guérissants coulèrent en elle. Seul un sentiment agréable de paresse la maintenait au lit. Se demandant vaguement combien de temps elle avait été souffrante, elle étira ses jambes, puis roula sur le flanc. Gymn bougea avec elle.

Metta chantait. Sa voix insufflait de l'énergie dans l'air de la pièce. Comme toujours, le dragon fredonnait des syllabes ne formant aucun mot compréhensible. Une vague de musique toucha Kale aussi doucement que la main aimante d'une maman. Elle pouvait imaginer la mère qu'elle n'avait jamais connue en train de lui caresser la joue pour l'inciter à se réveiller.

Même sans paroles, les mélodies joyeuses résonnaient dans ses pensées, emportant avec elle un peu de sa léthargie. Elle rappela son esprit vagabond à l'ordre et s'interrogea sur la chanson de Metta.

Quelle est cette chanson ?

Elle se souvint d'une phrase : *les singes dans les arbres*

Puis de quelques paroles :

Ils grimpent et sautent et gambadent tout autour
Ils culbutent et ils tombent
et ils sautent et ils marquent une pause,
mais ils ne touchent jamais le sol
Da-dee-da-da
dee-da-dee-da-dee
les singes orange et mauve dans les arbres.

Quels mots remplacent les da dee da da ?

Kale plissa le front et concentra son attention sur son environnement. Quelque chose était légèrement différent de ce qu'elle s'attendait à trouver au domicile de Fenworth. Elle se déplaça un peu dans le lit et soupira.

Quelqu'un lui tenait la main. De petits doigts serraient doucement sa paume. Toopka ? Non, la main était trop grosse pour être celle de la minuscule doneel et trop petite pour appartenir à Librettowit ou au magicien Fenworth. Trop rude pour son amie Leetu Bend. Trop écailleuse pour Bardon. Écailleuse ?

Les yeux de Kale s'ouvrirent brusquement.

Une petite créature un peu plus grande que Toopka était assise à côté d'elle sur le lit, la scrutant d'un regard impatient. Ses jambes vêtues d'un pantalon étaient croisées et ses orteils pointus remuaient sans arrêt au bout de ses pieds nus.

Il portait une chemise de lin brun clair ouverte sur une poitrine bleu pâle couverte d'écailles. Son menton s'allongeait un peu plus que celui des o'rants et sa large bouche arborait assurément de minces lèvres de reptile. Ses narines étaient des fentes au lieu de trous ronds et son nez plutôt carré dominait son visage. Des pupilles noires et oblongues s'étiraient dans ses yeux verts et, au lieu de sourcils poilus, son visage se terminait par un front serpentiforme. Sa tête et son cou sans cheveux ni poils avaient la même forme que ceux d'un o'rant, mais ils étaient couverts d'écailles bleues lustrées sans oreilles visibles. Il se pencha en avant en s'inclinant à la taille et la fixa.

Sortant de sa bouche édentée, une voix de basse vibra dans les profondeurs de sa poitrine.

— Elle est réveillée !

Le cri de joie de la créature donnait l'impression d'appartenir à un forgeron.

— Régidor ? demanda Kale.

— C'est moi. Tu dors depuis une éternité.

Les mots enfantins prononcés d'une voix d'homme mûr la firent rire.

Gymn et Metta déployèrent leurs ailes et s'envolèrent. Ils planèrent au-dessus de sa tête et exécutèrent une danse acrobatique. Elle écouta le fouillis de réflexions excitées dans leurs esprits. Pour elle, c'était comme s'ils parlaient en même temps. Leurs pensées bouillonnaient d'impatience. Les deux minuscules dragons filèrent à toute vitesse à travers la fenêtre ouverte, déterminés à dire aux autres qu'elle était éveillée.

— Fenworth est en colère, dit Régidor. Mais ce n'est pas grave. Il est toujours grincheux. Librettowit t'a ramenée par le portail et Fenworth t'a réparée. Je me suis amusé avec Gymn et

Metta. Toopka m'a appris à jouer aux billes. Je lui ai enseigné les lettres que je connais. Je les connais toutes. Elle ne sait pas encore lire et elle est vieille. Nous sommes copains maintenant.

– Depuis combien de temps est-ce que je dors ?

– Une éternité.

– Ah oui, tu l'as déjà dit.

– Mais tu es réveillée à présent, et nous pouvons devenir amis. Nous allons apprendre à devenir magiciens ensemble si Fenworth ne me lance pas aux mordakleeps avant.

Kale s'assit et observa les mains de Régidor toujours posées délicatement sur les siennes. Quatre doigts et un pouce. Des ongles étroits presque au point de former des griffes.

Alors, c'est cela, un dragon meech.

Elle regarda son visage amical et impatient.

– Le magicien Fenworth ne te lancera pas aux mordakleeps, affirma-t-elle à la jeune créature. Il n'aime pas les mordakleeps.

– Je sais.

Régidor haussa ses étroites épaules.

– Quand il dit cela, je grimpe à des branches. Plus tard, il prépare du thé et des daggarts. Il cuisine de bons daggarts. Et des petits pains nordy. J'aime les petits pains nordy.

– Je n'ai pas souvenir que le magicien Fenworth cuisine beaucoup.

– Je sais.

Le dragon haussa de nouveau les épaules.

– C'est parce que Dar était ici. Je sais tout à propos de Dar et de la quête pour l'œuf meech. L'œuf meech, c'était moi. Et le magicien Risto. Risto est mauvais. Et Librettowit fait brûler les aliments parce qu'il lit au lieu de brasser. Je vais apprendre à cuisiner. Je suis uniquement capable d'infuser du thé. Si tu apportes une tasse de thé à Fenworth quand il est à cran, il dit merci. Il le fait pour montrer à bien se comporter. Librettowit affirme qu'ils doivent servir de modèles. Je *dois* bien me comporter même si je ne sers pas de modèle, car il n'y a personne pour m'admirer. Sauf que maintenant, je vais peut-être servir de modèle de bon comportement à Toopka.

– Tu n'as pas à me servir de modèle.

Toopka pénétra dans la pièce, bondit sur le lit et fila près de l'autre côté de Kale en lançant des yeux furieux au dragon meech.

– J'ai d'excellentes manières pour une polissonne sans abri. Bardon l'a dit.

Régidor secoua la tête.

– Il ne faisait que se montrer gentil.

– Faux!

– Vrai!

Kale se redressa.

– Assez de disputes idiotes.

Les deux cessèrent de se fixer avec colère et tournèrent des visages plissés vers elle. Pendant un moment, elle fronça elle aussi les sourcils, pas à cause de leur dispute, mais parce qu'elle s'était surprise à prendre le même ton de voix que dame Meiger, une femme qui avait supervisé sa vie d'esclave.

Un léger coup à la porte attira leur attention. Bardon passa sa tête dans le cadre de bois et quand il vit qu'elle était assise, il entra.

– Tu as l'air mieux.

Il s'arrêta au pied du lit, les dominant tous de sa hauteur.

– As-tu faim?

– Oui! dit Toopka, bondissant sur ses pieds et dansant parmi les oreillers formant la couche de Kale.

Kale et Régidor s'esclaffèrent, mais Bardon regarda la petite doneel d'un air renfrogné.

– Je parlais à Kale.

Toopka tourna son visage expressif vers Kale. Ses oreilles frétillèrent.

– Tu as faim aussi, n'est-ce pas? Je peux aller à la cuisine te chercher un plateau. Il y a toutes sortes de bonnes choses dans le garde-manger.

Avec un sourire de jubilation, Régidor agita un doigt devant elle.

– Fenworth t'a dit de rester loin du garde-manger.

Toopka s'adressa à son adversaire, ses petits poings posés sur ses hanches.

– C'était pour m'empêcher de manger trop de collations. Aller chercher de la nourriture pour Kale, c'est différent.

Régidor lâcha la main de Kale et lança ses jambes vers le plancher. Elle fixa sa queue. Elle dépassait par une fente dans son pantalon bien cousu et semblait beaucoup trop grande pour la frêle silhouette du dragon meech.

Avec un bruissement de sa queue maladroite, Régidor renversa plusieurs oreillers sur le plancher quand il descendit du lit. En les enjambant, il se dirigea vers la porte.

– Tu laisserais tomber le plateau, déclara-t-il par-dessus son épaule à l'adresse de Toopka. Tu es beaucoup trop chétive pour porter un grand plateau. Je vais t'aider.

Toopka se hâta de le rattraper, sprintant sur les couvertures et bondissant à l'extrémité de la couche. Alors qu'ils rejoignaient la porte, elle glissa la main dans celle du dragon meech. La tête inclinée, elle lui sourit largement.

– Sens-tu les petits pains nordy toi aussi ?

– Oui, et Librettowit dit qu'il y a de la gelée de paspoire sur la tablette du haut de l'armoire.

– Celle du haut ? Comment allons-nous l'atteindre ?

– Tu peux me faire confiance. Cela exigera de l'ingéniosité.

Les deux amis tournèrent au coin du couloir.

9

LA VISITE DE PALADIN

Kale secoua la tête, incrédule.

Un dragon meech n'est pas du tout comme ce à quoi je m'attendais.

Elle remarqua que Bardon la fixait du regard.

Il est toujours aussi mal élevé !

Elle essaya de trouver quelque chose à dire. Son esprit était encore trop embrouillé pour penser à un propos intéressant. *J'aimerais qu'il parte.*

Elle désigna la porte que venaient de passer Régidor et Toopka.

– Quel âge a-t-il ?

Bardon haussa les épaules et se caressa le menton avec ses doigts effilés.

– Environ cinq semaines.

– C'est incroyable !

– Non, typique.

Elle secoua la tête.

– J'avais l'habitude de m'occuper de bébés à Rivière au Loin. Les bébés ne parlent pas à cinq semaines. Les bébés ne marchent pas à cinq semaines. Et il affirme avoir enseigné ses lettres à Toopka.

– C'est un meech. C'est normal pour un meech de grandir rapidement.

Kale se laissa retomber sur son lit, soudainement épuisée. Un gémissement lui échappa.

Bardon se dirigea prestement vers elle et lui prit la main.

— Est-ce que ça va ? Devrais-je appeler Gymn et Fenworth ?

Elle ouvrit les yeux et fronça les sourcils.

— Non, je viens juste de réaliser que je suis censé « guider » Régidor et qu'il est probablement beaucoup plus intelligent que moi.

Bardon relâcha sa main aussi vite qu'il l'avait prise.

— Plus que « beaucoup plus intelligent ». C'est un génie. Mais il n'est encore qu'un enfant. Il a besoin d'une amie.

— Je ne peux pas réussir, Bardon.

Elle posa ses deux mains sur ses yeux comme si elle pouvait se cacher.

— *Bien sûr* que tu le peux, aboya-t-il.

Le contraste avec le ton plus détendu qu'il avait utilisé jusqu'ici choqua Kale. Il ressemblait au Bardon lançant des ordres aux leecents du Manoir.

Kale laissa tomber ses mains et le fixa avec colère.

— Comment peux-tu dire cela ? Je n'ai aucune formation. J'étais une esclave. Je ne connais rien sur rien et je ne sais surtout rien sur les dragons meech.

— Librettowit t'aidera avec les connaissances.

Bardon marchait de long en large dans la pièce.

— Paladin t'a confié ce travail, tu peux y arriver. Wulder t'en fournira les moyens.

Elle voulait discuter, mais la lassitude due à sa maladie l'enveloppait de désespoir. Une larme s'échappa et roula sur sa joue. Elle la balaya en vérifiant si Bardon l'avait remarqué. Heureusement, il s'était arrêté à côté d'une grande fenêtre formée par un nœud dans l'arbre et regardait à l'extérieur.

Kale referma les yeux, espérant se rendormir. Elle essaya de se remémorer les rêves d'avenir qu'elle faisait quand elle vivait à Rivière au Loin en tant qu'esclave de village. Il devait certainement y être question de grandir, de se marier et de posséder sa propre maison. Elle se souvenait avoir désiré un chaton.

Elle n'avait jamais souhaité recevoir des dons particuliers. Elle n'avait jamais rêvé de marcher des centaines de kilomètres pour se rendre à la plus grosse et la plus importante ville du royaume. Paladin et Wulder n'étaient que des noms utilisés par les gens pour raconter des histoires. À présent, elle avait visité la capitale et plusieurs autres endroits également. Elle avait rencontré Paladin et expérimenté la présence de Wulder en plus d'une occasion. Elle avait fait la connaissance de personnes appartenant à chacune des sept races supérieures et croisé plus de créatures issues des sept races inférieures qu'elle ne désirait en voir jusqu'à la fin de ses jours.

Pour une raison ou une autre, elle n'était plus une esclave, mais une leecent. Elle avait un destin qu'elle avait à un moment cru excitant, mais qu'elle jugeait à présent plus souvent inconfortable. Quand Paladin vous réclamait comme l'un des siens, cela signifiait que vous deviez composer avec des magiciens et des tumanhofers grincheux, des lehmans intraitables, des dragons meech précoces et des polissonnes vagabondes. Être une esclave était plus simple.

Elle n'avait aucun désir de s'occuper des besoins de Régidor, de la raideur de Bardon et de l'étrange perception du bien et du mal de Toopka. Kale était censée se rendre au Manoir et suivre sa formation pour servir Paladin. Au lieu de cela, elle participait à des quêtes, courait les aventures, se faisait attaquer par des araignées creemoors et finissait dans le château du magicien des marais où il y avait trop d'action pour apprendre quoi que ce soit!

– Kale?

La voix de Bardon interrompit la liste de ses plaintes.

– Hum?

Peut-être que si elle semblait aussi endormie qu'elle se sentait, il partirait.

– Il était là. Te rappelles-tu l'avoir vu?

Elle ouvrit les yeux

– Qui?

Bardon murmura le nom.

– Paladin.

Kale frissonna en réponse au ton respectueux de Bardon. Dans le passé, lorsqu'elle s'était retrouvée seule avec Paladin, elle aussi avait été éblouie par sa présence.

– Où ?

– Dans le portail.

– C'est impossible. Un portail est trop étroit. Tu entres. Tu sors. Il n'y a pas suffisamment d'espace pour y rencontrer quelqu'un.

– Il était là.

Bardon pivota pour la regarder, et quand elle aperçut son expression, elle le crut.

Plusieurs émotions la surprirent. Une touche de colère lui fit serrer les lèvres ensemble.

Pourquoi Paladin n'a-t-il pas attendu jusqu'à ce que je puisse lui parler ? Il sait à quel point je veux le voir encore.

Elle prit une profonde respiration par le nez et la relâcha lentement.

Quand j'ai rencontré Paladin, je me suis sentie merveilleusement bien. Bardon a l'air inquiet. Elle lui lança un regard de biais, mais il s'était détourné encore une fois. *Qu'est-ce qui ne va pas chez lui ?*

Elle tenta de dissimuler l'irritation dans sa voix lorsqu'elle parla.

– Que s'est-il passé ?

– Il a posé sa main sur mon épaule, et j'ai pu respirer. Il a touché ta tête, et j'ai vu que tu respirais de nouveau.

– Qu'a-t-il dit ?

– Que tu vivrais. Que nous avions du travail devant nous.

Kale observa les traits de Bardon et comprit qu'il s'efforçait de maintenir un visage impavide pour cacher ses émotions.

Est-il excité ? Effrayé ? Non, Bardon n'aurait pas peur. Peut-être nerveux, mais pas effrayé.

– Est-ce tout ? s'enquit-elle.

Bardon soupira.

– Non.

Elle n'attendit qu'un instant.

– Bon, vas-tu me le dire ?

– Il m'a dit de me montrer courageux. Que Wulder est toujours avec nous ; et d'autres choses juste pour moi.

Kale resta allongée en silence, se demandant quoi lui répondre.

Bardon s'éclaircit la gorge.

– Il m'a dit de lui faire confiance.

Elle acquiesça.

– Il m'a dit de te faire confiance.

Ses yeux s'arrondirent, et elle sourit.

– Kale ?

Le ton de sa voix effaça le grand sourire sur son visage.

– Quoi ?

– Il savait.

– Quoi ?

– Que j'ai peur ! Pas juste peur, à ce moment-là, de passer le portail, mais que j'avais peur de quitter le Manoir. Que j'étais effrayé à l'idée de faire quelque chose d'autre que ce que j'avais prévu au cours des prochaines années.

Kale haleta.

– Moi aussi ! Oh, Bardon, c'est amusant !

– Amusant ?

– Oui ! Ne vois-tu pas ? Nous sommes tellement différents et pourtant nous avons peur tous les deux. Parfois, on dirait que je suis en colère, mais en réalité j'ai peur. Juste maintenant, je me plaignais à moi-même d'avoir à être ici au lieu de me trouver au Manoir.

Bardon effectua plusieurs grandes enjambées et franchit la distance entre eux. Il la dominait de sa hauteur, les mains sur les hanches.

– Je ne suis pas un lâche, affirma-t-il. Je ne veux pas que tu croies cela. Les mordakleeps et les dragons cracheurs de feu, les magiciens maléfiques, les grawligs et les bisonbecks sont tous des créatures ignobles à combattre. Je suis entraîné pour cela. J'excelle avec une épée, des lances, et un arc et des flèches. Je n'ai pas peur de la bataille.

Elle parla doucement.

– Tu as peur de ne pas être à la hauteur. C'est ce qui m'effraie. Paladin m'a confié un travail, et j'ai peur de le décevoir.

Bardon la fixa pendant un moment, puis il eut un hochement de tête sec.

– Vrai.

– Il a dit d'être courageux et que Wulder nous accompagne.

Bardon acquiesça de nouveau.

– Peut-être devrions-nous penser à cela de cette façon : nous devons nous montrer courageux *parce que* Wulder nous accompagne.

Bardon continua de la regarder en silence, puis son visage se détendit.

– Je ne dirai rien si tu gardes le secret, déclara Kale.

Il fronça les sourcils.

– Que nous sommes effrayés, précisa Kale.

Bardon grimaça.

– Paladin le sait.

Kale poursuivit son propos.

– Ce n'est pas grave. Et peut-être qu'au bout d'un certain temps, nous deviendrons aussi braves que nous le prétendons.

– Peut-être.

Une voix grinçante les interrompit depuis la porte.

– Bien, alors. Voilà qui est réglé.

Le magicien Fenworth tira sur sa barbe. Il délogea un minuscule oiseau qui s'envola par la fenêtre. Fenworth le regarda d'un air intrigué, puis il se secoua comme s'il se débarrassait d'une distraction. Il décocha un grand sourire à Bardon et à Kale, puis se frotta les mains ensemble.

— À présent, nous pouvons aller explorer les cavernes de Creemoor et découvrir qui a envoyé ces araignées pour envahir Vendela.

10

Les recherches

— Des recherches.

Librettowit fit claquer sa chope sur la table de la cuisine.

— Voilà ce dont on a besoin pour une entreprise comme celle-ci. Des recherches; des tas de recherches et de planification.

Kale observa le tumanhofer avec intérêt. Elle se prélassait sur un sofa dans la grande pièce commune de Fenworth. Metta se vautrait sur ses genoux et Gymn était blotti sur son épaule près de son cou. De temps en temps, le petit dragon soulevait son menton rude pour le frotter affectueusement contre sa joue.

Les commentaires de Librettowit sur ce qu'il connaissait déjà sur Creemoor se poursuivirent. Il parla des tours sculptées par le vent au-dessus du sol et des catacombes creusées par les rivières souterraines depuis longtemps disparues, de la période de désolation et des créatures affamées cherchant désespérément de la nourriture et de l'eau.

— Nous avons besoin de beaucoup plus de renseignements pour nous aider dans cette quête que l'on se propose de mener.

Le bibliothécaire regarda le magicien endormi.

— Circonspection, prudence.

Librettowit marmonna dans sa barbe, mais Kale l'entendit.

— Une trahison se prépare à Creemoor.

Il but dans sa chope et leva le ton.

— Je suis aussi impatient que quiconque de dénicher la moindre parcelle d'information. Évidemment, je veux savoir qui est l'instigateur de l'attaque des araignées sur Vendela. Cependant, j'ai une âme de bibliothécaire et je préfère le découvrir à l'aide des moyens à ma disposition à l'intérieur des murs solides de la vaste bibliothèque de Fenworth.

Librettowit tourna son petit corps sur le tabouret de bois et contempla la pièce. Régidor s'était installé sur le sofa avec Kale, sa queue ramenée en avant et posée sur ses genoux, où il caressait les rides écailleuses. Toopka avait été bordée pour la nuit dans un hamac suspendu entre deux poutres dans la partie servant de cuisine à l'opposé de la salle commune. Bardon était assis dans un coin à côté d'étagères à livres et d'une branche de pierres-soleil vives. Il lisait un livre intitulé *Chevaliers en service.*

Fenworth piquait un petit somme. Il était installé dans un fauteuil confortable, et un globe de lumière jaune était suspendu dans les airs au-dessus de son épaule droite. Une main tenait une tasse et l'autre un livre ouvert.

Kale regarda Librettowit observer chacun de ses camarades à tour de rôle. Elle se demandait à quoi il pensait, mais elle se retint de s'introduire dans ses pensées. C'était mal élevé d'écouter en secret les réflexions privées. Elle détourna les yeux quand le tumanhofer tourna son regard vers elle, mais elle sentit tout de même une rougeur involontaire l'envahir sous son examen approfondi. Elle reporta délibérément son attention sur la pièce chaleureuse.

Des flaques de lumière d'un bleu froid émanaient de pierres-soleil à l'intérieur de lampes suspendues au mur et déposées sur des tables. Le vent entrait et sortait librement par les fenêtres ouvertes formées de grands trous ronds dans les cloisons de l'arbre. L'air humide portait le parfum piquant des fleurs des marais. Les oiseaux de nuit se saluaient entre eux pendant que la lune s'élevait sur Les Marais. Kale savoura la paix.

En toute franchise, je suis du côté de Librettowit. Je ne veux pas explorer les cavernes Creemor. Tout d'abord, je ne me sens pas assez forte. Les guérisons de Gymn ont habituellement agi plus vite que cela.

Elle se frotta la main. Sa peau lui démangeait.

Je me demande si quelque chose ne fonctionne pas cette fois-ci. Cela fait des heures à présent que je me suis réveillée, et je me sens encore comme si je venais de tomber du sommet d'un arbre. Mon bras est faible et douloureux.

Librettowit s'éclaircit la gorge et agita un doigt vers le magicien.

— Remarque, Fenworth, que je ne vous suivrai *pas* pour te servir d'encyclopédie de voyage. Je vais te fournir les faits, les cartes géographiques et les statistiques, mais je ne vous accompagne *pas*. Je suis bibliothécaire après tout, pas chevalier, magicien ou aventurier.

Toopka se pencha en avant et tomba presque de son hamac. Elle se balança en position précaire pendant un instant avant que son lit ne retrouve un rythme régulier et qu'elle put poser sa question.

— Qui nous racontera des histoires si tu ne viens pas?

Le tumanhofer la gratifia d'un regard colérique, mais l'enfant se contenta de glousser.

Il fronça les sourcils encore plus férocement.

— Tu n'y vas pas non plus, alors cela n'a pas d'importance.

— Qui chantera? insista-t-elle. Tu chantes toutes les vieilles, *vieilles* chansons folkloriques. Metta ne les connaît que si elle les apprend de toi. Ce sera ennuyeux sans toi et Metta pour chanter après le dîner.

Régidor se leva. Sa queue corpulente renversa une table de bout et les livres empilés dessus. Pendant que tous les occupants de la pièce retenaient leur souffle, il se rassit à côté de Librettowit sans rien jeter d'autre par terre.

Fenworth s'éclaircit la gorge. En ouvrant un œil, le magicien fixa le dégât d'une mine renfrognée. La table se redressa. Les livres éparpillés bondirent du sol et se replacèrent en piles nettes. Avec son habituelle expression de bonne humeur sur le visage, Régidor étudiait ses mains repliées. Ses épaules se courbèrent quand il soupira profondément.

Librettowit ignora Fenworth et posa une main sur celles de Régidor.

— Ne t'inquiète pas pour lui. En vérité, tu as fait un bien énorme à ce vieil homme.

Fenworth grommela quelque chose à propos du « vieil homme » et plongea ostensiblement le nez dans le petit bouquin sur les traditions en forêt qu'il tenait.

Librettowit eut un léger rire.

— Il y a un mois, Fenworth aurait dû faire un effort de concentration pendant quinze minutes avant de se souvenir du sortilège de retour en arrière. À présent, il y arrive sans y penser. Tout cela grâce à toi, Régidor.

Il tapota de nouveau la main du dragon.

— Tu es bon pour lui. Tu gardes son cerveau alerte.

— Hum !

Fenworth posa sa tasse et tourna une page.

— Est-ce que l'on va me laisser à la maison ? demanda Régidor. Dois-je rester avec Toopka ?

— Tu as la *chance* de rester avec moi, mon garçon, répondit Librettowit. Nous étudierons la géographie. Peut-être ferons-nous quelques voyages en utilisant des portails. Pour en apprendre un peu sur le pays. Assister à un festival ou deux. L'automne est une belle saison pour voyager — la température n'est pas si mal, et de nombreuses fêtes des moissons se déroulent un peu partout.

Régidor fit la moue.

— Je veux participer à la quête.

— Moi aussi !

Toopka fit osciller dangereusement son hamac.

Metta et Gymn s'assirent brusquement et sifflèrent un trille. Kale s'efforça de se concentrer. Les pensées des dragons se frayèrent un chemin dans son esprit las.

— Célisse ?

Kale se redressa. Les petits dragons bondirent dans les airs et s'envolèrent dans la nuit par la fenêtre ouverte.

– Célisse et Merlander ! s'exclama Kale.

Elle fit un effort pour se lever.

Un sourire s'étira sur son visage alors qu'elle se rendait à la fenêtre pour scruter le ciel. Les branches du château de Fenworth obstruaient un peu la vue, mais elle pouvait apercevoir des étoiles scintillantes et la douce lueur de la lune sur les arbres imposants du marais.

Kale exulta.

– Et Dar ! Dar arrive aussi !

Toopka culbuta par-dessus son hamac, se laissa tomber sur le sol et trottina vers la fenêtre.

– Où ? Où est-il ?

Elle tira sur la manche de Kale.

– Lève-moi. Je veux voir.

En se penchant pour prendre l'enfant avec son bras plus fort, Kale secoua la tête.

– Tu ne peux pas le voir. Il est loin, à cheval sur Merlander. Ils doivent atterrir à l'extérieur des Marais, et Dar fera la route à pied.

– Les gros dragons ne viendront pas ici ? Pourquoi pas ? Est-ce que Fenworth est fâché contre eux aussi ?

Régidor sauta de sa chaise, la renversant, et poussa du coude pour occuper une place d'où il pouvait regarder par la fenêtre. Kale dut s'écarter.

Bardon leva les yeux.

– Mauvaises manières, Régidor.

– Excusez-moi, grommela le dragon.

Il sortit son nez par la fenêtre et renifla.

– Je ne sens rien d'autre que les marais. Je sens les vignes de guimauve sucrée, l'eau, le bois mouillé, l'eau, et encore du bois mouillé. Je ne sens pas d'autres dragons. Ni ce Dar non plus.

– Il est trop loin, déclara Toopka. Kale l'a dit.

— Alors comment sait-elle qu'il arrive ?

— Les petits dragons le lui ont dit, répondit Toopka en levant le menton.

— Oui, c'est exact, ajouta Kale. Mais je peux aussi déceler leur présence.

— Montre-moi comment faire, exigea Régidor.

— Tes manières, le réprimanda Bardon.

Régidor se tourna pour fixer le lehman avec colère.

— C'est une perte de temps d'ajouter tous ces mots supplémentaires uniquement pour bien paraître.

— Si tu veux servir Paladin, tu dois suivre son exemple. Article dix-sept — affable dans chaque mot.

Exaspéré par les règles de Bardon, Régidor siffla à travers ses lèvres minces.

— S'il te plaît, montre-moi comment faire !

— J'ignore si c'est possible, Régidor, répondit Kale. Il s'agit d'un don que m'a offert Wulder. Leetu Bends m'a appris comment m'en servir, mais Wulder m'a d'abord accordé ce don.

— Comment puis-je savoir s'Il me l'a donné ?

— Eh bien, ferme les yeux, puis essaie d'ouvrir ton esprit pour atteindre des choses qui se trouvent ailleurs que dans cette pièce.

Le dragon meech ferma docilement les yeux et étira son cou à l'extérieur de la fenêtre.

— Je ne crois pas que cela fonctionne.

— Tais-toi. Donne-toi un peu de temps.

— Cela ne fonctionne pas.

— Tu ne restes pas silencieux.

— Dois-*tu* rester silencieuse ?

— C'est plus efficace quand je me tais.

Un moment s'écoula.

— Je pense encore que cela ne fonctionne pas.

Elle serra les dents en ravalant une réplique sèche. Régidor agissait exactement comme les petits enfants dont elle prenait soin en tant qu'esclave de village.

— Tu dois attendre deux minutes entières avant que tu ne puisses répéter que cela ne fonctionne pas.

Les paupières de Régidor se fripèrent quand il les ferma plus fortement. Ses lèvres minces se serrèrent en une grimace de détermination.

Kale regarda par la fenêtre avec un soupir de satisfaction.

Allô, Dar.

– *Salut à toi. Je vois que je ne te surprendrai pas.*

Je suis surprise. Je suis aussi heureuse que tu viennes, mais pourquoi ?

– *Nous avons combattu une attaque d'araignées creemoors juste après ton départ. Je me suis retrouvé dans le cœur de l'action et j'ai obtenu une médaille de bravoure. Cela me semble un peu ridicule de donner une décoration à un type pour avoir essayé de rester en vie.*

Oh Dar ! C'est merveilleux. Ils doivent maintenant réaliser que les doneels sont capables d'agir en guerriers. À présent, ils ne se montreront plus aussi réticents à te laisser suivre une formation au Manoir.

– *En fait, je ne vais pas continuer ma formation là-bas.*

Mais c'est ce que tu as désiré pendant la moitié de ta vie. Tu me l'as dit toi-même.

– *Paladin a déclaré que la médaille démontrait que je n'avais pas besoin de formation et qu'il avait un autre travail pour moi. Il m'a confié une mission honorifique. Tu devras peut-être m'appeler « sire » à présent.*

Kale rit.

Sire Dar ?

– *Exactement.*

Quel est le travail ?

– *Découvrir les intentions des deux acolytes de Risto : Burner Stox et Crim Cropper. Ils ont été impliqués dans des entreprises fort étranges ces derniers temps. Peut-être même le lancement des araignées sur Vendela.*

Nous étions là.

– Quand les araignées ont attaqué ?

Oui, nous n'avions pas encore traversé le portail. J'ai été empoisonnée, et cela m'a pris un long moment pour me rétablir.

Il y eut une pause.

– Kale, très peu de victimes du poison des creemoors survivent.

Paladin a aidé – et Gymn et Fenworth.

– Je suis content que tu t'en sois tirée. Nous atterrissons maintenant à l'ouest des Marais. Nous camperons ce soir, et je viendrai à pied demain. J'ai très hâte de te voir, mon amie.

Embrasse Célisse pour moi. Je l'ai déjà saluée, ainsi que Merlander. J'aimerais pouvoir voler jusqu'à vous.

– Je ne vais pas embrasser Célisse, mais je vais lui donner une petite tape amicale et peut-être la gratter derrière l'oreille.

Kale rit de nouveau. Ce serait agréable d'avoir sa compagnie.

– Des mordakleeps ! hurla Régidor.

– Où ?

Kale fouilla le paysage ombrageux à l'extérieur du château.

– Pas ici. Là-bas. Là où se trouvent cet homme, Dar, et les deux dragons.

Dar !

Kale cria l'avertissement dans son esprit.

– Des mordakleeps ! s'écria le doneel.

Fenworth quitta son fauteuil d'un seul mouvement vif et puissant et étira un bras sinueux en l'air.

– À la rescousse ! s'écria-t-il.

La pièce commença à tourbillonner.

II

Laissés derrière

Des faisceaux de lumière de plus en plus brillants les entouraient, au point où Kale dut fermer les yeux et baisser la tête. Des vents forts soufflaient dans la pièce. Kale passa son bras autour du meech et le tira au sol. Elle s'accroupit là avec Régidor et Toopka.

— Ah, voilà qui est mieux ! cria Fenworth. Tout d'abord, nous partons à la rescousse du doneel et ensuite nous allons aux cavernes. Araignées, méfiez-vous !

Des odeurs les assaillirent les unes après les autres, puis elles disparurent. Un jardin de fleurs, une boulangerie, une forêt de pins et du vinaigre de cidre de pommes.

Fenworth semblait tout près.

— Est-ce que ce doneel a dit qu'il se trouvait à l'est ou à l'ouest des Marais ?

Kale tenta de hurler « ouest », mais une rafale s'engouffra dans sa bouche et assourdit son cri.

— Ouest, dis-tu, Kale ? Je crois que tu as raison. L'ouest, c'est logique. Merci, ma fille. Sois gentille, à présent. Nous ne serons pas partis longtemps.

Librettowit siffla près de son oreille.

— Lâche-moi, maudit magicien.

Fenworth ne lui répondit pas, mais une trompette sonna quelques notes rapides pour signaler l'assaut, et la voix du magicien s'éleva au-dessus des couacs, des braillements et des grognements des animaux de la basse-cour.

— Prépare-toi au combat, Bardon !

— Oui, Monsieur, acquiesça le lehman.

Sa voix semblait étouffée. Kale avait l'impression de flotter dans un vaste endroit désert, mais elle savait qu'il valait mieux ne pas entrouvrir les yeux. La lumière faisait paraître ses paupières rouge sang tellement elle brillait.

La lumière commença à faiblir. Le vent retomba. Les bruits normaux des marais remplirent l'air nocturne. Kale ouvrit les yeux, s'attendant à se trouver dans un champ juste à l'extérieur des Marais.

Sous ses genoux, de larges planches formaient un plancher solide. Son corps était courbé au-dessus des silhouettes pelotonnées de Toopka et Régidor. Elle leur tapota le dos et se redressa.

— Tout va bien maintenant, dit Kale.

Mais elle porta un regard furieux sur son environnement.

Des flammes crépitaient dans l'âtre. Le livre de Bardon reposait ouvert sur le sol. La chope de Librettowit se trouvait encore sur la table de la cuisine. Le chapeau du magicien n'était plus suspendu au crochet à côté de la porte, et les trois hommes avaient aussi disparu — Bardon, Librettowit et Fenworth.

— Nous avons été laissés derrière, déclara Régidor.

— Non ! hurla Toopka.

Elle grimpa péniblement sur le rebord de la fenêtre pour regarder à l'extérieur au cas où elle verrait Fenworth partir avec Librettowit et Bardon.

— Non, non, non ! C'est ma première aventure. Kale, fais quelque chose !

— Quoi ?

— Amène-nous là-bas. Tu es une magicienne.

— Je suis une magicienne sans aucune formation. Je ne peux pas nous transporter où que ce soit.

Régidor frappa la paume de sa main avec son poing.

– Alors, nous marcherons. Si Dar pouvait venir à pied, nous pouvons partir à pied.

– À travers Les Marais ?

La voix de Kale se cassa.

– La nuit ? Pendant une attaque de mordakleeps ?

– Je n'ai pas peur des mordakleeps, déclara Régidor en plantant ses poings sur ses hanches.

– Moi non plus.

Toopka sauta pour rejoindre son ami, imitant sa posture et son regard têtu.

– Tu leur coupes la queue, et ils meurent. Je n'ai pas peur.

– Écoutez-moi.

Kale se leva et confronta les deux enfants.

– Les mordakleeps sont dangereux. Ils ne vous *laissent* pas couper leur queue. Ils essaient de vous encercler et de vous couper de tout. Ils sont féroces, rapides et mortels.

Régidor courut à la cuisine et attrapa un couperet de boucher. Toopka le suivit et agita bientôt un couteau à éplucher devant son corps minuscule.

– Nous irons sans toi, déclara-t-elle.

– Non, vous n'irez pas.

Kale fit surgir dans son esprit des images qu'elle aurait refoulées en toute autre occasion. Des mordakleeps avaient attaqué pendant qu'elle voyageait avec Dar et Leetu Bends. Elle projeta à ses guerriers en herbe la scène où de sombres créatures suintantes se tapissaient dans les arbres.

Kale se souvenait d'ombres noires qui ondulaient et devenaient des monstres hideux. Leur tête en forme de goutte oscillait d'avant en arrière. À mesure que la masse menaçante se précisait, elle vit que chaque mordakleep avait deux jambes épaisses et une queue mince disparaissant à travers le sol feuillu du bordage de cynœuds.

Les mordakleeps se traînaient lentement jusqu'à leurs victimes. Des yeux rouges brillaient dans des cavités grises. Des bouches grotesques mordaient et des langues vertes donnaient de petits coups à travers des dents jaunes pointues et des lèvres minces.

L'énorme poids des mordakleeps faisait onduler le plancher de cynœuds comme les vagues sur la mer. Kale attendit qu'un des monstres s'approche suffisamment d'elle pour le frapper. Deux autres mordakleeps émergèrent du plancher de cynœuds. L'attention de Kale se concentra sur l'affreuse créature visqueuse et noire la menaçant. Malgré son gabarit, le monstre se contorsionnait et tournait adroitement.

De concert avec la hideuse vision des créatures des marais, Kale conjura la terreur et le désespoir éprouvés au cours de cet assaut qu'elle et ses camarades livraient contre une force beaucoup plus puissante que la leur. Quand elle plongea dans le désespoir qu'elle avait ressenti à la fin du combat, elle s'écarta vivement de ses émotions, stoppant les scènes d'horreur qu'elle avait transmises à Régidor et à Toopka.

La doneel agrippait fortement à deux mains le bras du dragon, ses yeux ronds de peur. Régidor avait l'air pâle, mais il se tenait droit, la mâchoire serrée.

Toopka frissonna.

— Ils sont plus gros que je le croyais.

Kale ouvrit les bras, et la fillette courut vers elle. Kale la souleva et l'étreignit.

— Qui t'a parlé des mordakleeps ?

— Sittiponder. Il s'agit d'un orphelin tumanhofer qui a déjà vécu dans les montagnes, et il connaît toutes sortes de récits sur les mordakleeps, les grawligs et les bisonbecks et sur les sept races supérieures, et les sept races inférieures aussi. Il s'assoit sous les marches de bois d'un vieil entrepôt près des docks. Il te raconte une histoire si tu lui apportes à manger. Il est aveugle.

— Oh mon doux, commenta Kale.

— Hum, dit Régidor, exactement comme Fenworth. Il me semble souhaitable que tu apprennes à lire pour savoir si ses histoires sont véridiques ou non.

– Oh, toi et ta lecture assommante. Inutile d'apprendre, car tu me liras des histoires. Cela nous fera économiser du temps si seul un de nous est responsable de trouver les meilleurs livres.

– Je ne serai pas toujours là.

– Pourquoi pas ?

– Je vais grandir.

– Eh bien, je vais grandir aussi.

Régidor secoua la tête.

– Je vais grandir rapidement, et tu vas grandir lentement. Très bientôt, je serai un adulte, et tu seras encore un bébé.

– Ce n'est pas vrai !

– Oui, ce l'est.

– Impossible. Je ne suis déjà plus un bébé.

– C'est toi qui te cramponnes au cou de Kale.

Toopka se tortilla pour échapper aux bras de la jeune o'rant et se laissa choir sur le sol, où elle se tint les poings sur les hanches.

– Si nous étions à Vendela, tu aurais besoin de moi pour prendre soin de toi. Tu ne saurais pas où trouver de la nourriture, ni où dormir, ni qui éviter pour ne pas avoir d'ennuis. Tu serais nul à moins que je ne te prenne par la main et que je te guide.

– Arrêtez ! cria Kale. C'est une discussion stupide. Seuls les idiots argumentent de façon stupide, et vous n'êtes pas idiots. Plus un mot, ni l'un ni l'autre !

Une autre citation provenant directement des lèvres de dame Meiger, mais Kale était trop agitée pour s'en soucier. Elle traversa la pièce à grands pas et s'assit dans le fauteuil de Fenworth. Les coudes sur les genoux, elle posa son menton sur ses poings.

– Je vais essayer de découvrir ce qui se passe.

Régidor et Toopka la suivirent. Ils se tinrent de chaque côté du siège et l'observèrent avec de grands yeux.

– Tu ne devrais pas t'asseoir là, déclara le dragon. Fenworth se met dans une colère noire s'il me trouve dans son fauteuil.

– Je te prie de te taire, répondit Kale. Je me concentre.

– Sur quoi ? demanda Toopka.

– Dar.

Régidor se laissa tomber sur le sol et s'assit en tailleur à côté de son genou.

– Essaies-tu de le joindre par télépathie ?

– Non, j'essaie juste de voir ce qu'ils fabriquent. Ils se battent et n'ont pas besoin que je leur parle en ce moment.

Le défilement rapide d'images successives était difficile à démêler. Les questions de Toopka et de Régidor interféraient.

– Régidor, ferme les yeux et vois quelles impressions tu obtiens. Toopka, reste silencieuse pendant un moment.

Imitant Kale, Toopka plaça ses coudes sur le bras du fauteuil et posa son menton sur ses poings.

Kale n'arrivait pas à toucher l'esprit du magicien Fenworth. Elle savait par expérience qu'il protégeait ses pensées avec un puissant sortilège. Quand elle chercha Librettowit, elle se heurta à ses imprécations entremêlées contre les mordakleeps et le magicien. L'esprit de Lehman Bardon était presque dépourvu de pensées, mais elle sentait son énergie dans la fluidité de ses mouvements décisifs de combat. Il les accomplissait avec une précision militaire. Dar se battait sous une coquille protectrice, ses gestes moins rigoureux que ceux du guerrier entraîné au Manoir.

C'était plus facile de pénétrer les esprits de Metta, de Gymn et de Célisse. Metta et Gymn effectuaient des fondus en piqué et crachaient de grandes quantités de salive caustique qu'ils utilisaient dans les affrontements. La frustration des dragons nains augmenta quand leur arme se révéla sans effet sur les mordakleeps. Célisse, comme les dragons nains, combattait depuis les airs. Son attitude était féroce, mais aussi prudente.

Elle se servait de sa puissante queue pour livrer bataille aux monstres. Merlander se tenait à côté de Dar.

Régidor donna un petit coup sur le genou de Kale.

– Fenworth tente un sortilège de déshydratation.

– Tu peux communiquer en pensée avec le magicien ?

Kale regarda attentivement le visage du dragon meech.

Il ferma ses yeux bridés et serra ses lèvres minces. Il acquiesça en réponse à sa question.

– Cela ne fonctionnera pas. Il veut jeter le sortilège autour de la queue de chaque mordakleep et la couper de son lien avec l'eau des marais. Cela ne fonctionnera pas. Ce sera trop long.

– Peux-tu l'aider ?

L'expression de Régidor devint impatiente.

– Non, je ne sais pas comment.

Ses yeux s'ouvrirent brusquement, et il fixa Kale. Deux mots sortirent de sa bouche dans un sifflement horrifié.

– Des blimmets !

Kale se leva. Régidor bondit sur ses pieds à côté d'elle.

Toopka attrapa la jambe de Kale sous son genou et la serra comme si rien ne pouvait l'en détacher.

– Je ne les sens pas, dit Kale, sa voix aiguisée par la peur. Où sont-ils ?

– Ils viennent se joindre au combat.

Les mots sinistres de Régidor provoquèrent un frisson le long de l'épine dorsale de Kale.

– Es-tu sûr ? s'enquit-elle. Personne ne dirige les blimmets. Ils creusent au hasard des tunnels dans la terre et sortent pour dévorer tout ce qui est vivant quand ils ont faim. Ils n'ont pas de but. Ils sont presque sans cervelle.

– Ils ont un but. Il s'agit de nos amis.

– C'est impossible.

Kale ne voulait pas croire que la horde destructrice de créatures semblables à des fouines puisse véritablement chercher des victimes. Elle tendit le bras et posa une main sur l'épaule de Régidor avec l'envie de le secouer pour le faire changer d'avis. Dès que ses doigts touchèrent son épaule, une sensation frappa son esprit avec une intensité étourdissante. Elle vit la masse de corps sombre se contorsionner et creuser à vive allure à travers le champ ouest des Marais. Elle ressentit le désir collectif des blimmets de consommer de la chair de dragon.

– Nous devons aider. Nous devons prévenir Dar et les autres.

Kale pencha sa tête vers l'arrière et hurla.

– Wulder, au secours!

Au même instant, elle sut ce qu'Il attendait d'elle. Il l'avait choisie comme sauveteuse.

– Non, non, non.

Elle frappa ses cuisses avec ses poings.

– *Ouvre la main, Kale, et je la tiendrai.*

Kale eut le souffle coupé par la surprise. La voix appartenait à Paladin.

12

EN AVANT !

– C'est à nous de jouer, déclara Kale.

Son regard passa des grands yeux et de la bouche bée de Toopka à l'expression sérieuse de Régidor.

– Régidor, dis à Fenworth que les blimmets sont en route.

– Comment ?

– Par télépathie. Tu peux y arriver.

Régidor ferma docilement les paupières et plissa son visage dans un effort de réflexion. Un instant plus tard, ses yeux s'ouvrirent en grand.

– J'ai réussi !

Kale l'étreignit, puis tomba à genoux. Elle fixa une parcelle des planches usées devant elle et se concentra.

Que devrais-je faire ? Si seulement Dar ou Leetu étaient ici.

Kale secoua la tête en signe de frustration.

– Nous devons penser à une façon d'aider.

Elle fit passer son regard de Toopka à Régidor. Ils haussèrent tous deux les épaules.

– L'eau, dit Kale quand un souvenir la frappa. Fenworth a noyé les blimmets lorsqu'ils ont attaqué notre campement.

Le visage de Régidor s'éclaira.

– Il y a de l'eau dans les marais.

Kale acquiesça.

– Nous devons découvrir comment la déverser sur eux.

— Avec des seaux ! s'écria une Toopka tout excitée en dansant sur ses orteils.

— Trop petits, déclara Régidor.

— La météo, dit Kale.

— La météo ? répétèrent à l'unisson Toopka et Régidor, la voix de basse de ce dernier enterrant presque le cri de la doneel.

— Oui !

Kale serra les mains ensemble.

— Fenworth a utilisé un orage.

Régidor sortit de la pièce en courant. Ses pas résonnaient à vive allure dans le couloir, puis ils s'évanouirent une fois qu'il grimpa à l'un des nombreux escaliers en colimaçon. Sous peu, le rythme léger retentit de nouveau à travers le couloir dans la branche creuse, devenant plus fort quand il sauta en bas des marches. Le meech revint dans la salle commune en tenant un immense volume relié d'un cuir bleu exquis et deux tomes moins imposants recouverts de ce qui ressemblait à de la mousse.

— Sortilèges de météo.

Il soufflait en laissant tomber les lourds bouquins sur la petite table entre le sofa et les fauteuils.

Il ouvrit l'un des plus petits volumes et le feuilleta. Kale se pencha sur le plus gros, faisant courir son doigt sur une longue table des matières. Toopka ramassa le plus petit et le tint contre sa poitrine, ses bras minces enserrant le précieux livre.

Ses yeux se noyèrent de larmes.

— Je ne sais pas lire, gémit-elle.

Régidor retroussa une lèvre et parla entre ses dents serrées.

— Celui-là contient des images.

— Oh, dit Toopka, et elle grimpa sur la chaise la plus che.

lle s'installa confortablement et ouvrit le petit livre avec t.

h, joli. Un arc-en-ciel.

erche quelque chose d'utile, aboya Régidor.

— Déverser de l'eau, marmonna-t-elle, puis elle étudia les pages en plissant le front.

Dans le livre tenu par Kale, les chapitres étaient classés par ordre alphabétique. Elle songea à tourner les pages jusqu'au « Chapitre 3 : Cumulus », mais elle continua à lire rapidement. Les ouragans lui parurent trop complexes pour deux apprentis n'ayant pas encore suivi une seule leçon avec le maître magicien. Le chapitre « Éclair » réveilla son attention, car il était court. Elle ne s'arrêta pas pour comprendre ce que pouvait être « Météorologie bruyante ». « Pluie » ressortait en lettres grasses, mais un titre quelques lignes plus loin attira son œil.

— Tornade !

Elle tourna rapidement les pages en cherchant le numéro 549. Toopka glissa en bas de son siège et sautilla jusqu'à elle.

Régidor cria de joie.

— Nous pouvons aspirer l'eau du marais et la déverser sur les blimmets.

— Oui, oui !

Toopka sautait et applaudissait de ses petites mains duveteuses.

Kale trouva le chapitre et commença sa lecture. Une expression sévère marquait son visage.

— Je ne comprends pas tout, annonça-t-elle.

— Inutile, expliqua Régidor. Fenworth affirme que Wulder se charge de tout le travail de toute façon. Être magicien signifie comprendre Sa création et travailler avec Ses lois universelles. Fenworth dit que Wulder a créé des systèmes pour tout et qu'ils fonctionnent toujours.

Kale secoua la tête sans se donner la peine de demander des précisions. Elle poursuivit sa lecture. Toopka continuait de sautiller à côté d'elle. Régidor vint se placer de l'autre côté pour scruter les pages. Elle parcourut lentement les mots bruns écrits dans un caractère élégant, effacés par le temps.

— Voilà ! dit-elle, mettant le doigt sur un paragraphe commençant par : *Les trombes d'eau sont développées en créant une zone de basse pression avec une forte densité d'humidité et en l'entourant d'un fort vent circulaire.*

– Les marais ont une forte densité d'humidité, déclara Régidor.

– Qu'est-ce qu'une zone de basse pression ? demanda Kale.

– Je ne sais pas.

– Comment pouvons-nous provoquer un vent circulaire ?

– Je ne sais pas.

– En brassant ! décréta Toopka.

Ses ongles d'orteils cliquetèrent sur le vieux plancher de bois quand elle courut vers la table de la cuisine. Elle rapporta la chope abandonnée de Librettowit avec une cuillère et elle plaça les objets sur la table devant Régidor.

– Brasse ! ordonna-t-elle.

Régidor attrapa la cuillère et la fit tournoyer dans le liquide blanc crémeux. La douce odeur de la guimauve s'éleva du contenant.

Toopka grimpa sur le meuble et s'agenouilla la tête penchée, à deux doigts de celle de Régidor.

– Tu vois, déclara-t-elle. Le milieu est bas, et la sève de guimauve tourne et tourne.

Régidor acquiesça.

– Mais je ne vois pas comment cela va nous aider.

– Concentre-toi, c'est tout, dit Kale. Imagine le vent tournant sans cesse autour du marais, exactement comme la sève de guimauve dans la chope.

Toopka ferma les paupières, comme Kale et Régidor. L'instant suivant, Kale sentit une bouffée d'énergie lui chatouiller la colonne vertébrale. Elle ouvrit les paupières et constata que les yeux de Régidor clignaient rapidement, comme s'il venait juste de ressentir une chose vraiment étonnante.

– Il s'est passé quelque chose, dit-il.

Kale acquiesça, espérant qu'il ne demanderait pas ce que *c'était,* car elle n'en était pas sûre.

Elle regarda autour de la pièce. Tout paraissait normal, depuis les pierres-soleil luisantes jusqu'au petit feu dans l'âtre.

– Que faisons-nous à présent ? voulut savoir Régidor.

Kale frotta ses paumes moites sur son pantalon court.

– Essaie de t'immiscer dans la tête de Fenworth pour savoir ce qui se passe là-bas. Je vais me concentrer sur les dragons.

Elle tendit son esprit vers Gymn et le trouva caché sous un buisson. La terreur secouait sa frêle silhouette par vagues féroces, mais ce n'était pas les mordakleeps qui l'incitaient à s'abriter. Un vent violent l'avait arraché au ciel et précipité au sol. Metta aussi cherchait refuge. Elle se creusa un chemin dans le bois mou d'un rondin. Célisse vola rapidement hors de portée de la tempête, montant de plus en plus haut pour se mettre en sécurité.

– Oh non, haleta Kale.

Régidor lui lança un regard inquiet.

– Fenworth se concentre toujours sur le sortilège de déshydratation.

– Où sont les blimmets ?

– Ils sont proches, mais pas encore montés à la surface.

– Les vents malmènent nos amis.

Kale se tordit les mains ensemble.

– Nous n'avons pas pensé à cela. L'orage tuera les blimmets, mais il pourrait blesser Fenworth et tous les autres.

Régidor plissa les yeux comme s'il pouvait voir quelque chose au loin.

– La tornade avance lentement, plus lentement que les blimmets.

– Comment le sais-tu ?

Régidor haussa ses minces épaules.

– Je le sens. Je peux sentir le mouvement des blimmets, l'agitation sur le champ de bataille et le chemin suivi par la tornade.

– Que se passera-t-il ?

Toopka poussa un cri perçant, bondissant sur ses orteils et agitant les bras devant elle.

Régidor répondit :

– Les tornades voyagent à travers la campagne et détruisent tout ce qui se trouve devant elles.

Il fronça les sourcils en regardant Kale.

– Peut-être pouvons-nous l'arrêter.

Toopka brailla.

– Mais nous allions déverser l'eau sur les blimmets.

– Nous ne pouvons pas faire les deux, déclara Kale. Nous ne pouvons pas noyer les blimmets sans blesser nos amis.

13

Un nouveau plan

Kale passa ses doigts dans ses cheveux, les saisit par poignée et les tira comme si elle pouvait sortir la réponse de sa tête.

— Nous devons amener l'eau par-dessus les blimmets. Si la tornade se trouve au-dessus d'eux, elle ne fera peut-être pas exploser tous les autres en mille morceaux.

— Comment ? Comment ? Comment ?

Toopka bondissait après chaque mot.

— Arrête de sauter, aboya Régidor.

— Sauter ! dit Kale. Régidor, imagine que la tornade saute ! Qu'elle sautille dans les airs, exactement comme Toopka.

Elle referma ses mains sur ses épaules et le secoua.

— Pense à la tornade en train de sauter dans les airs par-dessus le champ et retiens cette pensée. Tiens la tornade dans les airs.

Kale saisit cette image dans son esprit. Dès qu'elle toucha à l'énergie de la tornade, elle sut qu'elle avait déjà faibli. Leurs talents n'étaient pas développés et leur esprit n'était certainement pas discipliné pour accomplir une tâche aussi immense.

— Oh, Wulder, aide-nous.

Régidor lui serra le bras. Ses ongles semblables à des griffes lui piquèrent la peau. Sa voix s'éleva dans un murmure rauque.

— La tornade se trouve au-dessus du champ. Les blimmets sont presque directement en dessous et ils creusent vers le haut.

— Tiens la tornade, supplia Kale.

Elle sentait l'énergie de la tempête tourbillonnante lui échapper.

– Nous devons maîtriser la tornade. Attendre que les blimmets montent à la surface, puis la libérer.

Elle gémit.

– Elle se disperse, elle se brise.

– Tiens-la, Kale ! Les blimmets sont presque sortis de terre.

– Elle faiblit. Je ne peux pas.

– Encore quelques secondes seulement.

Kale supplia Wulder de prendre la relève.

Je ne peux pas. Je ne suis pas assez forte. Wulder, je ne peux pas.

– Maintenant ! hurla Régidor.

Kale s'effondra au sol et sentit la tornade céder la place à un torrent d'eau.

– Qu'est-ce qui se passe ? s'écria Toopka.

Régidor poussa un cri triomphal.

– Les blimmets se noient. Alors qu'ils sortaient de la terre, ils ont été frappés de plein fouet par l'eau, des tonnes d'eau.

– Des tonnes ?

– Enfin, peut-être pas des tonnes.

Il regarda la minuscule doneel avec agacement, puis ses traits se détendirent et formèrent un sourire de jubilation. Il attrapa Toopka et la fit tournoyer autour de la salle, dansant une gigue et hurlant. Sa longue queue renversa de petits meubles, mais le vacarme ne fit qu'ajouter aux bruits joyeux.

Kale prit de profondes inspirations et fila s'asseoir avec le dos appuyé sur le fauteuil de Fenworth. Elle tendit son esprit pour se rassurer sur chacun de ses compagnons. Tout le monde était trempé, mais bien portant. Elle toucha même Fenworth, s'assurant qu'il était en vie, même si elle ne pouvait pas s'introduire dans ses pensées.

Ils sont hors de danger. Merci, Wulder.

Un frisson de peur lui donna la chair de poule.

– Régidor ?

Le dragon bondit jusqu'à elle et se laissa choir sur le sol, s'assoyant dans sa position favorite, les jambes croisées.

– Nous avons réussi, Kale.

Elle secoua la tête.

– Où sont les mordakleeps ?

Régidor ferma les yeux, et une expression intriguée plissa son front écailleux.

– Ils sont forts. Plus résistants qu'avant. Les blessés se portent bien à nouveau. Sans coupure, sans ecchymoses.

Kale mit sa tête entre ses mains. Ne voulant pas écouter, elle fit glisser ses paumes sur ses oreilles. Elle entendit quand même la voix profonde de Régidor.

– Tout est trempé, et *cela* les aide, *eux*. Fenworth travaille toujours à son sortilège de déshydratation. Il est presque à point et il va le jeter autour des queues, l'une après l'autre.

Régidor saisit la main de Kale et la tira pour l'éloigner de son oreille.

– Écoute, Kale. Fenworth sait que nous avons provoqué la pluie. Écoute, il s'adresse à nous deux par télépathie.

Elle inclina la tête et entendit le crépitement de la voix du magicien.

– *C'était intelligent. Inopportun, bien sûr. Inutile, assurément. Mais une bonne idée de votre part, même si elle n'était pas tout à fait réfléchie. À présent, les enfants, voyons voir si vous pouvez suivre des directives. J'en doute, mais nous allons tenter le coup. Je modifie ce sortilège de déshydratation. C'est une affaire risquée que d'introduire une modification à la dernière minute. Mais je suis magicien, vous savez. Plutôt expérimenté en matière d'adaptation.*

« Maintenant, écoutez attentivement, mes inexpérimentés mais estimables apprentis. Pensez à chacun de nous ici. Pas aux mordakleeps, cela va de soi. Pas aux blimmets non plus, à bien y penser. Mais à nous ! Pensez mouillé à l'intérieur, sec à l'extérieur. Normal à l'intérieur et à l'extérieur. C'est compris ?

Les deux apprentis magiciens acquiescèrent comme si le vieil homme se trouvait à côté d'eux.

— Nous pouvons aider, Kale.

Régidor se tortilla pour se rapprocher d'elle et il passa son bras autour de ses épaules.

— Fenworth affirme que nous pouvons aider.

— Moi aussi, dit Toopka en se lançant sur les genoux de Kale.

— C'est parti, déclara Régidor, son ton augmentant sous l'excitation. Il va jeter son sortilège.

— Est-ce que nous aidons ? cria Toopka.

— Oui ! hurlèrent Kale et Régidor à l'unisson.

Kale serra doucement la main de Toopka.

— Cela ressemble à la télépathie. Nous sommes tous liés, et Wulder complète notre cercle. C'est Lui, le plus important. Le sens-tu, Toopka ?

Avant qu'elle n'ait pu répondre, un frisson parcourut les trois jeunes groupés sur le sol. Chacun avait enroulé ses bras autour des autres, et l'énergie bondit d'un corps à l'autre, les liant ensemble pendant qu'elle tournait plusieurs fois autour du groupe. L'euphorie s'empara de Kale alors que l'intensité diminuait.

— Il l'a fait ! s'écria Régidor. Il a tout fait sécher. La pluie, le champ, leurs vêtements. Les mordakleeps se meurent.

— Pourquoi ? demanda Toopka. Leur a-t-il coupé la queue ?

— Non, leurs queues se ratatinent et tombent. Toute l'eau a disparu, et leurs queues doivent rester dans l'eau parce que les mordakleeps ont des branchies comme les poissons. Elles se trouvent dans leurs queues, mais à présent ces dernières sont sur le sol sec. Oh, pouah ! Les mordakleeps morts donnent l'impression de s'égoutter dans le sol.

Il plissa son nez carré.

— Leurs corps perdent leur forme et ils se dissolvent en une masse de glu dégoûtante quand ils meurent.

Un gloussement s'échappa de la gorge de Kale. Une larme coula sur sa joue. Elle se rappelait la dernière fois où elle avait combattu des mordakleeps. Les créatures gluantes suintaient dans le sol forestier, laissant des vapeurs nocives derrière eux.

L'étourdissement suivit le soulagement. Kale pencha sa tête en arrière pour l'appuyer sur le siège de Fenworth et elle rit. Sous peu, Régidor et Toopka se joignirent à elle avec des ricanements nerveux et des hoquets de rire. Kale essaya de se lever, mais le rire affaiblissait ses genoux. Elle s'écroula dans le gros fauteuil et essuya les larmes dans ses yeux. Toopka et Régidor roulèrent sur le plancher près d'elle.

– Hum !

Le magicien Fenworth se tenait à la porte. Ses cheveux secs pointaient dans tous les sens autour de sa tête. Il serrait son chapeau dans une main et il le secoua dans leur direction. Des vairons volèrent à travers la pièce et ils s'effondraient où qu'ils atterrissent. Fenworth fronça les sourcils devant la masse qui se tortillait, remua sa main d'une façon un peu distraite, et les minuscules poissons disparurent.

Le vieux magicien ramena son attention sur les trois jeunes, le regard furieux. Il commença à agiter son chapeau encore une fois, pensa qu'il valait mieux s'en abstenir et brandit plutôt une branche crochue qu'il tenait dans l'autre main.

– C'est mon fauteuil, et j'en ai besoin. Ôtez-vous de là. Qu'est-ce que vous manigancez ? Dormez. Personne ne va dormir à une heure décente de nos jours.

Il tapa du pied.

– J'exige de la discipline des personnes sous ma charge. Un apprenti devrait faire preuve de respect. Deux apprentis devraient avoir deux fois plus de respect. Sortez de mon fauteuil. Filez au lit, tous autant que vous êtes. On penserait qu'il s'agit d'un congé férié.

Kale entendit Librettowit grommeler derrière Fenworth. Le tumanhofer poussa le magicien sans cérémonie et se fraya un chemin dans la pièce. Dar et Bardon suivirent, s'arrêtant pour retirer leurs bottes couvertes d'une croûte de boue séchée.

— Tut tut, oh zut.

Fenworth scruta l'intérieur de son chapeau, secoua les feuilles mortes sur sa pointe et le posa sur le crochet près de l'entrée. Un couple de souris tomba de sa cape et déguerpit par la porte ouverte.

— Nous avons de la compagnie, et davantage en route.

— Qui vient? s'enquit Toopka.

Le magicien rugit, fixa l'enfant furieusement et pointa son doigt osseux dans sa direction. Le petit corps de Toopka s'éleva dans les airs et flotta à travers la pièce, atterrissant dans le hamac qu'elle appelait son lit.

— Tut tut. Demain, fillette, demain.

Les lumières s'éteignirent, et Kale se retrouva dans son propre lit avec les couvertures repliées autour d'elle.

Comment suis-je arrivée ici? Fenworth! Je ne dormirai jamais. Je suis trop excitée. Je veux parler à Dar. Je désire même écouter ce que Bardon a à dire sur la bataille avec les mordakleeps.

En arrière-plan, elle entendit Toopka.

— On ne nous a pas servi de collation avant d'aller dormir.

La voix de Régidor gronda à quelque distance.

— Tu as mangé avant d'aller au lit la première fois.

— Mais maintenant c'est la deuxième fois. Nous n'avons pas reçu une deuxième collation avant d'aller dormir la deuxième fois.

— Demain matin, je te préparerai ta deuxième collation pour avant d'aller dormir. Tu pourras la prendre pour le petit déjeuner.

— Promis?

— Promis.

Kale sourit et roula sur le côté. Elle ferma ses paupières sur ses yeux fatigués. Elles étaient maintenant trop lourdes rester ouvertes. L'aventure ressemblait à celles dans les livres. Mais non, elle était réelle. Elle et Régidor avaient réussi un exploit spectaculaire.

Quel dommage que j'ignore comment nous nous y sommes pris.

Elle se tourna et tira la couverture sous son menton.

— Je n'ai même pas eu l'occasion de saluer Dar, grommela-t-elle avant de s'endormir subitement.

14

PREMIÈRE LEÇON

— C'est l'heure!

Le magicien Fenworth pénétra dans la pièce bordée d'étagères à livres et se tint avec les mains repliées sur sa barbe.

À peine quelques minutes plus tôt, le magicien avait fait taire leur bavardage excité et les avait expédiés dans une bibliothèque.

— Les leçons d'abord, déclara-t-il, étouffant leur désir se repasser les détails à donner froid dans le dos des événements de la veille.

Tous les occupants de la salle levèrent la tête de leur livre et fixèrent Fenworth. Librettowit avait l'air agacé. L'excitation apparut rapidement sur les visages de Toopka et de Régidor, un peu de lassitude marqua ceux de Dar et de Bardon. Kale tenta de pénétrer l'esprit du magicien pour savoir si elle pourrait y trouver un indice sur ce qu'il voulait dire.

— Tut tut, Kale.

Il secoua la tête dans sa direction.

Elle baisse les yeux, légèrement embarrassée, mais non repentante. *Il n'est pas vraiment en colère contre moi.*

Elle entendit son ricanement particulier en pensée et elle leva le regard pour le voir lui lancer un clin d'œil. Elle sourit en retour.

Fenworth frappa ses mains ensemble, puis les frotta avec vigueur.

— Qu'en dites-vous ? Commençons-nous ?

Librettowit s'éclaircit la gorge.

— Cela dépend, Fenworth. Que proposes-tu de commencer ? Les préparations pour le repas du midi ? Une quête ? La lessive ? Des recherches sur la structure géographique du mont Kordenavis ?

Le magicien fronça les sourcils.

— Par moment, Wit, tu es par trop frivole pour un bibliothécaire. Je parle de l'apprentissage, bien sûr.

— Bien sûr.

Le tumanhofer hocha la tête et retourna à son livre.

— Kale, Régidor, venez.

Le magicien attrapa le bord de sa cape et la fit tournoyer autour de lui en tournant sur lui-même.

— Toopka et Bardon, vous pouvez nous accompagner.

Toopka bondit sur ses pieds, lançant son petit bouquin sur la table devant Régidor.

Bardon se leva lentement.

— Je ne suis pas un candidat pour la magie, Monsieur. Je ne possède pas de don.

— Pas de sens ?

— Non, Monsieur. J'ai dit pas de don.

— Pas de don ! Pas de sens ! Insensé. Viens, mon garçon. Tu pourras observer.

Bardon ferma son livre, *Chevaliers en service*, et le reposa avec soin sur la table de Librettowit.

— Debout, Kale, Régidor. Nous partons.

Ils suivirent le magicien Fenworth sur de larges branches servant d'allées autour de son arbre-château. Ils durent trotter pour maintenir le rythme avec les longues enjambées déterminées du vieil homme. Il les guida vers la porte d'entrée et dans la salle commune.

Kale s'appuya au chambranle et observa Fenworth, Toopka, Bardon et Régidor. Bardon s'était tout de suite installé dans l'un des fauteuils du salon. Régidor se balançait sur la pointe de ses orteils, son attention rivée sur le magicien. Fenworth se tenait à côté de la table usée de la cuisine, caressant sa longue barbe. Toopka sauta sur un tabouret à trois pattes, posa ses coudes sur la table et son menton entre ses mains. Ses yeux étaient rivés sur le vieux magicien. De toute évidence, elle semblait croire que ceci serait plus intéressant que les cours de lecture de Régidor.

— Régidor, ordonna Fenworth, apporte-nous un saladier suffisamment grand pour contenir notre petite doneel.

Les yeux de Toopka s'arrondirent, et elle se redressa, plaçant ses mains modestement sur ses genoux.

— Notre première leçon de magie — Fenworth regarda délibérément d'abord Régidor et ensuite Kale — consistera à transformer un matériau existant fourni par Wulder pour lui donner un autre aspect.

Toopka glissa de son siège et se dirigea à petits pas vers la porte.

— Reste, ma petite Toopka.

Fenworth la gratifia de son plus charmant sourire.

— Nous aurons besoin de toi.

Elle secoua la tête prudemment.

— Librettowit va m'aider à écrire mes lettres.

— Tu as dit à Régidor au petit déjeuner que tu les avais toutes apprises.

Toopka ravala sa salive, esquissa un pas vers la porte et acquiesça.

— Toutes les majuscules.

Son mouvement de tête de bas en haut changea de direction à mi-chemin et reprit sa route de droite à gauche pour signifier la négation.

— Je ne me débrouille pas bien avec les minuscules.

Fenworth lui fit signe de revenir à sa place.

— Il sera toujours temps plus tard. Tu apprendras quelques petites choses ici, en te trouvant au cœur de l'action.

Fenworth se percha sur un haut tabouret en bois et enfouit ses bras dans les grandes manches de sa large robe soyeuse. Son visage tressaillait sous l'agacement, et il sortit une main. Il tenait une souris suspendue par la queue entre ses longs doigts. Il se pencha, déposa l'animal sur le plancher et agita la main en décrivant un vaste cercle au-dessus de la créature tremblante de peur.

– Ouste !

La bête déguerpit.

Fenworth reprit sa position sur le tabouret, les bras croisés et cachés sous sa robe. La couleur du tissu changea de rouge à orange à violet et s'arrêta enfin sur un bleu plus profond que celui du ciel nocturne. Une myriade d'étoiles scintillantes parsemait la robe. Quelques minuscules points de lumière poudraient ses épaules, mais comme le tissu flottait jusqu'au sol, la poussière d'étoiles devint plus dense, jusqu'à ce que l'ourlet luise vivement sous l'influence de cette brillance.

– Nous aurons besoin, dit le magicien d'un ton solennel, de fine poudre moulue à partir des herbes annuelles appartenant au genre Triticum. Et de trois ovules de *Gallus domesticus*.

Régidor plissa les yeux.

– Il nous faut de la farine et trois œufs.

Kale écouta Fenworth fournir des instructions alambiquées et regarda Régidor rassembler les ingrédients pour un gâteau ordinaire. Elle avait vu des femmes à Rivière au Loin cuisiner exactement ce type de pâtisserie.

En soupirant, elle s'appuya de manière plus détendue au chambranle et laissa son regard errer dans la pièce. Bardon prit bientôt un livre et ne prétendit même pas s'intéresser au cours de cuisine. Régidor hochait la tête d'un air sérieux quand Fenworth lui donnait des instructions, puis il décochait un clin d'œil à l'enfant doneel chaque fois qu'il en trouvait l'occasion. Kale avança silencieusement dans la pièce et s'assit à côté de Toopka.

– Il faisait juste l'idiot.

Toopka lui lança un sourire édenté.

— Je ne vais pas faire partie du gâteau.

Kale acquiesça. Elle ne comprenait pas ce que cette préparation culinaire avait à voir avec la magie. Elle observa d'autant plus attentivement pour découvrir comment le magicien Fenworth pourrait les surprendre avec une touche de magie en fabriquant un gâteau rond à deux étages. Seuls les noms extravagants qu'il donnait aux ingrédients ordinaires comme la levure chimique, le beurre, le sucre et la vanille différaient de la façon dont toutes les maîtresses de maison mariones préparaient ce dessert pour le repas du dimanche.

Pendant que le gâteau cuisait dans le vieux four, Kale, Toopka, le magicien Fenworth et Régidor s'assirent à table pour jouer aux courbettes.

Les cartes de Toopka tombaient sans cesse de ses mains. Régidor l'aidait patiemment à les démêler et à les reclasser dans le bon ordre.

— Elle a gagné, déclara-t-il en l'aidant encore une fois à replacer sa main. Elle tient chacune des sept races supérieures et deux magiciens.

— Deux magiciens, dis-tu ?

Fenworth caressa la barbe sur son menton.

— C'est superflu. Un magicien suffit pour presque n'importe quelle tâche. Kale, sors les gâteaux et laisse-les refroidir.

Le magicien se leva de table et rangea les cartes sur l'étagère. En se tenant au-dessus des gâteaux, il se frotta les mains ensemble.

— Devrions-nous opter pour un nappage à la guimauve ou à la crème ?

— Chocolat ! couina Toopka.

— Très bien.

Il se dirigea vers un grand fauteuil rembourré et s'y assit, puis il hocha la tête en direction de Dar et de Librettowit alors qu'ils entraient dans la pièce.

— Dar, sois gentil et montre-leur comment faire le nappage.

Sous peu, le magicien ronflait pendant que le groupe à table mesurait et brassait.

— Pourrons-nous le manger lorsqu'il sera terminé? demanda Toopka.

— Bien sûr que oui, répondit Régidor.

Librettowit secoua la tête.

— Peut-être pas.

Tant Toopka que Régidor s'arrêtèrent pour fixer le tumanhofer, l'incrédulité nettement visible sur leurs jeunes visages.

Librettowit s'éclaircit la gorge.

— Souvenez-vous que Fenworth nous a annoncé que nous avions de la compagnie et davantage en route. Il pourrait destiner ceci à nos invités quand ils arriveront.

Toopka se pencha sur la table, les yeux brillants et un léger sourire sur ses lèvres.

— Qui vient?

Librettowit jeta un regard de biais au magicien endormi et baissa la voix.

— Il ne l'a pas dit, mais il est logique que, si vous vous apprêtez à vous embarquer dans une quête dangereuse, Paladin envoie des guerriers.

Bardon lâcha son livre sur ses genoux et se redressa brusquement.

Les ronflements de Fenworth cessèrent abruptement. Sans ouvrir les yeux, il parla.

— Suppositions. Quel besoin avons-nous des guerriers de Paladin? Nous avons un magicien, deux apprentis magiciens, deux hommes capables et forts, et un bibliothécaire.

— Pas moi, s'opposa Librettowit d'une voix puissante. Ne compte pas sur moi. Je reste avec mes bouquins dans le confort de la maison. Je ne pars pas en quête.

Kale se rappela le fiasco de leur tentative de créer et de maîtriser une tornade. La portion création s'était bien déroulée, mais rien ensuite ne s'était passé comme prévu.

— Pardonnez-moi, magicien Fenworth, mais je pense que vos deux apprentis magiciens sont inexpérimentés.

— Sottises!

Fenworth se leva, s'étira et se tourna vers la table.

— Tut tut, vous n'avez aucune confiance en vous. Vous avez déjà suivi votre première leçon de magie.

Le visage de Toopka se plissa en une grimace féroce.

— Cuisiner un gâteau, c'est de la magie?

— Oh zut, oh zut, je vois que vous ne saisissez pas tout.

— Ce n'est qu'un gâteau, affirma Toopka.

Ses paroles reflétaient exactement les pensées de Kale.

— Hum. Lorsque tu te tournes et que tu regardes le comptoir, que dis-tu alors, chère petite doneel?

Tous les yeux pivotèrent vers le comptoir de bois ordinaire le long du mur de la cuisine. Il s'y trouvait un autre gâteau, réplique exacte de celui qu'ils venaient de cuisiner.

Les yeux de Fenworth étincelèrent quand il observa l'expression sur leurs visages.

— Et ensuite, il y a le gâteau sur la table devant Bardon.

Encore une fois, tout le monde dans la salle se tourna pour regarder le troisième gâteau, apparu par magie.

Régidor s'éclaircit la gorge.

— Cela ne signifie toujours pas que Kale et moi sommes capables de faire surgir des gâteaux partout dans la pièce.

— Ah non?

Fenworth inclina sa tête grise d'un côté, comme s'il réfléchissait à la question. Il resta ainsi pendant presque une minute, suffisamment longtemps pour qu'une vrille de vigne pousse dans sa barbe.

— En es-tu certain, Régidor?

Il observa le jeune dragon meech.

— As-tu essayé?

Les yeux de Régidor se plissèrent de suspicion. Il secoua lentement la tête.

Fenworth frappa ses mains ensemble, un sourire s'étirant sur son visage ridé.

— C'est cela, donc. Tu dois essayer. Tut tut. Tu ne peux pas dire que tu en es incapable avant d'avoir tenté le coup. Kale, viens ici et tiens-toi près de Régidor.

Kale se hâta à travers la pièce et se positionna, épaule contre épaule avec son collègue apprenti.

Maintenant, il va nous l'enseigner ! Elle décocha un grand sourire à Dar à l'opposé de la salle.

— Fermez les yeux tous les deux, ordonna Fenworth. Imaginez dans votre tête le lait et les œufs mélangés dans la farine et la levure chimique.

« Une pâte se forme. Puisqu'il s'agit de l'un des principes de Wulder, il n'y a rien que vous puissiez faire pour empêcher ce mélange de se transformer en pâte à gâteau.

Kale entendit Bardon venir se placer derrière elle. Elle inspira l'odeur d'agrume de l'autre o'rant. Tout son peuple portait ce même parfum piquant.

Est-ce que tout mon peuple possède le don inné de pratiquer la magie ? Bardon pourrait-il aussi être un apprenti ?

— Tut tut, ton esprit vagabonde, Kale.

Kale étouffa l'agacement qu'elle ressentit. La présence de Bardon l'avait distraite. Elle centra fermement toute son attention sur la profonde voix rude du magicien Fenworth.

— Imaginez que vous versez le mélange dans des moules et que vous les enfournez. Oui, oui, c'est exact. La chaleur fait lever la pâte et la solidifie, un autre édit pratique de Wulder.

« Réfléchissez, réfléchissez mes enfants. Qu'arrive-t-il ensuite ? Oh zut, oh zut, ne saute pas tout de suite à l'étape du nappage, Régidor. Fais refroidir ton gâteau.

Kale entendit Bardon expirer et elle sentit les cheveux se soulever à l'arrière de sa tête.

Je ne vais pas *laisser cet ennuyeux lehman m'attirer des ennuis. Je vais être* attentive *à mon professeur.*

— La magie, c'est reconnaître la création de Wulder, prendre le temps de comprendre la complexité de l'Univers, puis mettre ces connaissances en pratique. Plutôt simple, en vérité.

« Lentement, lentement, étape par étape. Wulder a établi ce qui va ensemble ou non. Vous ne faites que suivre Ses indications.

Le cri haut perché de Toopka déchira l'air de la pièce.

— Oh ! Regardez ! Regardez !

Kale ouvrit les yeux. Deux autres gâteaux étaient posés à côté du premier sur la table.

— Excellent !

Fenworth afficha une mine réjouie et tapa dans ses mains.

— Suffisamment de gâteaux magiques pour les visiteurs, je dirais. À moins que Paladin nous envoie plus qu'un urohm.

15

La compagnie rassemblée

Les invités n'arrivèrent pas ce soir-là, ce qui signifiait qu'on ne pouvait pas manger les pâtisseries. Fenworth se laissa finalement fléchir et il en coupa un en neuf petites parts. La huitième fut partagée par Metta et Gymn. La neuvième fut offerte à un gros merle noir nommé Thorpendipity, qui atterrit sur le rebord de la fenêtre quand Fenworth siffla.

Toopka alla se coucher en grommelant à propos de gâteaux qui deviendraient rassis, et se réveilla avec un mal de ventre sévère. Un second gâteau avait disparu pendant la nuit ; seules quelques miettes témoignaient de son existence passée. Ces miettes parsemaient les couvertures du lit de Toopka.

Les seuls témoins de la souffrance de la fillette étaient Dar, Kale et les dragons nains. Dar secoua la tête et posa une petite bouilloire de cuivre sur le vieux poêle.

– Nous allons te réprimander, dit Kale, une fois que tu seras assez rétablie pour écouter. J'ai quelque chose que m'a donné Mamie Noon. Cela améliorera ton état.

– Je ne mangerai plus *jamais* un gâteau entier, promit Toopka. Je n'avalerai plus *jamais rien*.

Gymn se recroquevilla sur l'épaule de Toopka pendant que Kale partait chercher sa cape en rayons-de-lune et l'étalait sur la table de la cuisine. Elle plongea la main dans une cavité et tendit à Dar un sachet de feuilles roses séchées pour les faire infuser.

— Quelque chose ne va pas, marmonna Kale en laissant courir ses mains sur les poches avant.

Six d'entre elles contenaient des œufs de dragon non éclos.

Toopka gémit bruyamment. Kale l'ignora et sortit les œufs, un par un, et les déposa délicatement dans les plis intérieurs de la cape. La vue des œufs suscita l'émerveillement dans le cœur de Kale. Paladin lui avait confié la charge des dragons à naître et la tâche de les élever après leur éclosion. On l'avait même appelée Gardienne des dragons. La responsabilité semblait trop énorme pour une ancienne esclave.

La quatrième poche contenait une pierre, et non un œuf. Quand Kale aperçut la forme irrégulière et sa couleur gris sombre, elle échappa l'objet offensant sur la table et procéda à la fouille des deux poches restantes. Après quelques secondes, Kale regarda avec désarroi la rangée d'œufs. Elle avait cinq œufs de dragon et une pierre lisse.

Les gémissements de Toopka s'atténuèrent et se muèrent en un râle.

Dar vint se placer à côté de Kale, posant une main réconfortante sur son bras raide.

— Rien ne peut être dérobé à une cape en rayons-de-lune. As-tu déplacé les œufs ?

Kale secoua lentement la tête.

— Alors, la seule façon dont on a pu s'en emparer, c'est si tu as permis à une personne de voyager dans la cape et que cette personne a pris l'œuf.

Toopka cessa brusquement d'émettre des bruits.

Dar et Kale se tournèrent tous les deux pour regarder la malheureuse silhouette recroquevillée sous la couverture légère de son hamac.

Kale esquissa un pas vers l'enfant doneel. Les oreilles de la fillette se dressèrent sur sa tête poilue, et elle plongea sous sa couverture.

— Toopka et moi, dit Kale en continuant à marcher avec Dar à ses côtés, sommes parties en promenade il y a quelques jours. Il a commencé à pleuvoir, et Toopka a terminé le voyage sous ma cape.

Dar posa sa main sur la couverture et tira, mais Toopka la retenait fortement par en dessous.

– Je suis malade, brailla-t-elle.

Dar gronda.

– Parce que tu t'es levée au milieu de la nuit et que tu as volé un gâteau entier; il semble que tu ne sois encore qu'une vulgaire voleuse des rues.

– Je n'ai pas volé l'œuf.

La protestation étouffée était tremblotante.

– Alors, où se trouve-t-il?

– Je désirais seulement voir naître un bébé dragon. Je ne voulais pas causer de tort.

Kale tapota le petit paquet tremblant sous la couverture.

– L'œuf doit être stimulé avant de commencer son processus d'éclosion.

Les yeux de Toopka apparurent sous la lisière de la couverture. Ils étaient ronds et pleins d'émerveillement.

– Il a été stimulé.

Kale étouffa un gémissement. Paladin lui avait fait confiance pour les œufs. Si cet œuf avait été stimulé par la chaleur du corps de Toopka, avec qui est-ce que l'œuf établirait un lien? Kale ne pouvait que s'imaginer le genre d'espiègleries auquel pourraient se livrer Toopka et un jeune dragon.

Craignant la réponse, Kale demanda :

– Qui a stimulé l'œuf, Toopka?

– Toi.

– Moi?

– Oui, il est sous ton oreiller.

D'un battement rapide de leurs ailes tannées, Gymn et Metta filèrent à l'autre bout de la pièce.

Toopka renifla et baissa la tête.

– J'ai pensé que tu te mettrais en colère contre moi si je le tenais jusqu'à ce qu'il soit stimulé. J'avais raison, non? Mais tu es furieuse quand même, alors j'imagine que toute cette réflexion pour trouver comment réussir sans m'attirer d'ennuis n'a rien donné. Je ne prendrai pas la peine de réfléchir la prochaine fois.

— Il ferait mieux de ne pas y avoir de prochaine fois, l'avertit Kale. Pourquoi n'ai-je pas senti l'œuf ?

— Parce que je le plaçais sous ton oreiller quand tu étais endormie et je le retirais avant ton réveil. Sauf que la nuit dernière, lorsque je suis revenue ici, j'ai vu les gâteaux sur le comptoir et j'avais l'intention d'en manger seulement un morceau, mais il était si délicieux.

— Et ce matin, dit Dar en agitant son doigt, tu étais trop malade pour récupérer l'œuf.

Les pépiements des dragons excités interrompirent la leçon de Dar. Gymn pénétra dans la pièce en exécutant des acrobaties accompagnées de sifflements aigus et incontrôlés. Metta suivit plus calmement. Ses ailes battaient l'air à un rythme régulier. Elle tenait l'œuf manquant entre ses pattes de devant.

Kale tendit une main. Metta atterrit sur son poignet et déposa l'œuf dans sa paume retournée. Pendant un instant, l'œuf froid reposa sur sa peau, puis il se réchauffa. Un léger chatouillement courut le long du bras de Kale et dans sa main, l'œuf commença à bourdonner doucement.

Metta gambada jusqu'à l'épaule de Kale en chantant une chanson de réjouissance de sa douce voix roucoulante.

Kale sourit. *Oui, l'œuf a été stimulé. Et il communique déjà avec moi. Je sens sa vie.*

Elle fourragea dans une des cavités de sa cape et en sortit la pochette rouge que lui avait offerte dame Meiger pour transporter le premier œuf de dragon qu'elle avait trouvé. Elle glissa l'œuf en sécurité dans le tissu soyeux et elle le suspendit autour de son cou par un cordon de cuir. Elle le rangea sous sa blouse.

— Attentifs ! Attentifs !

La voix du magicien Fenworth retentit derrière la porte de sa chambre.

— Est-ce que personne ici n'est attentif aux détails ? Nous pourrions être encerclés par l'ennemi, envahis par le mal, nous pourrions voler en éclats sous l'influence de mains ravageuses de la plus incroyable dépravation. Il faut être attentif à son environnement, voilà ce qu'il faut. Nous pourrions être défaits !

Bardon, Régidor et Librettowit déboulèrent dans la salle depuis l'un des couloirs exactement au moment où Fenworth ouvrait sa porte avec fracas.

Un frisson d'inquiétude provoqua la chair de poule sur les bras de Kale et parcourut sa colonne vertébrale. Elle regarda les visages de ses compagnons dans la pièce. Bardon avait l'air furieux, la main sur la poignée de son épée. Librettowit semblait agacé. Régidor affichait un sourire idiot. Dar fronçait les sourcils et Toopka avait plongé sous sa couverture une fois de plus.

Un coup ramena tous les regards sur la solide porte d'entrée.

— Vous voyez ? murmura Fenworth. Ne vous l'avais-je pas dit ?

Bardon tira son épée et s'approcha d'un côté de la pièce pendant que Dar s'armait de deux poignards sertis de bijoux et atteignait la porte par la direction opposée.

Kale tendit l'esprit pour découvrir qui se tenait de l'autre côté. Elle poussa un cri de surprise.

— C'est Leetu Bends et Lee Ark !

Librettowit lança un regard dégoûté au magicien.

Fenworth se hérissa, secouant sa robe autour de lui et saisissant sa barbe.

— Je n'ai jamais déclaré que l'ennemi était ici. Je n'ai fait que remarquer que personne n'était sur ses gardes. Nos invités sont arrivés, et il aurait très bien pu s'agir d'une troupe de bisonbecks. L'attention délibérée aux détails est essentielle à toute quête. Pour toutes les quêtes en tout temps !

Il haussa les sourcils et baissa le nez sur les occupants de sa salle commune.

— Que quelqu'un réponde.

Librettowit avança bruyamment sur le plancher de bois et fit voler la porte ouverte.

— Bonjour, dit-il avant de s'écarter immédiatement pour laisser passer les deux soldats des forces de Paladin.

Lee Ark pénétra dans la pièce en premier. Son uniforme brun couvrait un petit corps trapu, typique de la race marione. Son pas direct témoignait du pouvoir de ses muscles et proclamait sa confiance de chef.

La délicate silhouette féminine de Leetu était vêtue des mêmes teintes ocre caractéristiques de l'armée de Paladin. Kale espérait avoir l'occasion d'une longue conversation avec la jeune femme qui l'avait guidée pendant les premières étapes de sa dernière quête. Elle considérait Leetu comme une véritable amie.

Je suis heureuse de te voir ici.

Kale parla directement dans l'esprit de Leetu.

Sans le moindre signe de reconnaissance extérieur, l'émerlindian lui répondit.

— *Mon amie, nous avons une nouvelle aventure devant nous. Paladin a lancé un appel aux guerriers, et à toi en particulier.*

Kale acquiesça et observa attentivement ses camarades de quête.

Les deux officiers étaient de la même grandeur, pourtant Lee Ark personnifiait la tension et une force meurtrière n'attendant que de se déchaîner. Leetu dégageait la grâce et la tranquillité.

Ils répondirent au salut de Bardon en se frappant légèrement la poitrine avec le poing; Lee Ark d'un coup sec et Leetu avec nonchalance.

— Bienvenue dans mon château.

Le magicien Fenworth s'avança et serra les deux bras de Lee Ark à la hauteur des coudes. Lee Ark saisit les deux minces avant-bras du magicien.

– J'apporte des nouvelles urgentes, déclara-t-il.

Fenworth hocha la tête.

– Oui, oui. Urgentes, mortelles et insidieuses. Le monde est en péril, et nous devons nous élever contre le mal.

Le vieux magicien libéra le général et lui tapota l'épaule.

– Du thé et du gâteau d'abord, ne pensez-vous pas ?

16

Deuxième leçon de magie

— Bon. L'Univers, mes enfants, est entièrement fait de trois choses.

Fenworth épousseta des miettes dans sa barbe et en délogea un lézard. La créature s'empara d'un morceau des restes du dessert et fila sous la chaise du magicien. Ignorant les voltiges du reptile, Fenworth regarda autour de la table où les membres de la quête s'étaient rassemblés pour boire le thé et manger le gâteau.

— Trois choses à ce point minuscules qu'elles ne peuvent être vues que par Wulder.

Librettowit hocha la tête pour marquer son accord et il sirota son thé.

Le magicien ferma un œil et fixa l'autre sur un point au-dessus du plateau vide de pâtisserie. Un nuage de brume verte se forma, planant dans les airs au milieu du grand meuble en bois. Sa couleur pâlit jusqu'à devenir blanche, puis une image apparut nettement quand les minces volutes s'évanouirent.

Kale observa la vision translucide et tridimensionnelle représentant un saladier légèrement incliné pour leur faire voir à tous la pâte crémeuse à l'intérieur.

— Hum.

Fenworth s'éclaircit la gorge et caressa sa barbe.

— Voici une pâte à crêpes.

Toopka se lécha les lèvres.

– Ajoute trois œufs, dit Fenworth.

Trois œufs flottèrent jusqu'à l'image, se frappèrent contre le rebord du bol et se vidèrent dans la pâte en faisant plop, plop, plop. Les coquilles disparurent. Une cuillère en bois mélangea le tout.

– À présent, nous avons une pâte à crêpe française.

La cuillère s'éleva, et une pâte légère dégoutta dans le saladier.

– Ajoute de la farine, ordonna Fenworth.

Deux tasses en verre apparurent au-dessus du bol et laissèrent tomber leur contenu de poudre blanche dans la pâte. La cuillère brassa.

– Et vous avez une pâte à gâteau. Ajoutez-en davantage et vous obtenez une pâte à daggart.

Une autre tasse à mesurer déboula de nulle part et délesta sa farine dans le bol. La minute où la tasse se vida, elle éclata, mais les éclats s'évanouirent dans l'air.

Fenworth se racla la gorge.

– Vous voyez comment le fait de changer la quantité d'ingrédients modifie la substance.

Kale hocha la tête, mais elle ne voyait pas le lien avec les trois choses minuscules qui, selon Fenworth, formaient tout dans l'Univers.

– Wulder a pris trois ingrédients pour créer le monde. L'un est l'ozoïque, le second est l'azoïque et le troisième est l'ezoïque.

La vision au-dessus d'eux se transforma pour représenter trois points ronds, un rouge, un bleu et un blanc.

– Le premier élément que nous allons observer contient un ozoïque et un azoïque.

Le saladier réapparut, et les points rouges et bleus tombèrent dedans à peu près comme les œufs auparavant.

Sauf qu'il ne les a pas fait craquer sur le rebord.

Kale étouffa un gloussement.

La voix du magicien surgit dans sa tête pour la réprimander.

– *Ne laisse pas ton esprit vagabonder, Kale.*

D'accord, Monsieur.

Le saladier disparut, laissant les deux points colorés suspendus dans les airs, accrochés l'un à l'autre. Le point blanc circulait autour de la paire.

Librettowit leva les yeux de sa tasse.

– Une substance simple. Les trois mêmes ingrédients forment toutes les substances, à partir de combinaisons différentes. Un magicien, avec les bonnes connaissances, peut regrouper les ozoïques, les azoïques et les ezoïques.

Fenworth se racla la gorge et fixa le bibliothécaire d'une mine renfrognée.

– Il s'agit de ma leçon, je crois, Wit.

Il tapota sa barbe, et un grand nombre de points émergea des boucles grisonnantes pour se joindre à l'image au-dessus de la table.

– Quand un *magicien* – Fenworth haussa un sourcil en direction de Librettowit et poursuivit – place les zoïques à proximité les uns des autres, ils prennent la position ordonnée par Wulder et ils forment la substance prévue par Lui.

Dar buvait bruyamment son thé et ignorait l'expression renfrognée de Leetu devant ses manières.

– Seul Wulder peut créer les ingrédients primaires.

– Évidemment !

Le magicien hocha la tête.

– Et ils ne peuvent être combinés que selon le mode prescrit par Wulder. La grandeur d'un magicien n'est égale qu'à sa compréhension de la complexité de l'ordre établi par Wulder. À l'intérieur de ces paramètres, un magicien peut faire à peu près tout.

Il émit un profond soupir mélancolique et secoua la tête. Ses épaules s'affaissèrent. Son regard quitta l'image bien remplie au-dessus de la table et s'abaissa vers les assiettes vides et les miettes éparpillées.

— Là où Risto et ses camarades se sont égarés, dit Fenworth, c'est en croyant qu'ils peuvent créer les ingrédients de base. Et qu'ils n'ont nul besoin de suivre les principes de Wulder.

Kale oublia les points tourbillonnants et elle regarda le magicien avec un œil circonspect. *Il a l'air vieux – et tellement peiné. Est-il désolé pour Risto ? Non, c'est impossible. Il pleure pour tous ceux qui ont perdu des êtres chers aux mains du magicien maléfique. Il s'afflige de la souffrance que Risto a infligée aux autres. Il ne peut pas éprouver de la tristesse pour Risto.*

Fenworth haussa les épaules. Quand il reporta son regard sur l'image suspendue, son expression s'éclaira, et il frappa dans ses mains.

— Elle a disparu, dit Toopka.

— Non, ma petite. J'ai remplacé l'illusion par la réalité. À présent, à sa grandeur normale, seul l'œil de Wulder peut la voir. Mais attends ; je vais ajouter à cette image.

Un faisceau de lumière au-dessus de la table fit briller une mince bande de métal qui n'était pas là quelques secondes auparavant. Le métal se dilata et prit forme.

Toopka applaudit et bondit dans sa chaise.

— Une lame !

— Oui, dit Fenworth. Entièrement fabriquée avec la même combinaison de zoïques que tu as observée plus tôt. Tu ne pouvais pas la voir à ce moment-là, car elle était trop petite. À présent, il y a une telle quantité d'ingrédients que tu peux voir la forme que j'ai créée. Je vais ajouter de nouvelles configurations pour façonner la poignée.

Aussitôt qu'il verbalisa son intention, une masse sombre commença à se former à l'extrémité émoussée de l'épée étincelante. Une poignée se matérialisa, avec des tourbillons d'or et un gros rubis enchâssé dans le pommeau. Un emblème doré, symbole de l'armée de Paladin, brillait sur la coquille.

Fenworth étira le bras et cueillit l'épée dans les airs. Il l'offrit à Bardon, mais celui-ci ne tendit pas les mains pour la prendre.

Les yeux fermement fixés sur la magnifique épée, le lehman déclara :

– Je ne peux pas, Monsieur. C'est une épée de chevalier, et je n'ai pas mérité le droit de la porter.

– Tu en auras besoin pour la quête.

Kale retint son souffle. *Fenworth donne la permission à Bardon d'accepter l'épée. Devrait-il la prendre ? Le fera-t-il ?*

Bardon redressa les épaules et se leva de table.

– Elle ne me rendrait pas service si je la portais sous de fausses prétentions.

– Oui, approuva Lee Ark. Paladin lui fournira l'arme appropriée si nécessaire. Le garçon a raison de ne pas accepter l'offrande.

Kale vit l'approbation sur le visage du général et espéra que Bardon l'avait vue aussi. Mais quand elle tendit l'esprit pour lui dire « bon travail », elle se heurta à une masse confuse d'émotions négatives. Elle recula et elle parcourut la table des yeux. La tension raidissait visiblement la posture de ses compagnons. Tout le monde attendait. Tous les yeux observaient le magicien et le jeune lehman.

Fenworth ignora l'interruption de Lee Ark et continua à examiner le visage de pierre de Bardon. Seuls les yeux du lehman désiraient l'épée.

– Tu désires l'épée exactement comme tu désires devenir chevalier.

– Oui, répondit Bardon.

L'épée rétrécit jusqu'à ce qu'elle tienne dans la paume de la main du magicien. Il la rangea dans la poche de sa large robe.

– Je vais la conserver pour toi.

– Je ne deviendrai pas chevalier, magicien Fenworth. Grand Ebeck me l'a affirmé à notre dernière rencontre.

– Vraiment ?

Le magicien se tourna pour fixer Librettowit.

– Oh zut, tut tut. Non, je ne crois pas que tu as bien compris. Oh zut, non, non, pas bien du tout.

Il frappa ses mains ensemble et les frotta avec enthousiasme. Il se déplaça autour de la table afin de claquer une main ferme sur l'épaule de Régidor et de tendre l'autre vers Kale. Elle se raidit en prévision de la force du coup et même avec cette précaution, elle s'abaissa sous la main lourde du magicien.

Un instant, je pense qu'il est un ancêtre branlant et l'instant suivant, je me dis qu'il pourrait battre Brunstetter au bras de fer.

– *Tu as raison, Kale, ma chère. Je vacille et me bats en effet avec plusieurs choses lourdes. Pas Brunstetter, je ne crois pas, pour Brunstetter.*

Il serra ses doigts sur son épaule et offrit un visage rayonnant à ses deux apprentis.

– À présent que votre leçon de magie élémentaire est fermement ancrée dans vos esprits, procédons-nous avec notre quête ?

– Non ! cria Librettowit. Nous devons nous organiser, rassembler des données pertinentes et ensuite distribuer les responsabilités.

Fenworth eut l'air ahuri.

– Mais Librettowit, c'est exactement ce que je viens de faire.

– Seulement dans ta tête, Fenworth.

– Non, non, Wit. Je viens juste de démontrer que, jusqu'à ce qu'on maîtrise une certaine connaissance, on doit se contenter d'être un exécutant, et pas un chef, n'est-ce pas ? J'ai expliqué avec soin la complexité de ce qui doit être appris et que cette connaissance est atteignable.

– Seulement dans ta tête, Fenworth.

Le magicien semblait déconcerté, mais avant qu'il n'ait pu soulever une objection, le bibliothécaire poursuivit son propos.

– Nous avons maintenant sept camarades, deux enfants, deux dragons nains et un troisième à naître, et quatre dragons géants à prendre en considération.

– Quatre ?

Fenworth plissa le front.

– Célisse, Merlander et les deux dragons montés par Lee Ark et Leetu, expliqua Librettowit. Et cela me rappelle que Lee Ark détient des renseignements d'importance.

Une note d'espoir se glissa dans le discours du tumanhofer.

– Peut-être que son message retardera la quête vers Creemoor.

– J'ai bien peur que non, répondit Lee Ark.

Tous les regards se tournèrent vers lui.

– Paladin nous a confié une mission de sauvetage. Jusqu'à tout récemment, cette o'rant dévouée se trouvait relativement hors de danger à l'intérieur de la forteresse de Risto.

Il marqua une pause et pivota vers Kale.

– Ta mère court un danger, Kale. Il lui reste une dernière tâche à accomplir pour Paladin, et nous devons être à portée de main une fois qu'elle sera terminée. Nous la sortirons alors de Creemoor en toute sécurité.

Le souffle de Kale portait une question presque silencieuse.

– Ma mère ?

Lee Ark acquiesça. Kale se tourna pour regarder Dar. Il lui offrit un sourire doux et un clin d'œil rassurant. Elle posa ensuite le regard sur Leetu. Les yeux de l'émerlindian contenaient une étincelle de joie, seul signe dans son visage autrement serein.

Cependant, une question gâchait l'anticipation de Kale. Elle flottait dans son esprit comme une tête de cumulonimbus noir. *Qui est cette « mère » qui a laissé son enfant vivre en esclavage ?*

17

LA PAIX ?

Ils voyagèrent vers la vallée de Collumna sur des dragons. Ils furent frappés par un vent froid en volant au-dessus du côté sud de la chaîne de montagnes Morchain. Kale enfouit Toopka sous sa cape en rayons-de-lune afin qu'elles profitent toutes les deux de sa chaleur. La petite doneel sortit son nez pour voir les magnifiques cimes recouvertes de neige.

Kale remarqua la splendeur des dragons. Le soleil se réfléchissait sur leurs écailles, donnant ainsi l'impression que leurs corps étaient sertis de joyaux depuis le sommet de leur crâne jusqu'à leur queue. Leurs immenses ailes battaient au même rythme. Le bruissement de chaque battement soulignait le sifflement du vent frais.

Célisse remuait ses puissantes ailes ébène en synchronie parfaite avec les ailes rouges chatoyantes de Merlander.

Leetu, avec Librettowit, Bardon et Régidor montés derrière elle, se trouvait juste devant sur un imposant grand dragon bleu et vert. Lee Ark, accompagné du magicien Fenworth qui roupillait dans le panier du passager, voyageait sur une des plus grosses bêtes. Celle-ci transportait encore davantage de paquets de provisions que le premier.

Lee Ark volait en tête, et Kale en déduisit qu'il était responsable de l'expédition. Elle regarda les épaules carrées et le cou épais du marione, sa chevelure noire soulevée par le vent, et elle imagina l'expression gentille et sérieuse dominant ses traits. Tout ce qu'elle connaissait de lui la rassurait de se trouver sous son commandement.

Kale sortit sa main pour la poser sur les écailles argentées de l'épaule de Célisse. Sous sa paume, les muscles puissants du dragon se contractaient et se relâchaient à un rythme majestueux. Elle faisait confiance à Célisse pour voler avec loyauté et fidélité.

Un soupir s'échappa de ses lèvres alors qu'elle caressait le cou fort de Célisse, juste au-dessus de sa clavicule. *Nous sommes en route. Une nouvelle quête. Une autre aventure. Une partie de moi souhaiterait rester à la maison, à lire sur les escapades des autres en toute sécurité. Cette partie ressemble à Librettowit. Toutefois, j'ai aussi ressenti un frisson d'excitation quand les dragons ont décollé du sol et que nous sommes partis. Cela évoque davantage Dar.*

Elle observa de nouveau ses compagnons. Son sourire s'élargit.

L'effervescence continuait de bouillonner en elle alors qu'elle regardait la vallée verdoyante en contrebas. Ils s'arrêteraient d'abord à l'endroit où la plus petite et la plus grande des créations de Wulder cohabitaient. Un kimen adulte pouvait dormir soit dans le chapeau soit dans le soulier de n'importe quel urohm mature. Les deux races partageaient une longue histoire de collaboration.

Dar ?

– *Oui ?*

Crois-tu que nous verrons Brunstetter ? Penses-tu qu'il se joindra à nous ?

– *Possible. Peut-être.*

En regardant à l'extrémité de l'envergure des ailes des deux dragons, Kale rencontra le sourire duveteux de Dar. Le vent froissait la cravate de lin blanche à son cou et soulevait la queue de son veston élégant derrière lui.

Kale fronça les sourcils.

Qu'y a-t-il de si drôle ?

– *Tu ne voulais pas participer à cette petite excursion.*

Cette partie du voyage mène vers une terre dont j'ai entendu parler toute ma vie.

– Dans des contes de fées et des légendes.

Oui ! Et j'ai hâte de connaître la part de vérité et la part d'illusion. Il y a un an, je croyais que les portails n'existaient pas.

Une barre apparut sur le front de Dar.

– Certaines des choses dont nous découvrirons l'existence ne se révèleront pas très agréables.

Je sais, mais cela viendra plus tard, quand nous traverserons la chaîne de montagnes Dormanscz pour rejoindre Creemoor. Toutes les histoires à propos d'Ordray sont amusantes. Et Fenworth a déclaré que nous devrons attendre là jusqu'à ce que Paladin nous envoie des renforts et donne l'ordre de délivrer ma mère.

En prononçant ces deux derniers mots, Kale détourna les yeux de Dar. Elle ne voulait pas lui montrer à quel point c'était devenu important pour elle de trouver sa mère. Elle avait beaucoup de questions, mais plus que tout, elle désirait découvrir quel genre de maman était la sienne.

Dans le village où elle avait grandi, les mariones montraient peu d'affection pour leurs enfants. Les parents passaient beaucoup de temps à former leurs rejetons, mais très peu à savourer le plaisir de leur compagnie. Par contre, les mariones qu'elle avait rencontrés dans la maison de Lee Ark les étreignaient, riaient et jouaient à des jeux avec eux.

Elle chassa de ses pensées la vision dérangeante d'une mère lui donnant des ordres comme dame Meiger.

Tous ses amis, à l'exception de Fenworth, étaient redressés sur leur siège, admirant avec enthousiasme le beau paysage sous eux. L'inclinaison de l'envergure des ailes du dragon de tête se modifia, et Lee Ark guida la petite troupe vers le nord. À sa droite, Kale aperçut brièvement l'eau bleu-vert sur la ligne d'horizon.

Le dragon vira sur l'aile encore une fois et le groupe tourna plus à l'est.

Ils s'installèrent dans une prairie traversée par un ruisseau. Le foin se balançait sous l'impulsion du vent chaud, les accueillant avec un parfum de fleur et de terre fertile. Kale s'éloigna de ses amis en marchant pour suivre le son de l'eau éclaboussant les cailloux.

Elle s'arrêta net lorsqu'elle vit une chute d'eau miniature à trois paliers. L'eau coulait par-dessus les rebords en un flot continu sans écume ni bouillons à la base de chaque chute minuscule. À d'autres endroits le long de la rivière, l'eau tourbillonnait et bouillonnait quand elle cascadait sur les pierres et les racines. Mais l'eau au-dessus des chutes s'inclinait pour suivre les angles sans perturbation.

– Des chutes kimens, dit Lee Ark derrière elle. Une vue étonnante, non?

– J'en ai entendu parler par les chansons interprétées à l'auberge, mais les voir...

Gymn et Metta s'envolèrent de sa cape avec des cris de joie. Ils atterrirent dans l'eau et laissèrent leurs corps minuscules flotter et passer par-dessus les chutes. Au son de trilles, les dragons nains décollèrent et battirent leurs ailes tannées, faisant pleuvoir des gouttelettes d'eau autour d'eux.

Toopka se débattit dans les confins de la cape et réussit à sortir. À peine une minute plus tard, elle avait retiré ses petites bottes et ses bas. Elle se déshabilla et, dans ses sous-vêtements blancs, elle barbota dans le ruisseau avec les bêtes. Elle se laissa flotter sur le dos et descendit les paliers sur les fesses comme un enfant les escaliers.

Kale leva les yeux vers le général.

– Est-ce l'œuvre des kimens?

– Non, c'est impossible, répondit Lee Ark avec un sourire. Les créations impossibles surgissent de la main de Wulder.

Metta et Gymn taquinèrent Toopka en se précipitant vers elle, puis en secouant leurs ailes trempées au-dessus de sa tête. Ils se lassèrent du jeu bien avant la petite doneel et ils partirent à la recherche d'un endroit pour prendre un bain de soleil.

Ils volèrent autour des branches nues d'un arbre et pépièrent comme s'ils discutaient de cette nouvelle étrangeté.

L'arbre aux racines vers le haut semblait à l'envers. Il y avait un buisson dense à sa base. De son centre s'élevaient des branches sans feuilles entrelacées serrées. De loin, elles ressemblaient à un tronc solide. En haut de l'arbre, les branches s'éloignaient les unes des autres, exactement comme un système de racines oscillant sous la brise légère.

Toopka traversa le gazon vert en dansant, se secouant de temps en temps pour débarrasser sa fourrure de l'eau.

– J'aime ça, ici, déclara-t-elle en attrapant son chandail pour sécher son visage.

– J'aime aussi.

Kale posa sa main sur la pochette suspendue autour de son cou. L'œuf à l'intérieur bourdonnait, reflétant son humeur du moment.

Le temps que le soleil glisse derrière la chaîne de montagnes Morchain, le groupe de voyageurs s'était installé près d'un flamboyant feu de camp. Leetu Bends avait amené les plus grands dragons plus loin pour les nourrir, puis elle était revenue manger son propre repas cuisiné par Dar. Des chansons et des histoires suivirent le repas. Dar joua d'un certain nombre d'instruments, accompagné des harmonies réalisées par la voix roucoulante de Metta.

La musique fascinait Régidor. Le dragon meech insista pour tenir chaque instrument que Dar déposait avant d'en tirer un autre de ses sacs. Il fixait son attention sur tous les mouvements de Dar et l'imitait quand il en avait l'occasion. Fait étonnant, il interpréta bientôt les accompagnements de chaque mélodie exécutée par le doneel.

Pendant que Fenworth piquait un somme appuyé contre un tas de sacs de toile et de colis, Librettowit et Lee Ark chantaient les paroles des vieilles balades. Puis, ils racontèrent des légendes, se relançant afin de se surpasser l'un l'autre dans une compétition amicale.

Enfin, Kale se recroquevilla sur son tapis de couchage. Bien qu'elle fût fatiguée par le voyage et l'inquiétude de bientôt entrer à Creemoor, son esprit s'attarda sur sa mère inconnue et sur les araignées destructrices. Elle n'arrivait pas à bannir l'image d'une belle femme triste que le maléfique magicien Risto lui avait déjà montrée.

La femme ressemblait à une reine assise dans la tour d'un château et regardant avec mélancolie le paysage forestier. Risto avait dit que la dame l'aimait, mais il mentait continuellement. Kale savait à quoi s'attendre des araignées creemoors. Ce n'était pas le cas avec son parent.

Gymn se nicha contre sa joue, mais Metta n'arrivait pas à se détendre tant qu'il y avait une possibilité d'une chanson supplémentaire. Elle volait en frôlant la silhouette de Kale, couchée sur le ventre, de son épaule jusqu'à sa cheville.

Depuis l'autre bout du campement, Toopka réprima un bâillement. Elle se leva de la roche sur laquelle elle était installée et vint retrouver Kale.

Kale souleva la couverture, invitant la petite doneel à se glisser à côté d'elle.

Toopka secoua la tête.

— Non, je ne suis pas encore fatiguée. C'est juste que la pierre est dure. Puis-je m'asseoir avec toi ?

Kale tapota le gazon devant elle et Toopka s'y laissa tomber en un plop. Elle appuya son dos contre l'estomac de Kale. La minuscule enfant donnait l'impression d'un chiot au creux du corps de Kale.

— Quel genre de dragon va éclore ? demanda Toopka en ravalant un nouveau bâillement et en se tortillant pour se rapprocher.

— Je ne sais pas, murmura Kale afin de ne pas déranger Librettowit dans son récit de *La fable du fermier chanceux*.

Elle caressa le côté de la tête de la fillette là où de longs cheveux soyeux descendaient sur sa mâchoire.

Les petits doigts de Toopka jouaient avec l'ourlet de la couverture, tirant sur un fil qui dépassait.

– Tu pourrais le demander à Gymn et à Metta. Ils le savent peut-être.

– Non, ils ne le savent pas.

– Tu pourrais le demander à Librettowit. Il sait beaucoup de choses.

– Je ne crois pas qu'il puisse voir à travers un œuf.

– Tu pourrais le demander au magicien Fenworth. Il le saurait certainement. Il peut sûrement voir à l'intérieur d'un œuf, et voir demain et même la semaine prochaine.

– C'est possible qu'il le puisse, mais il ne répond pas très bien aux questions.

Toopka gloussa. Elle reposa sa tête contre Kale.

– Je parie qu'il s'agit d'un bébé fille. Je parie que c'est le genre qui aime les autres petites filles. Je parie qu'elle n'est pas aussi intelligente que Régidor et qu'elle fera une compagne de jeu plus facile. Je parie que c'est un bébé dragon qui voudra voyager avec moi la plupart du temps, car tu es tellement occupée.

– Je suis occupée ?

– Ouais. Tu apprends le tissage.

– Le tissage ?

– Oui. Mais je ne comprends pas pourquoi le magicien Fenworth apprend le tissage à Régidor aussi.

– Le mot est « apprentissage », Toopka. Cela signifie qu'une personne apprend un métier. Régidor et moi sommes engagés à aider le magicien Fenworth, et en retour, il est obligé de nous enseigner son métier.

Toopka resta silencieuse un moment. Elle bougea légèrement, et Kale remonta la couverture sur les épaules de la petite doneel. L'enfant se détendit en se mettant en boule.

– Je pense que ce serait plus amusant d'apprendre le tissage, dit-elle en soupirant juste avant que son souffle ne devienne régulier.

Kale fit courir un doigt sur la touffe duveteuse de son oreille.

– Cela dépend si l'on doit rester chez soi et travailler pour son royaume ou si l'on doit sauver son pays.

Kale relâcha lentement une grande respiration hors de ses poumons, puis en prit une autre.

– Cela dépend de beaucoup de choses ; par exemple qui est la reine de ce royaume et si elle est bonne ou mauvaise.

18

Mère

Kale se promena parmi les cercles de champignons à la recherche d'un type précis requis par Dar pour cuisiner. Elle reprit sa description pour Gymn et Metta pendant qu'ils voltigeaient autour d'elle. Metta, en particulier, n'arrivait pas à garder l'image en tête. Au lieu de cela, elle chantait des chansons sur les champignons avec une telle variété de paroles que Kale dut lui demander de se taire afin de conserver sa propre clarté d'esprit.

La jeune o'rant répéta les instructions à voix haute.

– Le chapeau du champignon est bleu marin marbré de violet. Les lamelles sont d'un brun riche et le pied brun clair crémeux avec des veines de vert. Un spécimen mature mesurera au moins un mètre, et nous ne devons rapporter que le chapeau.

Metta entama une chanson à propos de trois enfants voguant sur les flots de la rivière Pomandando dans le chapeau d'un champignon bleu-vert. Les mots se formèrent avec netteté dans la tête de Kale, bien que ses oreilles n'entendaient qu'une mélodie chantée dans le langage syllabique du dragon nain.

– Metta, arrête ! ordonna-t-elle. Tes chansons sont belles, mais elles ne nous aident pas.

Le dragon violet émit un long trille. Kale se tendit d'appréhension. Un dragon chantant qui ne se sentait pas apprécié pouvait entonner des arias qui ébranlaient les nerfs de son auditoire.

Gymn vola pour aller planer près de Metta. Kale interpréta les gazouillements qu'il lui adressa. Le dragon mâle encourageait une Metta froissée à tolérer l'insensible o'rant.

Feignant la colère, Kale posa les mains sur ses hanches et fronça les sourcils en les regardant.

– N'oubliez pas, j'entends tous vos propos.

Gymn donna de petits coups à Metta avec le bout de son aile. Metta gloussa et exécuta une manœuvre de côté qui déséquilibra le dragon vert suffisamment pour permettre à sa compagne de filer à toute vitesse. Il pépia de plaisir et se lança à sa poursuite.

Kale repoussa la cape en rayons-de-lune de sur ses épaules de façon à ce qu'elle tombe en un mince rideau dans son dos. En essayant de garder un œil sur leur vol rapide et précipité, elle plissa les yeux sous le soleil vif de cette fin de matinée. Elle envoya un message pouvant être entendu de Gymn uniquement.

Merci, mon petit ami. Continue à la rendre heureuse et à l'éloigner pendant que je cherche ce délice mangeable bleu, violet, vert et brun clair pour sire Dar.

Avec un soupir de soulagement, elle reprit ses recherches. Elle prenait plaisir à marcher parmi les champignons vénéneux colorés. La plupart atteignaient la hauteur de ses épaules et affichaient la texture du cuir.

Dar a dit que les plus jeunes conviendraient davantage à la cuisson et qu'ils se trouveraient plus près de la lisière de la forêt, à l'ombre des grands arbres.

Elle se fraya un chemin vers le boisé, mais sans se presser. Elle disposait de tout son temps, car Dar préparerait les steaks de champignon pour le repas du soir. Les couleurs et les formes de la végétation autour d'elle enchantaient ses yeux. Même l'odeur riche du terroir lui était agréable.

Une voix féminine étrangère surgit dans son esprit, s'exprimant dans un murmure urgent.

– Kale. Kale, est-ce toi ?

Qui parle ?

– *Ici, Kale, sous l'armagot. Je n'ose pas sortir à découvert. Je ne suis pas censée me trouver ici. Oh, je t'en prie, Kale. Je ne peux plus supporter l'attente.*

La douce voix émut le cœur de Kale. Elle avança de quelques pas en direction des arbres imposants et trébucha sur un petit champignon, cassant le chapeau en tombant. Elle roula sur le flanc, épousseta les genoux de son pantalon court et ramassa le gros morceau semblable à un bol. Les plis brun foncé d'une substance humide et tendre s'accrochaient à une coquille lisse bleu marin marbrée de tourbillons violet foncé. Kale se leva avec son trésor entre les mains.

– *Viens à moi.*

Une note sèche résonna dans l'ordre.

– *Oh, pardonne-moi pour mon impatience. Cela fait si longtemps, et ils te gardent encore loin de moi. Mais je dois te voir, Kale. Je dois te toucher et, alors, je pourrai endurer les quelques jours d'attente supplémentaire que nous devons passer avant de nous retrouver ensemble.*

Mère ?

– *Ici, Kale, viens vite. Je dois partir avant que mon absence ne soit remarquée. Il y a du danger.*

Les mots prévenants calmèrent ses doutes. L'urgente requête s'infiltra en elle comme un frisson de peur. Elle serra le chapeau du champignon sur sa poitrine et se hâta vers l'ombre des immenses arbres.

Une femme à la chevelure sombre sortit de la pénombre pour l'accueillir. Son élégante robe blanche chatoyait sous le soleil comme le doux lustre des perles. Les fils argentés du corsage ajusté et garni d'une cordelette bleu royal brillaient. Un col haut brodé caressait les joues pâles de la femme. Des manches recherchées bouffaient légèrement sur les épaules, puis suivaient la forme svelte des bras jusqu'à une manchette très plissée au poignet. La longue jupe bruissa quand la dame recula d'un pas pressé dans l'ombre et indiqua à Kale de se dépêcher.

Kale s'arrêta devant la dame. Elle aurait voulu jeter ses bras autour de sa mère, mais la perfection absolue de cette dernière étouffa son envie.

Ses pensées bouillonnaient, faisant écho à l'émoi dans son cœur. *Je suis beaucoup trop mal élevée pour une personne aussi raffinée que cette femme.*

– Non, ne dis jamais cela.

La dame lui toucha la joue du bout de ses doigts lisses et frais. Ses yeux gris s'attachèrent à ceux de Kale.

– Je suis Lyll Allerion. On t'a arraché à mes bras alors que tu n'étais qu'un bébé, mais tu n'es rien de moins qu'une noble Allerion. Tu es née dans la grandeur. Bientôt, nous serons réunies et, ensemble, nous suivrons la route de notre destin.

Kale esquissa un pas en avant, désirant l'étreinte de sa mère. Mais la main qui avait tendrement et délicatement tenu la joue de Kale se baissa et se raidit sur l'épaule de Kale.

– Non, je ne peux pas t'enlacer. Tu es sale.

Kale recula comme si on l'avait frappée.

Lyll Allerion inclina la tête et rit légèrement. Le geste effaça l'expression sévère momentanée.

– Je dois retourner au palais et je ne vois pas comment je pourrais expliquer des taches sur ma robe alors que je devrais me trouver dans ma chambre pour me reposer un peu.

Kale acquiesça en silence. Elle avait déjà aperçu des femmes riches et somptueusement vêtues à Vendela. Aucune ne se comparait à sa mère. Son cœur se serra, et elle ravala une boule dans sa gorge. Des larmes coulèrent sur ses joues, et elle les essuya rapidement avec le dos de sa main.

– Tu as laissé des traces de boue sur tes joues.

De sa manche, la femme élégante tira un mouchoir de poche brodé et le pressa dans le poing sale de Kale.

Le rire de fée de Lyll résonnait comme des cloches charmantes, et l'humiliation de Kale s'accrut. En protégeant avec soin ses pensées comme le lui avait enseigné Mamie Noon,

Kale fulmina. Elle ne voulait pas que cette femme entende ses réflexions.

Elle a peur que je salisse le bout de ses doigts. Mamie Noon n'avait pas peur de ma saleté.

Mamie Noon invitait les étreintes. Elle vivait dans un trou souterrain et portait des tenues tissées à la main. Mamie Noon avait coupé les cheveux de Kale et lui avait procuré de la nourriture, des vêtements et des outils précieux pour la quête. La vieille émerlindian avait donné de l'assurance à une o'rant effrayée avec ses paroles d'encouragement et ses sages conseils. Cette femme-ci n'avait rien donné à Kale.

Un sourire étira les lèvres de la femme. Ses yeux brillaient d'affection.

Kale soupira. *Je ne peux rien offrir à ma mère. Elle est venue à ma recherche. Elle voulait me voir. Mais je ne présente pas un très beau spectacle, n'est-ce pas ?*

Elle baissa la tête et regarda les pointes minuscules des souliers de satin bleu pointant sous l'ourlet de la jupe. Du satin bleu qui n'était pas marqué par l'accumulation de feuilles en décomposition sur le sol forestier. Un ourlet qui ne portait aucun signe de poussière ou de saleté.

– Kale.

Une voix d'homme résonna dans le cercle de champignons.

Lyll se raidit.

Le bruyant appel atteignit de nouveau leurs oreilles.

– Kale, où es-tu ?

Kale leva les yeux vers le visage de sa mère.

– C'est Bardon.

La femme lança un regard froid de colère au-dessus de l'épaule de sa fille.

Kale frissonna.

Un grognement irrité gronda dans la gorge de sa mère.

– Je connais ce garçon.

Les mots secs tombèrent comme du plomb aux oreilles de Kale.

— Garde-le à distance, Kale. Il va contrarier nos plans.

Kale murmura.

— Quels plans ?

Le regard incendiaire se porta sur le minois de Kale, et, pendant un instant, elle s'étiola sous son brasier. Puis, la lumière sous les arbres changea et sous l'ombre capricieuse, l'expression de Lyll se modifia. La tendresse exprimée sur le visage de sa mère était tellement différente du venin précédent que Kale douta d'avoir entrevu la haine dans les yeux de la femme.

— Les plans pour notre bonheur, chère Kale. Nous avons enduré notre part de souffrance, ne crois-tu pas ? Le temps de notre récompense est venu.

La femme rassembla sa jupe et se détourna. Elle avança dans la pénombre obscure de la forêt.

— Ne dis à personne que tu m'as vue, Kale. Paladin serait fâché contre moi s'il savait que je suis venue ici.

Elle fit un pas de plus, puis elle disparut. Pas seulement cachée par les ombres, mais partie.

— *Bientôt, chère Kale, bientôt.*

— Ah, bien. Tu l'as trouvé.

Kale pivota brusquement pour faire face à Bardon.

— Trouvé ?

— Le champignon.

Il pointa le chapeau serré sous le bras de Kale

— Attention à ne pas l'endommager. Dar te renverrait immédiatement en chercher un autre.

Kale acquiesça.

— Est-ce que tu vas bien ?

— Moi ?

Bardon plissa le front et regarda les arbres autour d'elle. Kale avança d'un pas.

— Je vais bien.

Elle lui prit le bras et le fit pivoter vers le cercle de champignons colorés.

Bardon le secoua pour qu'elle lâche prise.

— Tu n'as goûté à aucun de ces fongus, n'est-ce pas ?

— Bien sûr que non.

Kale lui donna une poussée et repartit par la route d'où ils étaient venus.

— Tu agis de façon bizarre et tu affiches un air un peu étrange.

— Je n'ai pas mangé de champignon. Par conséquent, j'ai *faim*. J'ai très faim. Retournons au campement.

Elle avança en se traînant les pieds à travers les champignons hauts comme ses épaules, sans plus admirer la grande variété de teintes et d'aspects. À son mécontentement, Bardon s'essaya deux fois à la conversation.

— Les dragons nains sont revenus sans toi, dit-il.

Elle ne répondit pas.

— Le magicien Fenworth dort tellement que Librettowit a peur qu'il ne se change en arbre et soit incapable de reprendre sa forme humaine.

— Librettowit s'inquiète toujours de quelque chose, répliqua-t-elle en poursuivant son chemin d'un pas décidé.

Sa mère l'avait prévenue de ne pas se rapprocher de Bardon. Elle souhaitait lui parler, elle voulait discuter de choses normales et éviter de réfléchir aux événements qui venaient de se dérouler. Sa mère lui avait dit de n'en souffler mot à personne. Kale désirait surtout en parler à Dar et obtenir son avis sur l'épisode.

Sa mère était belle, mais Kale ne se sentait pas bien en sa compagnie. En comparaison, elle était un ver. Les yeux de sa mère s'étaient emplis d'amour. Mais ils pouvaient aussi avoir l'air froids. La caresse de sa mère avait suscité des sentiments d'envie et de crainte. Avoir une mère, avoir *cette* mère, compliquait sa vie avec beaucoup trop d'émotions déroutantes.

De retour au camp, les dragons nains volèrent vers elle pour l'accueillir, mais ils virèrent avant d'atterrir sur ses épaules. Ils s'assirent plutôt tout près, sur un arbre aux racines en l'air, et émirent des bruits tristes comme les roucoulements des colombes avant la pluie. Quand Kale mordit dans la goûteuse pâtisserie à la viande préparée par Dar pour la pause du midi, l'œuf suspendu dans la pochette autour de son cou sauta et tourna. Son estomac ressentit la même nervosité, et elle reposa la nourriture inachevée.

Après le repas, elle aida Dar avec la vaisselle, puis elle polit activement les écailles des dragons géants aux côtés de Leetu Bends. Célissa étira le cou, et la profonde satisfaction de la bête engourdit un peu l'angoisse de Kale.

— Est-ce que tu vas bien? lui demanda son amie émerlindian.

— Oui!

Kale se déplaça de l'autre côté de Célisse afin de ne pas avoir à regarder le visage intrigué de Leetu. Kale se concentra sur le dragon et essaya de se repaître du plaisir se dégageant de Célisse.

— Kale.

Dar vint vers elle avec le chapeau de champignon dans les mains. Il le portait avec le côté brun vers le haut et il s'arrêta à quelques mètres d'elle.

— De quelle couleur était le pied de cette plante?

— Je ne m'en souviens pas.

— Était-il d'un brun clair crémeux avec des veines vertes?

— J'ai dit : «je ne m'en souviens pas».

Dar secoua la tête et examina le chapeau avec soin.

— Je ne pense pas que c'était le cas. Ceci sent comme un melon musqué, et le champignon pour lequel je t'ai envoyé sent davantage les noix.

Elle haussa les épaules et reprit sa tâche de frotter les écailles ébène de Célisse.

— Est-ce important?

— Un est comestible et l'autre peut-être pas.

Elle haussa de nouveau les épaules et ne regarda pas son ami dans les yeux.

Dar retourna le chapeau du champignon dans ses mains en l'examinant.

— Il est endommagé et il y a de la saleté entre les plis des lamelles.

Il avança d'un pas vers Kale.

— Que s'est-il passé là-bas ?

— Rien.

— Si je pouvais pratiquer la télépathie, ce serait un de ces moments où je serais tenté d'envahir ta vie privée.

— Je ne sais pas de quoi tu parles, Dar. Il ne s'est rien passé.

Dar lui lança un regard dégoûté et s'éloigna.

Un frisson lui parcourut l'échine, et les poils de son cou se soulevèrent. Elle examina prudemment les alentours, se demandant si elle était observée ; si quelqu'un, capable d'écouter ses pensées, le faisait en ce moment même.

Leetu polissait activement le côté d'un dragon géant avec un chiffon.

Fenworth sommeillait à l'ombre des ailes tannées de l'autre grand dragon. Kale l'observa plus attentivement. Dans l'enchevêtrement de vignes et de branches qui se transformerait en barbe et en cheveux quand le magicien s'éveillerait, un œil ouvert regardait fixement dans un visage incrusté d'écorce. Un œil, ouvert et fixe. Un œil, fixé sur elle sans cligner et étrangement perçant. La paupière se referma, et Kale relâcha le souffle qu'elle n'avait pas eu conscience de retenir. Fenworth dormait. Il ne savait rien.

19

Talents cachés

Kale entendit Dar et Bardon s'affronter à l'épée bien avant de vouloir quitter son tapis de couchage. Le groupe de quête campait près des chutes kimens depuis presque trois semaines, et à l'aube, chaque matin, Dar et Bardon engageaient un semblant de combat. Elle savait que Leetu Bends et Lee Ark interviendraient sous peu pour donner des instructions.

Au début, ils avaient tous tenté d'inciter Kale à se joindre à eux. Ils essaieraient peut-être encore s'ils s'apercevaient qu'elle était réveillée. Elle refusa d'ouvrir les yeux. Des oiseaux pépiaient dans les branches des arbres aux racines inversées. Elle se couvrit la tête avec une couverture.

Metta et Gymn s'éveillèrent dans les plis de leurs antres de poche. Ils se tortillèrent vers la sortie, dérangeant Kale en remuant entre elle et son tapis de couchage. Ils atteignirent ses poings serrés et battirent des ailes en frappant ses doigts.

Je ne veux pas me lever, leur dit-elle farouchement, mais elle relâcha sa prise afin de leur permettre de se glisser à l'extérieur.

L'un d'eux marcha sur son nez. Gymn. Sa queue cogna sa joue quand il décolla pour trouver un meilleur endroit pour observer la simulation de bataille.

Un poids atterrit sur le flanc de Kale. Trop lourd pour un dragon nain. Toopka.

— Dar va m'enseigner à me servir d'une petite épée dès que Bardon l'aura vaincu.

Kale repoussa les couvertures.

— Quoi ?

— Bardon le bat toujours. Il traîne des années de formation de plus derrière lui.

— Pas cela. Qu'as-tu dit à propos de pratiquer l'escrime avec une petite épée ?

— Je ne suis pas assez grande pour pratiquer l'escrime. Dar va me montrer à esquiver et à porter de petits coups.

Kale se leva sur un coude et fixa une mine renfrognée sur les deux guerriers alors qu'ils paraient et piquaient avec des épées d'entraînement ; des armes de bois, mais capables de provoquer de méchantes ecchymoses.

— Tu es trop jeune pour une telle chose.

Les sourcils de Toopka se froncèrent fortement sous son front.

— Nous partons en quête, dit-elle. Il vaut mieux être prêt.

— Tu ne participeras pas à la partie dangereuse. Tu resteras ici, au campement.

— Il pourrait venir des voleurs.

— Pas à Ordray, déclara Kale. Les urohms et les kimens dirigent une province bien tenue. Il n'y a à peu près pas de criminalité.

— *À peu près pas* de criminalité. Cela signifie que c'est *possible,* et le crime a plus de chance de se produire là où des gens innocents ne sont pas préparés.

— Je ne vais pas discuter avec toi.

Kale se laissa retomber et tira brusquement les couvertures par-dessus sa tête.

— Bardon pense que tu devrais aiguiser tes talents de combattante.

Toopka attendit une réponse.

Kale serra les lèvres ensemble.

— Bardon t'a demandé de t'entraîner au combat avec lui. Tu devrais vraiment. Il aura peut-être à transmettre un rapport à Grand Ebeck.

Kale repoussa de nouveau les couvertures et se redressa, renversant Toopka de son perchoir.

— Qu'est-ce qui te fait dire cela ? As-tu entendu quelque chose ?

Toopka haussa les épaules de manière exagérée et observa délibérément les deux jeunes hommes.

— Toopka.

Kale donna un petit coup sur son bras poilu.

Elle soupira.

— Le magicien Fenworth affirme que tu as le cafard. Les o'rants qui se morfondent, ce n'est pas bon pour apprendre le tissage.

— Pour l'apprentissage.

— Librettowit dit que tu souffres de tension émotionnelle.

— Et ?

— Leetu Bends prétend que tu as besoin d'un coup de pied au derrière.

Kale chassa le sommeil en se frottant les yeux et regarda attentivement Bardon et Dar alors qu'ils tournaient en cercle. Dar plongea, attaquant les jambes de l'homme plus grand. Bardon bondit dans les airs et atterrit hors de portée du doneel.

Kale plissa le front. *Où ai-je vu quelqu'un sauter comme cela ? Il ne s'agissait pas d'un o'rant. Pas d'un marione non plus. Chez Lee Ark ! Deux émerlindians nous avaient offert un match d'exhibition.*

Kale se leva pour se rapprocher. Elle plia les orteils sous le froid de l'herbe gorgée de rosée. La cape en rayons-de-lune maintenait son corps au chaud, mais elle enroula quand même ses bras autour de son torse.

Depuis leurs tentes, Lee Ark et Leetu s'approchèrent également du champ d'entraînement improvisé. Même avant de rejoindre Kale, Leetu applaudit quand Bardon bondit légèrement par-dessus l'épée fendant l'air plus bas.

— Dar, varie ton approche, ordonna Lee Ark. Tu es trop prévisible.

Fenworth parcourut la colline à grandes enjambées et s'avança vers les deux hommes se pratiquant à l'épée.

– Voyons voir comment Bardon se débrouille avec une perche.

Kale vivait parmi les soldats de Paladin depuis assez longtemps pour savoir que les maîtres de la perche et de l'arc à flèches, c'étaient les émerlindians, et non les o'rants.

Étonnés, Dar et Bardon se tournèrent tous les deux vers le vieux magicien. Fenworth tenait une longue perche de deux mètres dans chaque main. Il tendit le bras pour offrir une arme à Bardon.

Dar leva les yeux, un grand sourire sur le visage.

– Vas-y, Lehman. Je parie que tu es bon.

La mine habituellement stoïque de Bardon se détendit. Il assena une tape sur l'épaule de Dar, remit son épée au doneel et prit la lourde perche du magicien.

– Que fabriquent-ils ? s'enquit Toopka en s'accrochant à la jambe de pantalon de Kale.

Kale posa la main sur la douce fourrure entre les oreilles de la fillette.

– Ils vont se battre avec de longues perches. S'ils s'armaient de deux bâtons plus petits, il s'agirait de cannes de laquais. Et de courtes cannes de laquais munies d'une sangle attachée à une extrémité sont appelées baguettes d'évitement ou esquiveuses.

– Je veux une esquiveuse.

– Elles sont faites pour le combat. Elles sont dangereuses.

– Je veux être dangereuse.

Kale regarda les grands yeux bruns fixés sur elle. Elle réprima un sourire qui trahirait son amusement, mais elle ne peut s'empêcher de la taquiner.

– Si un guerrier bisonbeck devait t'apercevoir avec une arme dans les mains, il rebrousserait chemin sans demander son reste et courrait dans les collines en hurlant tout au long de sa fuite.

Les yeux expressifs de Toopka s'arrondirent pendant une fraction de seconde, puis se plissèrent.

– Hum.

Elle se retourna pour regarder les préparatifs de Bardon et de Fenworth.

Le ton de la petite imitait tellement bien celui du vieux magicien que ceux qui se tenaient près d'elle éclatèrent de rire. Toopka mit les mains sur ses hanches et tapa du pied.

Lee Ark, qui avait plusieurs enfants à la maison, souleva la minuscule doneel et l'installa sur son épaule.

– Observe, petiote, dit-il. Les hommes enroulent du cuir souple autour de leurs jointures. C'est pour les protéger contre les coups.

– Bardon vaincra-t-il le magicien ? Bardon l'emporte toujours sur Dar.

Lee Ark inclina la tête pour la regarder.

– Il ne m'a jamais battu.

– Tu te bats avec des épées et ces bidules machins trucs.

– Tout de même, il ne m'a jamais battu.

– Mais toi, tu es seulement vieux. Le magicien Fenworth est le plus vieux.

Le général marione rigola et tapota le genou de la doneel avec sa grande main large.

Kale lança un regard dur à Toopka. Parfois, elle soupçonnait la fillette de dire des choses plus par méchanceté que par innocence.

Toopka, quel âge as-tu ?

La tête de Toopka se tourna brusquement pour trouver Kale.

– *Je t'ai dit que je l'ignorais.*

Avais-tu l'intention de manquer de respect au général Lee Ark ? Tu devrais savoir qu'il ne faut pas dire à une personne qu'elle est vieille. C'est impoli.

La lèvre inférieure de Toopka se retroussa en une moue furieuse.

— *Je ne pense pas que ce soit juste de ta part de t'attendre à ce que je connaisse des choses que nous n'apprenons pas dans les rues. Personne ne parlait jamais de politesse. Nous discutions des marchands qui avaient trop de fruits dans leur étalage et du moment où des taches brunes apparaissaient afin de décider quand fouiller dans les poubelles.*

— Regarde maintenant, Toopka, dit Lee Ark, les interrompant sans le savoir. Ils vont frapper le sommet et la base de leurs perches une fois, puis le match débutera.

Le magicien Fenworth et Bardon se tenaient droit. Ils exécutèrent un salut cérémonieux, hochèrent gravement la tête, puis positionnèrent leurs pieds pour le combat. Chaque homme pencha le haut de sa perche vers l'avant. Un claquement sec résonna à travers la prairie quand le bois s'entrechoqua. Les adversaires inclinèrent ensuite le pied de leurs perches. Le deuxième claquement retentit plus fort que le premier.

Sans préliminaires, les guerriers attaquèrent de toutes leurs forces. Les perches claquaient et craquaient avec le bruit mat occasionnel d'un coup frappé en oblique.

Elle grimaça quelques fois quand il sembla que Fenworth était sur le point de réussir une frappe, mais Bardon tournoyait gracieusement hors de portée et retournait un coup de bâton sur la perche du vieil homme.

La bataille s'intensifia. Bardon commença à suer. De l'eau coulait sur le front de Fenworth, et sa robe arbora bientôt des traînées noires, là où la transpiration trempait l'étoffe. Plus il suait, plus son corps devenait souple.

Deux fois, Fenworth rata Bardon en succession rapide et il sourit largement.

— Tu valses, jeune homme. Tu devrais visiter les cours du pays, pas les champs de bataille.

Bardon fit tomber une pluie de coups mettant à l'épreuve la défense bien coordonnée de Fenworth.

— Je dois admettre, magicien, que je m'attendais à ce que vos mouvements soient raides.

— J'ai toujours été connu pour mon toucher fluide.

Kale secoua la tête et posa une main sur le bras de Lee Ark.

— Quelque chose cloche. Je n'ai jamais vu le magicien Fenworth se battre. Même quand on était encerclés par les blimmets.

Le général grogna son accord.

— Ils m'ébahissent tous les deux. Je n'ai jamais observé Bardon combattant un ennemi aussi talentueux. Fenworth a raison. Il possède la grâce d'un danseur. Il bouge davantage comme un émerlindian qu'un o'rant.

Elle acquiesça, étudiant les déplacements de Bardon pendant une attaque compliquée.

— Les autres étudiants se moquaient de lui parce que son style de combat ne concordait pas avec les critères des instructeurs. Mais il est bon. Je pense qu'ils le dénigraient car aucun d'eux ne pouvait le vaincre.

Comme ses yeux étaient fixés sur le magicien des marais devant elle, elle sursauta quand elle entendit sa voix résonner derrière son épaule.

— Ceci est ridicule !

Les mains noueuses de Fenworth repoussèrent Kale et Lee Ark. Le vieil homme regardait les combattants avec colère.

— Qui t'a dit que tu pouvais emprunter mon apparence ?

Le magicien qui s'entraînait avec Bardon se tourna vers la source d'interruption. La perche de Bardon était positionnée pour lancer une attaque vers l'avant. Il fut incapable d'arrêter le mouvement de sa main lorsque son adversaire abandonna brusquement la lutte. Le jeune lehman s'écarta, mais pas suffisamment. La perche frappa l'épaule du vieux magicien. Avec horreur, Kale la vit s'enfoncer dans l'étoffe grossière et traverser la chair et l'os.

Elle cligna des yeux. Alors que Bardon retirait son arme, le corps du magicien sembla onduler depuis le point d'impact vers l'extérieur, assez semblable à l'eau quand on lance un caillou dans un étang. Les ondulations repartirent en sens inverse pour revenir vers le centre. Le magicien se contenta d'effleurer l'endroit comme s'il essuyait de la poussière.

Le magicien Fenworth frappa son bâton de marche sur le sol. Une nuée d'abeilles s'échappa de l'entaille supérieure et s'envola.

– J'exige que tu quittes mon apparence immédiatement. C'est déjà assez fâcheux d'avoir deux magiciens ; si en plus ils ont la même apparence, cela devient ridicule ! Montre-toi, mon gaillard.

L'autre magicien agita nonchalamment une main vers Fenworth. De l'eau éclaboussa Fenworth et ceux qui se tenaient à côté de lui.

– J'*aimerais* en effet me changer en quelque chose de plus confortable.

Une brume s'éleva autour de l'étranger jusqu'à ce que l'air soit tellement imprégné d'humidité qu'on ne le vit plus.

– Ah ha ! s'écria Fenworth. Exactement comme je le pensais, et je ne peux pas dire que je suis heureux de te voir.

20

Un groupe de camarades disparates

– Eh bien, est-ce une façon d'accueillir un vieil ami ?

Un homme pas très grand émergea de la brume. Il avança à grands pas, tenant toujours la perche qui le surplombait. Le nuage de brouillard se déposa sur le sol et s'étira sur la pelouse trempée jusqu'à ce qu'il se dissipe complètement.

Une robe de magicien dans des teintes de bleu recouvrait son petit corps. Des lunettes cerclées de métal étaient perchées sur un nez maigre et ne cachaient en rien les yeux azur et pénétrants derrière elles. Il portait un chapeau mou comme celui de Fenworth et il tenait un cartable à bandoulière à la main. Des mèches humides de cheveux fins blancs pendaient sur ses oreilles et autour de ses épaules. Une mince barbe ornait son menton, mais aucun favori ne décorait ses joues. Il arborait une moustache luxuriante qui se séparait juste au-dessous du nez, descendait doucement vers sa bouche et se joignait à sa barbe en bataille. Ses yeux embrassèrent rapidement chacun des membres du groupe rassemblé.

Bardon se tenait avec la perche posée contre son épaule et un air perplexe sur le visage. Le magicien tendit une main vers lui.

– Mon nom est Cam Ayronn, magicien du lac et cousin de Fenworth ici.

Bardon serra la main de l'homme, puis essuya ses doigts sur la jambe de son pantalon. Kale ne peut résister à l'envie de s'infiltrer dans les pensées du lehman. Elle plissa le nez quand elle comprit que la main de Bardon était devenue moite à cause de l'humidité accumulée dans la paume du magicien.

– Hum ! dit Fenworth. Un *lointain* cousin, un *très* lointain cousin. Au neuvième degré, de la vingt-deuxième génération, au moins.

Le magicien Ayronn arqua un sourcil devant le vieux magicien et sourit largement.

– Petit cousin, au premier degré.

– Bah ! explosa Fenworth en agitant la main.

Un vol de chauve-souris se précipita hors de sa manche volumineuse et cria d'une manière pitoyable dans la lumière vive du soleil.

Cam Ayronn rigola et se tourna vers Lee Ark.

– Tu diriges cette expédition, je crois. Paladin m'a envoyé pour prêter main-forte à votre mission.

– Je suis le plus vieux, répliqua Fenworth. Je suis le chef.

– Ah oui, reprit le nouvel arrivant, pas du tout gêné par les manières abruptes du vieux magicien. Je comprends que tu es responsable de la dimension magique des opérations, mais certainement pas des aspects militaires. Comme c'est déplaisant de diriger des légions de soldats belliqueux en sueur.

Kale lança un regard interrogateur à Dar.

Des légions ?

– *De la diplomatie*, répondit-il avec l'air d'intérêt poli qu'il affichait pour ses camarades.

Fenworth secoua sa tête pour marquer son accord.

– Tout à fait exact. Je préfère de loin le travail intellectuel. Aussi astucieux que jamais, Cam. Tu feras l'affaire.

Il s'éloigna de quelques pas, mais fit volte-face pour agiter son bâton devant son cousin.

– Remarque bien que tu es sous mon commandement – tu es plus jeune, détrempé et issu d'une branche ennuyeuse de la famille. Tu dois te souvenir que je suis le chef.

— Certainement, répondit Cam avec une expression grave. Je n'usurperais pas ton autorité, pas quand Paladin m'a envoyé pour aider.

Fenworth se détourna de nouveau, grommelant.

— Où est le petit déjeuner ? On penserait qu'avec le soleil dans le ciel et les oiseaux qui chantent, on sentirait l'odeur du bacon en train de griller.

Toopka tira sur la robe bleue de Cam Ayronn. Le magicien baissa les yeux, ajusta ses lunettes et sourit à la minuscule doneel.

Les yeux de Toopka étincelèrent.

— Êtes-vous trempé parce que vous êtes un magicien du lac ?

— Oui, ma chère.

— Quand le magicien Fenworth reste assis immobile, il lui pousse des trucs. Que se passe-t-il lorsque vous restez assis ?

— Je dégoutte. Je laisse une flaque. Par conséquent, c'est difficile pour moi de manger dans de beaux palais. J'aimerais bien mieux prendre mon petit déjeuner avec toi à côté d'un feu de camp.

Toopka sautilla et applaudit.

— Dar cuisine des mullins frits. Vous adorerez les mullins, particulièrement si vous aimez le mordat.

— J'aime le mordat et je sais où nous pouvons trouver un bosquet de mordats.

Toopka poussa un cri perçant et attrapa la main du petit magicien.

— Allons-y !

— Pas tout à fait maintenant, ma petite. Je dois m'entretenir avec les adultes avant que nous ne cédions à notre dent sucrée avec les délicieux mullins de Dar.

Une voix rauque interrompit leur conversation.

— Ne devrions-nous pas dire « nos dents sucrées » ?

Le magicien pivota pour faire face à Régidor.

— Mon doux!

Régidor lui lança un sourire, sa bouche grande ouverte découvrant sa large rangée de dents pointues.

— Mon nom est Régidor. Je suis un...

— Dragon meech, déclara Cam Ayronn.

— J'étais sur le point de dire « apprenti magicien ».

— Ah oui.

Le magicien pinça sa moustache entre son pouce et sa jointure et tira dessus plusieurs fois. Il tendit la main en signe de bienvenue.

— Enchanté de te rencontrer. Aimes-tu les mullins ? Je l'espère bien, car Toopka m'a promis des mullins frits pour le petit déjeuner.

Toopka haleta.

— Comment connaissez-vous mon nom ?

— Je suis magicien, ma chère.

— Connaissez-vous le nom de tout le monde ?

— Je me donne la peine d'apprendre uniquement le nom des gens importants.

Régidor fit « hum » à la manière de Fenworth. Il regarda le magicien qui n'était pas plus grand que lui. Les sourcils froncés, Kale regarda son copain qui fixait intensément le visiteur.

Régidor s'éclaircit la gorge.

— Êtes-vous un ami ou un ennemi, Monsieur ? s'enquit-il.

Cam Ayronn renversa la tête et hurla de rire.

— C'est comme de demander : « Dites-vous la vérité ou êtes-vous un imposteur ? » Si je suis mauvais, je ne vais pas l'avouer. Si je suis bienveillant, je dirai la même chose qu'un malfaiteur.

— Peut-être, mais je mets mes dons à l'épreuve. Je crois que, quand vous déclarerez qui vous êtes, je saurai si vous exprimez la vérité. Je suis content que vous soyez venu, car j'ai de la difficulté à tester ma théorie avec les gens que je connais déjà.

— Alors, je vais t'annoncer que je suis un ami.

Régidor eut un bref hochement de tête, et sa bouche s'élargit pour découvrir son large sourire tout en dents.

— Je crois que vous avez dit la vérité.

Librettowit apparut aux côtés du dragon meech.

— De quoi s'agit-il, mon garçon ? Quel don ?

L'attention de Régidor se reporta sur son guide.

— J'ai découvert que si je plisse les yeux d'une certaine façon, je perçois une brume autour de certains organismes vivants. Elle chatoie de différentes teintes et elle est plus ou moins nette, selon le cas. Je crois que cette apparition semblable à l'arc-en-ciel reflète la pureté de l'âme de l'être.

— Incroyable.

Le visage du bibliothécaire s'illumina d'enthousiasme.

— Le don est, bien sûr, mentionné dans les anciens écrits, mais nous avons toujours supposé que l'aptitude était un mythe plutôt qu'une réalité.

Il passa son bras sous celui du dragon, et ils partirent à pied, leurs têtes inclinées l'une vers l'autre.

— Comment mesures-tu les différents niveaux de qualités ? D'ailleurs, combien de qualités crois-tu pouvoir distinguer ?

Kale secoua la tête. *Il y a quelque temps seulement, je me suis éveillée au son de Metta chantant des berceuses à un jeune dragon meech. À présent, il développe des talents qui émerveillent jusqu'à Librettowit.*

Régidor et Dar entreprirent la tâche de préparer le petit déjeuner. Du bacon grillait dans un poêlon, de la guimauve bouillonnait dans un chaudron en métal, et Dar laissait tomber de la pâte à mullin dans une bouilloire remplie de saindoux chaud. L'estomac de Kale gronda bruyamment en réaction aux arômes délicieux.

— Regardez, cria Toopka. Ils se dirigent par ici.

Elle courut vers Kale avec les bras tendus et un doigt minuscule pointé à l'est. Kale mit la main sur ses yeux pour cacher le soleil matinal et vit des points noirs comme des oies en vol. Elle se protégea d'abord l'esprit de l'influence du mal, puis elle se concentra pour découvrir ce qui s'approchait.

Un grand sourire s'élargit sur son visage.

– Brunstetter.

– Des kimens et des urohms, annonça Leetu en même temps.

Cinq beaux grands dragons chargés de provisions et de guerriers atterrirent dans le champ. Même après une année à voir des dragons presque quotidiennement, Kale s'émerveilla de la beauté de ces gracieuses créatures.

Brunstetter balança son pied par-dessus le cou arqué de sa monture d'un blanc crème, Foremoore, et glissa au sol. Dans une cascade de couleurs vives, cinq kimens descendirent du même dragon.

Brunstetter avait le physique d'un noble. Il portait des armoiries sur sa veste de cuir, et un petit cercle d'or retenait ses cheveux blonds loin de son visage de patriarche. Il s'inclina cérémonieusement devant les aînés de la quête. Shimeran, un chef parmi les kimens, se tenait à sa cheville, l'air tout aussi digne.

La bienséance ne pouvait pas retenir les quatre autres kimens. Seezle, Zayvion, Veazey et D'Shay marchèrent d'un pas léger sur le gazon et entourèrent Kale et Dar.

– As-tu de nouveaux dragons qui ont éclos ? En élèves-tu huit, à présent ?

Kale présenta Toopka et expliqua comment elle et Dar étaient devenus les gardiens de la petite doneel, et qu'un autre œuf était en période d'incubation. Le feu roulant de questions et les réponses enthousiastes des kimens firent oublier à Kale pendant un instant qu'elle éprouvait un malaise dans cet étrange paysage.

Brunstetter s'éloigna avec Lee Ark pour tenir une conférence, mais le reste de l'assemblée se regroupa autour du feu de cuisson où Dar et Régidor s'activaient à préparer davantage de tout. L'odeur du bacon et des mullins fraîchement frits remplissait l'air. Le rire des kimens rivalisait avec le chant des oiseaux par ses notes de plaisir joyeux. Le soleil les réchauffait alors que la brise dansait parmi les visiteurs, faisant frémir la queue du veston élégant de Dar et soulevant les cheveux indisciplinés des kimens.

Kale versa une tasse supplémentaire de guimauve, brassa pour la refroidir et la porta là où Toopka était assise à côté du magicien Cam.

Une voix urgente s'éleva dans la paix agréable du matin.

– Kale.

Mère ?

– Tu dois venir à moi.

Nous avons des visiteurs, et je ne peux pas partir comme cela. Pas sans que personne le sache.

– Viens.

Kale tendit la tasse à Toopka et remarqua que les yeux bleus perçants du magicien Cam l'examinaient. Elle sourit maladroitement et reporta son attention sur la petite doneel, espérant dissimuler sa confusion.

— Fais attention, Toopka. C'est encore chaud.

– Viens, Kale.

Cela ne peut-il attendre ? Juste quelques minutes.

– Dans la forêt, près de la clairière de champignons, dans dix minutes.

Kale se laissa choir brusquement sur l'un des rondins qu'ils utilisaient comme siège. Elle lissa ses paumes moites sur les genoux de son pantalon, puis elle ferma ses doigts tremblants en formant des poings serrés. Si elle partait tout de suite, elle pourrait rejoindre sa mère en marchant rapidement. Encore une minute supplémentaire, ou deux, et elle devrait courir.

– Viens.

Kale fit passer son regard sur ses amis et sur les soldats. Ils étaient assis en groupes, parlant, riant, savourant le petit déjeuner. Brunstetter et Lee Ark étaient installés quelque part à l'écart, mais eux aussi conversaient de manière nonchalante. Personne ne semblait s'intéresser à ce qu'elle fabriquait.

Elle se leva. Une vague d'étourdissement l'envahit. Elle ne bougea pas pendant un instant, le temps que l'impression se dissipe.

Elle regarda encore une fois autour d'elle. Personne n'avait paru la remarquer. Sauf le magicien du lac. Elle détourna son visage de lui et marcha à grands pas vers Célisse. Elle caressa le cou du dragon. Un frisson courut le long de la colonne vertébrale de Kale, et ses genoux cédèrent presque sous elle.

– *Viens.*

Célisse sursauta sous sa caresse, et son immense tête pivota pour fixer Kale dans les yeux.

Kale baissa la tête.

– Tout va bien, répondit-elle à la question silencieuse.

Metta et Gymn volèrent jusqu'à elle, mais au lieu de se poser sur ses épaules, ils tournèrent en cercle au-dessus d'elle. Elle était bombardée par leurs pensées frénétiques et embrouillées. Elle agita les mains dans leur direction, comme si elle voulait les chasser.

Kale vit le magicien Cam se lever et avancer de quelques pas vers elle. Elle fila de l'autre côté de Célisse, utilisant la silhouette sombre du dragon couché sur le ventre comme écran de protection.

– *Viens.*

J'essaie.

La voix grave de Brunstetter résonna à travers le campement.

– J'ai des nouvelles de Paladin. Des nouvelles de danger accru au pays.

Kale trembla violemment. Elle se tourna pour regarder la forêt lointaine.

Le message du noble urohm l'empêchait de bouger.

– Nous connaissons enfin notre mission. Nous allons…

– *Viens maintenant. Viens avant que tout ne soit perdu.*

Kale esquissa un pas vers le champ à découvert. Une main s'abattit sur son épaule et la fit pivoter. Le magicien Cam se tenait devant elle, ses yeux profondément plongés en elle. Directement derrière lui, il y avait Fenworth, raide et sérieux. Un bruit guttural émana dans un grondement de l'imposante Célisse. Les dragons nains descendaient en piqué et criaient en s'agitant autour de la tête de Kale.

– *Viens !* hurla la voix dans son esprit, qui lui fit grincer des dents.

La pression de la main du vieux magicien s'intensifia sur son épaule.

Il va m'arrêter. Il fera quelque chose pour m'en empêcher. Je suis sous l'autorité de Wulder. J'invoque Sa protection !

L'appel urgent de sa mère fit place au silence. La lumière faiblit autour d'elle, et elle tomba au sol. Des sanglots lui déchirèrent la gorge pendant qu'elle attrapait une poignée d'herbe et l'arrachait à la terre. La douce odeur des brins verts brisés agit comme un tonique. Elle inspira profondément et leva les yeux pour voir les autres, debout en cercle autour d'elle.

– Que s'est-il passé ?

Le doneel posa une main duveteuse sur son autre épaule.

– Nous t'avons presque perdue.

Le magicien Cam l'aida à se relever.

– Quelque chose de maléfique t'attirait loin de nous.

– Non.

Kale s'écarta de lui et de Dar. Elle se cogna au corps solide de Bardon.

Elle se tourna et bondit pour s'en éloigner. Elle n'aimait pas l'expression sur son visage. Il semblait désolé pour elle.

– Non ! dit-elle encore une fois, plus fort.

Leetu s'avança et posa une main calme sur son bras.

– Tu as utilisé le nom de Wulder pour la bannir. Tu iras bien maintenant, Kale.

Non, ils ne comprennent pas. J'ai brisé le charme que le magicien Cam avait sur moi. Ce n'est pas ma mère qui est maléfique. Cela doit être lui.

Elle observa le visage du plus petit magicien, ses yeux remplis de gentillesse, sa bouche esquissant à peine un sourire réconfortant.

Ou ce n'était pas ma mère qui appelait.

Elle frissonna et laissa sa tête retomber.

– Merci pour votre aide.

Ses dents mordirent sa lèvre inférieure alors qu'elle tentait de retenir le flot de larmes. *Qui est-ce que je remercie, au juste ? Qui a essayé de me maîtriser et qui l'a empêché ?*

21

Deux illusionnistes

Kale effectua machinalement les préparatifs pour l'étape suivante de leur voyage. Elle suivit Leetu Bends, redistribuant les nouvelles provisions parmi tous les dragons.

Brunstetter donna ses ordres aux guerriers. Trois troupes envahiraient Creemoor, chacune par une direction différente, et piégeraient un nid d'araignées que l'on avait localisé. Certaines s'enfonceraient profondément dans la montagne et s'échapperaient sûrement, mais plusieurs seraient anéanties.

En talonnant Leetu, Kale se cogna contre un petit groupe de kimens. Ils gloussèrent et s'écartèrent pour lui livrer le passage en l'observant sans cesse. Elle arbora une mine renfrognée. Ils rigolèrent encore plus, puis ils filèrent. Kale marcha bruyamment derrière Leetu. Cela se produisit de nouveau. Une autre bande de kimens, mais les mêmes regards fixes et le rire.

– Qu'est-ce qui se passe avec les kimens ? demanda-t-elle à Leetu.

L'émerlindian déposa son fardeau, posa les mains sur ses hanches et regarda autour d'elle. Tous les kimens s'activaient aux affaires en cours.

– Que veux-tu dire ?

Kale scruta le campement animé. Personne n'était désœuvré ni ne la fixait des yeux. Elle protesta quand même.

– Les kimens s'approchent de moi pour m'observer.

Le visage de Leetu se durcit. Elle se pencha pour ramasser un paquet qu'elle voulait arrimer sur la selle de Merlander. Hissant le fardeau, elle dit :

– J'en doute. Pourquoi voudraient-ils te regarder ? Cela me semble plutôt ridicule, non ?

Kale ne répondit pas. *En effet,* cela paraissait idiot.

Leetu hocha la tête en direction du paquet qu'elle maintenait contre la selle.

– Tiens ceci pendant que je l'attache.

Kale s'avança pour l'aider. Elle jeta un œil sur un groupe de kimens divisant des sacs de nourriture. *Non, ils ne s'intéressent pas à moi. Pourquoi le feraient-ils ? J'imagine que je me sens étrange juste à cause des événements de ce matin. Qu'est-ce que* je *penserais d'une personne ayant été attirée par une force maléfique ? Est-ce que tout le monde croit que je suis un genre de paysanne qui se laisse piéger par les ruses du mal ?*

Kale ramassa un autre paquet et le retint pour Leetu.

Supposons qu'il ne s'agissait pas d'une force maléfique. Supposons que le magicien Cam m'ait fait croire que c'était ma mère qui m'appelait. Supposons qu'il souhaitait que j'aie l'air ridicule.

– Kale, attrape un autre sac, lui lança sèchement Leetu.

Pendant que Kale tenait un autre paquet contre la selle, elle fouilla la foule du regard et trouva le petit magicien moite.

Il se dispute avec Fenworth. Fenworth ne lui fait pas confiance. Il est probablement venu ici pour saboter notre mission. Si Paladin l'a réellement envoyé, pourquoi n'est-il pas venu avec Brunstetter ?

Kale jeta un coup d'œil vers les urohms. Les géants se tenaient debout près d'un des dragons géants, mais ils ne travaillaient pas.

Maintenant, ils *me fixent. Personne ne me fait plus confiance, et c'est à cause de ce magicien.*

Kale lança un regard furieux aux guerriers. Ils se remirent immédiatement au travail.

Une voix calme s'infiltra dans son esprit.

– *Viens vers moi tout de suite, ma chère Kale. Tout le monde est occupé. Personne ne remarquera ton départ en douce.*

Kale retint le dernier paquet en place pendant que Leetu l'attachait. Ensuite, au lieu de suivre l'émerlindian de l'autre côté du camp, elle marcha sans se presser vers les arbres bordant le ruisseau. Gymn et Metta filèrent à toute vitesse devant elle.

Je vais faire une promenade, leur dit-elle. *Il y a tant de monde ici. Je suis fatiguée de leurs regards sur moi.*

Les petits dragons décrivirent des cercles au-dessus d'elle. Elle grinça des dents et hâta le pas.

Ils ne m'aiment pas. *Ils pensent que je suis méchante.*

Leurs pépiements d'alarme lui crispaient les nerfs.

– Laissez-moi tranquille. Retournez au camp. Je désire me promener seule. Est-ce si terrible ?

Kale ressentit la peine et la confusion des dragons nains. Leurs émotions ne firent qu'accroître le sentiment de trouble dans son cœur. Elle voulait crier ou pleurer ou les deux. Au lieu de cela, elle donna un coup de pied sur un champignon vénéneux de trente centimètres. Elle marcha bruyamment dans la forêt en laissant derrière les dragons voltigeurs, le soleil chaud et l'odeur des fleurs sauvages dans le champ.

Des armagots la surplombaient. Le feuillage de l'année précédente crissait sous ses pieds, rembourré par l'accumulation des feuilles en décomposition en dessous. Le tapis mœlleux dégageait un parfum agréable de terre. Le sous-bois clairsemé entourait quelques-uns des arbres les plus anciens. Kale se demanda si les légendes étaient exactes et que les kimens vivaient dans de tels arbres, leurs portes dissimulées par les buissons.

À mesure que les troncs d'arbres devenaient plus imposants, la distance entre les armagots augmentait. Une lumière verte étrange et diffuse formait des ombres tachetées sur le sol forestier. Kale ralentit la cadence.

Un écureuil descendit un tronc à toute allure, traversa un vieux rondin et grimpa à un autre arbre. Un oiseau roucoula. Elle s'enfonça plus profondément dans le bosquet de vénérables armagots, entendant seulement le bruissement de ses pas sur la végétation tombée.

– Mère ?

Je devrais rentrer. Elle regarda derrière elle. Sa marche à travers les feuilles n'avait pas laissé beaucoup de trace. *Pourrais-je retrouver ma route ?* Elle s'arrêta.

Mère ?

– Je suis ici, Kale.

Kale retint son souffle quand la femme avança sur le sentier.

Un sourire froid s'esquissa sur le beau visage de sa mère.

– Je ne voulais pas te faire sursauter.

Kale se força à parler.

– Tu m'as appelée.

– Oui, il est temps pour toi de quitter la racaille avec qui tu voyages.

Les muscles du cou et des épaules de Kale se raidirent.

– Ce sont mes amis.

Lyll Allerion agita la main d'un geste impatient pour signifier à Kale de lui emboîter le pas et elle partit sans l'attendre.

– Ce sont peut-être tes amis, Kale, mais tu n'es pas obligé de les suivre où qu'ils te mènent. Réfléchis par toi-même pour faire changement.

Kale hésita.

– Eh bien, arrive. Je dois t'installer confortablement avant que mon absence ne soit remarquée et que tes compagnons envahissants commencent à te chercher.

Kale se lécha les lèvres. *Est-ce que je désire y aller ?*

Elle la suivit. La lourde robe de sa mère bruissa. Le tissu bleu et doré de son vêtement recherché chatoya. Chaque fois que la haute coiffe de sa mère passait à travers les minces faisceaux de lumière tombant entre les branches épaisses, l'étoffe blanche étincelait.

Kale examina son propre habit pratique et la tenue impeccable de Lyll. *Eh bien, mère n'est pas exactement vêtue de façon appropriée pour une randonnée en forêt. Au moins, mon pantalon court ne paraît pas déplacé.*

Elle se hâta pour la rattraper.

– Où allons-nous ?

– Il y a une pièce secrète dans la tour du château. Tu y seras protégée.

– Protégé de quoi ?

Lyll Allerion s'arrêta si vite que Kale se cogna contre elle. Elle recula, s'attendant à ce que sa mère lui lance quelques mots acerbes sur le fait d'avoir été touchée par sa fille crasseuse. Au lieu de cela, Lyll marqua une pause et posa sur Kale un œil inquisiteur.

– De Risto, évidemment. Que pensais-tu ?

Kale observa la peau crème de la main de sa mère. Des bagues serties de joyaux étincelants encerclaient chaque doigt pâle. Les ongles se terminaient en délicates pointes courbées.

Kale serra ses mains sales en boules et détourna ses yeux, juste assez pour regarder les bois en arrière de son parent. Un sentier dégagé serpentait parmi un regroupement dense d'arbres imposants. Le vent se leva et fit bruisser les feuilles sèches et souleva le parfum épicé du sol forestier.

Pile derrière l'endroit où Kale se tenait avec sa mère, une bouffée d'air découvrit une petite parcelle de poussière. Les ombres tombaient sur le sentier, assombrissant la terre comme si elle était trempée.

Le sifflement d'un mouvement atteignit les oreilles de Kale, même avec le vent tourbillonnant parmi les arbres. Ondulant depuis l'arrière d'un tronc, une vigne poussa à une vitesse phénoménale et se dirigea vers leurs pieds.

Kale ouvrit la bouche pour parler, mais le visage de glace de sa mère l'en empêcha. Les doigts manucurés de Lyll serrèrent le bras de Kale, puis la relâchèrent.

Sa mère pivota brusquement dans un bruissement de brocart et de soie.

– Viens !

– Attends ! s'écria Kale.

Le sentier était devenu marais.

Sa mère avança d'un pas et fut projetée en avant, atterrissant dans une mare de boue.

– Oh !

Kale enjamba l'épaisse vigne, une vigne qui ne se trouvait pas là un instant plus tôt. Intriguée, elle resta au bord de la parcelle boueuse et tendit la main pour aider la femme plus vieille dans sa robe élégante.

Sa mère planta ses poings dans la boue et souleva sa tête et ses épaules.

– Ne me touche pas !

Elle cracha des gouttelettes de boue.

Kale ramena ses mains derrière son dos.

Lyll se mit à genoux et se débattit pour se lever. Elle se tourna pour faire face à sa fille. Les yeux gris dans son visage couvert de boue lançaient des éclairs de fureur. Kale cligna des paupières et resta immobile comme si elle souhaitait éviter l'attaque d'un animal sauvage.

Le regard de la femme s'abaissa sur la vigne.

Sans utiliser son don, Kale sut exactement ce qui se passait dans l'esprit de sa mère. La vigne n'était pas à sa place ici. Elle ne ressemblait à aucune des plantes indigènes de la forêt.

Le cri sec d'un merle brisa le silence. Un gros merle couleur ébène descendit en piqué entre Kale et Lyll. L'oiseau vola directement sur Lyll. Elle lança ses mains devant son visage et se pencha vers l'arrière. Le mouvement brusque la déséquilibra, et elle bascula. L'oiseau se percha sur une branche haute.

– Tut tut. Oh zut. Tut tut.

En pépiant, il lissait les plumes de son aile luisante avec son bec jaune pointu.

Kale posa une main sur la pochette contenant l'œuf de dragon non éclos. Elle sentit un bourdonnement provenant de l'intérieur et elle fut parcourue d'un léger sentiment de vertige.

Sa mère s'assit. La coiffe délicate reposait dans un angle étrange sur sa tête. Du tissu bleu propre courait le long de sa robe entre les coulées de boue brune.

Lyll se débattit encore une fois pour se mettre debout toute seule. Elle enjamba la vigne et effleura Kale au passage. En soulevant sa lourde jupe pour éviter de trébucher, elle s'éloigna de la mare.

— Tut tut.

L'oiseau ébouriffa ses plumes, se balança d'avant en arrière sur ses pattes jaunes et inclina la tête.

— Oh zut.

L'œuf sous la main de Kale bourdonna. Un gloussement monta dans sa gorge, et elle couvrit fermement sa bouche de sa main libre.

— Suis-moi, Kale.

L'ordre de sa mère provoqua un frisson dans son dos. L'envie de rire la quitta.

Elle vit une autre vigne à croissance rapide se frayer un chemin parmi les arbres et traverser la route de sa mère. La femme, le menton haut et la coiffe vacillant de façon précaire, ne la vit pas. Encore une fois, elle atterrit en plein visage sur le sol forestier. Quand elle se positionna sur les genoux, des feuilles collées sur la couche de boue qui adhérait à ses vêtements parsemaient sa robe.

Elle hurla et se leva. Elle se tourna et empala Kale d'un regard mauvais.

— Viens, rugit-elle en tapant du pied.

De l'endroit sur le sol où l'impact s'était produit, un geyser surgit à pleine force. Le jet d'eau toucha Lyll au visage, faisant disparaître instantanément une traînée de boue. Elle secoua son poing dans les airs et tapa encore du pied. Un autre geyser entra en éruption. Lyll Allerion tournoya dans une crise de colère. Chaque fois qu'elle frappait le sol, un nouveau jet d'eau s'élevait de la terre en éclaboussant. Elle tourna en rond, hurlant des mots furieux et incompréhensibles. L'air autour d'elle crépita et lança des étincelles, puis elle disparut.

La tonnelle tomba dans le silence. Kale fixa les geysers pendant qu'ils faiblissaient rapidement, jusqu'à ce que la dernière bulle s'infiltre dans la boue.

Elle soupira, relâchant la tension qui s'était emparée de ses épaules. Encore une fois, l'œuf dans la pochette réagit avec un bourdonnement étrange. Les coins de sa bouche tressaillant sous l'impulsion d'un sourire en formation, elle se rappela la deuxième chute de sa mère dans la boue et la crasse brune suintant sur son visage.

Elle gloussa.

Le chapeau avait oscillé pendant que sa mère s'était hissée sur ses pieds pour sortir du bourbier fangeux.

Kale rigola un peu plus fort, et l'œuf lui répondit avec un bourdonnement plus marqué.

Un bruit de succion avait accompagné chaque pas de sa mère.

Elle rit. Elle s'assit sur l'épais tapis de vieilles feuilles et rit jusqu'à en pleurer.

– Penses-tu qu'elle est folle ?

La voix rauque de Fenworth surprit Kale.

– Oh non, je ne croirais pas, répondit Cam. Par contre, je pense bien que son œuf est sur le point d'éclore.

Kale essuya les larmes dans ses yeux et lança un grand sourire aux deux magiciens. La robe humide de Cam pendait autour de lui. Un lézard entrait et sortait précipitamment de la barbe de Fenworth.

Les paroles du magicien pénétrèrent sa conscience.

– Éclore ?

Elle ouvrit la petite pochette écarlate et fit glisser l'œuf dans sa paume.

Une fissure apparut. Les magiciens s'assirent en appuyant leur dos contre un armagot et discutèrent des éléments nécessaires pour une gamme de sortilèges. Kale admira l'œuf pendant qu'il chancelait dans sa main.

Un large morceau de la coquille se brisa et le minuscule dragon sortit en exécutant une culbute. Ses écailles mouillées brillaient dans des teintes de jaune et d'orange. Kale fronça les sourcils en tentant de se remémorer ce que disait le bouquin à propos des talents associés au jaune et à l'orange. Il se frotta le menton sur la base de son pouce, puis il se tourna et se tortilla sur le dos comme s'il avait besoin d'une séance de grattage.

— Le rire, déclara la voix grave de Cam à côté d'elle. Son talent, c'est le rire.

— Il s'appelle Dibl, annonça Kale.

— Un bon nom.

— Quelle est l'utilité du rire dans une quête ? demanda Kale.

Le dragon se retourna d'un coup léger, posa ses pattes de devant, puis entreprit de faire des pompes. Il leva son menton très haut et bâilla. Ses yeux minuscules s'ouvrirent, et il les plongea dans ceux de Kale. La connexion s'établit instantanément et assura leur attachement mutuel. Kale soupira d'aise. Les lèvres du petit dragon s'étirèrent, révélant deux rangées de lilliputiennes dents pointues.

— Il sourit ! s'écria Kale.

— En effet, acquiesça Cam.

Fenworth les rejoignit.

— La meilleure chose pour une quête, déclara-t-il. On ne sait jamais quand un bon fou rire sauvera la journée. Je suis content que tu aies pensé à l'amener avec nous, Kale.

Il se tourna vers l'autre magicien, plus petit et plus trempé.

— C'est mon apprentie, tu sais. Un peu impulsive, mais on peut la former, je crois.

Il caressa sa barbe, et un papillon de nuit s'envola.

– Nous ferions mieux de nous occuper de cette quête. N'est-ce pas, Cam ? Je ne peux pas dire que je souhaite demeurer dans cette forêt le reste de mes jours. Un endroit déplaisant où des geysers font irruption et d'où s'échappent des vignes.

Le vieux magicien jeta un coup d'œil sur le dragon étendu dans la main de Kale, puis il pencha la tête en arrière et éclata de rire.

22

Une nouvelle direction

Quand Kale et les magiciens rentrèrent de la forêt, toutes les personnes du camp vinrent à leur rencontre pour les recevoir. Les dragons étaient au courant de la naissance de Dibl et ils avaient répandu la nouvelle. Les guerriers de Paladin issus des sept races supérieures accueillirent le petit dragon jaune et orange avec des sourires, des rires et des chants de joie.

Kale s'assit sur un rondin à côté d'un taillis d'hèrenots élancés. Les soldats défilèrent pour jeter un œil sur le bébé ; certains admirateurs se contentaient d'admirer Dibl recroquevillé dans la paume de sa main, d'autres tendaient un doigt pour le toucher légèrement.

À mesure que l'après-midi avançait, le campement devenait plus silencieux. Kale détourna son attention du nouveau-né suffisamment longtemps pour remarquer que la plupart des troupes étaient parties. Les immenses grands dragons portant les fournitures, et les hommes avaient déployé leurs ailes et s'étaient élevés dans le ciel avec grâce.

Une ombre assombrit sa petite place au bord de la prairie. Elle leva la tête et aperçut Brunstetter s'attardant au-dessus d'elle. Son corps massif de quatre mètres de hauteur bloquait totalement le soleil.

Le visage séduisant de Brunstetter lui paraissait toujours gentil. Des rides de rires s'étiraient en éventail depuis ses yeux bleu clair jusque sur ses joues bronzées. Ses lèvres tressaillaient souvent d'humour réprimé. Et Kale avait vu ce géant soulever délicatement un kimen blessé avec autant de soin qu'une mère prend un enfant qui a mal.

Elle sourit à son ami.

– Où sont-ils allés, Seigneur Brunstetter ?

– Rejoindre leur position de combat.

Sa voix grondante portait une note de chagrin.

– Nous attaquons l'ennemi demain.

– Pars-tu aussi ?

– Dans quelques minutes.

Brunstetter posa le bout de son doigt sur la joue de Kale.

– Nous ne nous verrons pas pendant quelque temps. J'ai un message de mon cœur pour ton cœur.

Elle cligna des yeux pour chasser ses larmes soudaines et hocha la tête.

– Le don de rire avant une tempête renforce notre détermination. C'est bon que Dibl soit venu à nous aujourd'hui.

Brunstetter bougea sa main pour la poser sur son crâne comme un chapeau.

– Toi, ma petite Gardienne des dragons, tu es importante dans le plan de Wulder. Je te donnerais la sagesse si elle était comme un joyau que je pouvais cueillir sur l'une de mes couronnes. Toutefois, je ne peux que te murmurer d'agir avec prudence. Je peux seulement dire : « Reste immobile quand les nuages sombres menacent. Écoute la parole de Wulder. »

Il caressa Dibl, puis il se leva et marcha vers son magnifique dragon.

⟛ ⟛

Le groupe près du feu de camp ce soir-là avait diminué pour revenir au même nombre précédent l'atterrissage des renforts. L'atmosphère paisible résonnait parfois d'un éclat de rire amical.

Kale tenait Dibl endormi dans sa main pendant que Gymn était enroulé autour de son cou. Sa queue donnait de petits coups sur sa joue gauche quand elle battait pour marquer le rythme de la musique. Dar et Régidor avaient servi un repas froid composé de légumes des champs et de jimmin tranché, le tout aromatisé d'une vinaigrette épicée. À présent, les deux chefs interprétaient des mélodies joyeuses sur différents instruments tirés du bagage de Dar.

Toopka dansait autour d'eux avec Metta qui se perchait parfois en équilibre sur la tête de la petite doneel ou exécutait sa propre danse aérienne au-dessus des fêtards.

Leetu lisait un livre et tenait une pierre-soleil pour illuminer le texte. Bardon, Librettowit et Lee Ark jouaient une partie de courbettes. Les deux magiciens se reposaient sur le flanc imposant de Merlander, et l'on pouvait les entendre dire des choses comme : « Tu te souviens de la vieille Hoobenanny ? Je me demande où elle vit à présent. »

Kale sourit.

— Je viens tout juste de penser à quelque chose de drôle, Gymn.

Le dragon vert s'étira et leva son menton pour le frotter contre la joue de la jeune o'rant.

— Si le conseiller en chef Meiger et sa bonne épouse, dame Meiger, étaient ici, ils fronceraient les sourcils et ils se racleraient la gorge et ils grommèleraient devant tous ces gens. Dame Meiger affirmerait que n'importe quel cornichon sait que les magiciens n'existent pas et que les doneels et les tumanhofers restent entre eux. Dame Meiger dirait que les émerlindians parlent une langue incompréhensible pour tout le monde sauf eux-mêmes.

Le petit Dibl se roula en boule dans sa main en coupe et il tourna sur lui-même comme une toupie jusqu'à ce qu'il tombe par-dessus bord et sur ses genoux.

— Dibl pense aussi que c'est amusant.

Elle le souleva et tint son corps frais contre son visage. Elle rigola.

– J'ai présumé que les mariones de mon village savaient tout ce qu'il y a à savoir. À présent que j'ai mené des quêtes, je constate qu'ils ne connaissaient à peu près rien, exactement comme moi. J'aimerais bien y retourner et leur montrer qui est la plus intelligente à présent.

Aussi vite que le vacillement d'une flamme, Dibl tendit la bouche vers elle et lui mordit le menton.

– Aïe!

Elle l'écarta brusquement de son visage.

– Pourquoi as-tu fait cela?

Le petit dragon émit un grondement sourd.

– Qu'essaie-t-il de me dire, Gymn?

Le sentiment émanant des deux dragons flotta jusqu'à elle.

– Mesquine?

Elle serra les mâchoires.

– Je pense que ce serait amusant.

Cette fois, Dibl la mordit à l'arrière du pouce.

– Arrête cela!

Elle déplaça le dragon dans son autre main et suça sa légère blessure.

– Tu as besoin de dormir.

Elle glissa le dragon dans la pochette qui avait contenu son œuf auparavant.

Pour la seconde fois ce jour-là, des larmes envahirent ses yeux.

– Je pense que nous sommes tous fatigués.

Gymn sauta pour se mettre en sécurité quand elle se tourna sur le côté sur la couverture de sa paillasse et qu'elle ferma les paupières avec détermination.

– Bonne nuit, lança-t-elle à travers ses dents serrées.

Kale sentit sur son front une caresse semblable à un baiser. La chaleur agréable du toucher la réveilla presque. Cependant, la brume froide et humide du matin autour d'elle la poussa à ramener sa cape en rayons-de-lune plus près de son corps et à dormir. Une pensée pareille à un rêve lui disait de se lever de son lit et de chercher quelque chose. Elle roula de l'autre côté et soupira.

Son sommeil fut encore une fois dérangé par l'envie de se lever et de chercher quelqu'un ou quelque chose. Elle regarda les alentours dans la grisaille de l'aube. Il y avait seulement des charbons ardents couverts de cendre dans le cercle du feu de camp. Elle pouvait distinguer la silhouette des tentes et de ses camarades. Du brouillard obscurcissait le paysage campagnard au-delà du campement.

La tête de Célisse se déplaçait de droite à gauche alors qu'elle montait la garde, mais le dragon ne tendit pas son esprit vers sa cavalière. Quand Kale annonça à Célisse que quelque chose l'avait poussée à se réveiller, elle lui répondit que personne n'avait bougé de son lit.

Le silence de la nuit agissait comme une berceuse. Kale se leva et s'étira. Elle voulait profiter de cette sensation en toute quiétude et marcher vers la chute kimen. En suivant le son du ruisseau, elle parvint à l'étrange cascade.

Elle s'assit dans l'herbe humide, protégée du froid par sa cape.

– J'aimerais être capable de jouer de la flute comme Dar et Régidor, murmura-t-elle. J'entends une mélodie dans mon cœur. La musique dit que Wulder est merveilleux, rempli de sérénité et de sagesse, bannissant l'inquiétude et les conflits. Si j'étais Metta, je connaitrais une chanson de circonstance.

Le brouillard gris tournoya, se dissipant un moment sur la rive opposée du ruisselet.

– Qui est là ? Leetu ?

Elle se mit debout et tendit l'esprit.

Son pouls s'accéléra, et elle inspira vivement. En un instant, elle avait trouvé et emprunté les pierres lui permettant de traverser de l'autre côté. Elle pouvait maintenant apercevoir la coupe flottante d'un veston de cour, la dentelle mousseuse des poignets, les bottes foncées qui montaient au-delà des genoux de l'homme.

— Paladin, murmura-t-elle.

Il se tourna, et son visage s'éclaira comme si la lumière de la lune se posait dessus.

La première fois qu'elle l'avait vu, Kale avait pensé qu'il était très séduisant. À présent, toutefois, elle réalisait que sa beauté venait de son expression plutôt que de ses traits. Étrangement, Paladin et Risto se ressemblaient — des cheveux sombres, des yeux bleus, un nez droit, un menton volontaire et un front haut. Sauf que le visage de Paladin arborait de fines rides d'humour et son regard de la tendresse. Le front de Risto était sillonné de plis sévères, et son expression hautaine et ses yeux glacés lui donnaient des frissons.

Paladin tendit une main, et elle se glissa entre ses bras. Elle posa sa joue sur son torse et l'écouta respirer.

— Paladin, j'avais besoin de toi.

— Je sais, mon enfant, et j'ai besoin de toi.

Elle inclina la tête par en arrière et leva les yeux vers son visage sérieux.

— Allons-nous à Creemoor pour libérer ma mère ?

— Non, Kale, tu dois partir dans une autre direction.

— Mais…

— Je savais que ce serait difficile pour toi de le comprendre, alors j'ai choisi de te parler en premier. Tu iras à Prushing.

— Pourquoi ?

— Voici les autres. Nous discuterons tous ensemble.

Dar, Régidor et Bardon émergèrent du brouillard.

Les trois hommes saluèrent leur chef. Malgré le salut cérémonieux, ils paraissaient perplexes, comme si eux aussi étaient sortis de leurs lits et avaient répondu à une convocation qu'ils ne comprenaient pas.

– Messieurs, dit Paladin, vos talents sont requis ailleurs. Vous allez vous rendre à Prushing pour libérer une personne des griffes de Risto. Sa trace sera difficile à suivre.

– Prushing ?

Régidor inclina la tête en réfléchissant.

– La capitale de Trese, située au nord du canal Odamce et reconnue pour son industrie de la pêche et son commerce avec la Portée nord.

Paladin sourit.

– Oui, Régidor.

– À qui portons-nous secours ? demanda Dar.

– À un autre dragon meech, un qui a presque le même âge que Régidor.

– Un autre !

La queue de Régidor se leva sur son flanc, et il s'en empara avec ses deux mains écailleuses.

– Un autre ? Je suis le seul dragon meech à être né depuis plus d'un siècle.

– Il semble que nous faisions erreur. Il y en a un autre.

Dar hocha lentement la tête.

– Et Risto le détient.

Il frappa un poing dans la paume de son autre main.

– C'est pourquoi Risto nous a laissé partir avec Régidor. Voilà la raison pour laquelle il n'a pas déchaîné sa colère contre nous.

– Je pensais que Wulder nous protégeait, dit Kale.

– Il l'a fait, mais le combat aurait pu durer plus longtemps. Risto aurait pu causer des ennuis après que l'œuf avait été remis à Fenworth.

Dar fouilla du regard le visage de Paladin.

– J'ai toujours soupçonné qu'il y avait eu trop peu de tohu-bohu quand Risto avait perdu sa précieuse possession. Il détenait un autre œuf. Régidor n'était-il qu'un leurre ?

– Un leurre ?

Régidor tira sur sa queue.

– Rien d'aussi majestueux qu'un dragon meech ne peut s'avérer un simple leurre.

Paladin posa une main apaisante sur l'épaule du jeune dragon.

– Risto te voulait, sans aucun doute. Son plan consistait à utiliser ta force de vie pour créer une nouvelle race. L'autre dragon meech a éclos à peu près au même moment que toi, Régidor. Selon nos sources, il a établi un lien avec Risto.

– Wulder s'est montré discret en ce qui concerne ce dragon. Nous procédons avec prudence et cherchons Son conseil. Nous ne resterons pas à nous tourner les pouces et à attendre, puisque nous savons que Wulder est toujours opposé au mal. Mais sans une directive claire, nous avançons à petits pas, agissant seulement quand nous sommes certains que cela ne causera pas de torts.

Il laissa son regard errer sur les guerriers sélectionnés.

– Le plan de Risto pour cet autre dragon meech est de maîtriser toutes les classes de dragon de la Terre. Il va manœuvrer pour que ce dragon se retrouve en position de chef et il sera le pouvoir derrière ce pantin. Sachant cela, nous nous positionnons pour l'arrêter.

– Ne pourrais-je l'arrêter ?

Régidor sourit largement à cette idée.

– Pourrais-je ordonner aux dragons de me suivre, moi, au lieu de l'autre ?

Paladin secoua la tête.

– Non, Risto a accru la personnalité charismatique de ce dragon à l'aide d'un sortilège. À ce point-ci, il est capable d'obtenir la prédominance sur les dragons et de causer des ravages.

Bardon posa une main sur la poignée de l'épée ceinturée autour de sa taille.

– Alors, nous trouvons et détruisons ce dragon meech avant que Risto ne puisse s'en servir à des fins maléfiques.

– Non, Bardon, mon ami. Il s'agit d'une mission de sauvetage. Vous devez sortir ce dragon meech de l'enfer dans lequel il est né.

Dar secoua la tête.

– J'aimerais mieux combattre des araignées creemoors. Plus simple.

23

Changements de dernière minute

La chaleur du soleil dissipa la brume matinale.

Paladin avait dit qu'ils quitteraient les lieux ce matin-là. Mais pour l'instant, il était assis avec le magicien Fenworth, le magicien Cam, Librettowit, Lee Ark et Leetu Bends. Kale résista à l'envie d'écouter leur conversation en secret en utilisant son don de télépathe.

Je suis heureuse que nous partions. Je ne crois pas que je pourrais supporter cette attente encore longtemps. Kale regarda vers les bois. *Toutefois, je ne sais pas exactement ce que je ressens à l'idée de me rendre à Prushing.*

— Est-ce que je viens avec toi ? lui demanda encore une fois Toopka.

— Oui.

Kale étreignit le petit corps solide de la doneel.

— Paladin a dit que tu serais utile en ville. Dar connaît l'aristocratie, et toi les gens de la rue.

— Je vais appeler Dar « oncle », mais je ne vais pas t'appeler « tante ». Personne ne croirait que tu es ma tante. Tu pourrais te marier à Dar et devenir ma tante, mais ce ne serait pas crédible non plus.

— Pourquoi pas ?

— Vous êtes tellement différents. Vous vous disputeriez sans cesse.

— Pas nécessairement.

Kale tenta de se souvenir de quelque chose qu'elle avait lu dans l'un des manuels au Manoir. À propos de Wulder ayant créé des personnes dissemblables afin qu'elles travaillent ensemble plus efficacement.

Toopka tira sur la manche de Kale.

– Tu ne sais pas cuisiner, coudre ni jouer de la musique. Dar réussit toutes ces choses.

– Wulder a donné des dons différents aux gens. Imagine la pagaille si moi et Dar nous disputions pour déterminer qui préparerait les repas. De cette façon, je le laisse faire ce qu'il fait de mieux, et il me laisse faire ce pour quoi je suis la plus douée.

– Qu'est-ce que tu fais de mieux, Kale ?

La question la stupéfia. *J'étais une bonne esclave. Une travailleuse acharnée, obéissante et rapide. Et j'aimais vraiment prendre soin des enfants.*

Kale plongea son regard dans les yeux confiants de la jeune doneel sur ses genoux. Avec un sourire s'élargissant sur son visage, elle lui répondit :

– Les chatouilles !

Elle enfonça doucement ses doigts remuants dans les flancs de Toopka, la faisant pousser des cris perçants et se tortiller.

Les deux tombèrent à la renverse sur le gazon, et Kale épingla Toopka au sol.

– Tu es amusante, Kale. Tu ferais une bonne maman.

– J'ai encore beaucoup de temps devant moi avant de devenir mère.

– Wulder pourrait s'organiser pour que tu puisses avoir des bébés dès maintenant.

– Oui, mais Wulder souhaite que nous nous préparions à réaliser la tâche pour laquelle nous serons considérés comme de bons travailleurs – comme Dar et Bardon qui se pratiquent au combat. Wulder désire que j'en apprenne davantage avant de devenir mère. Il voudrait aussi que j'aie un mari.

Kale permit à Toopka de s'asseoir. Elle sourit en observant la petite fille lisser sa blouse et enlever le gazon sur son pantalon court évoquant pour elle l'attention méticuleuse de Dar pour sa mise.

Toopka regarda Kale et plissa le nez.

– Les règles ! Wulder devrait en éliminer quelques-unes. Ainsi, nous nous rappellerions plus facilement celles qui sont importantes.

Kale rit.

– Fenworth affirme que Wulder a établi Ses règles pour de bonnes raisons. Il ne fait pas de vent en modifiant Ses règles sur un coup de tête.

– Faire du vent ? Comme une tempête de sable ? Sittiponder dit que les tempêtes de sable sont féroces. Elles vous déchirent la peau, comme lorsqu'on glisse dans une carrière de cailloux.

Kale tenta de ranimer un souvenir qui lui échappait.

– Je suis désolée, Toopka. Je ne me souviens plus qui est Sittiponder.

– C'est le sage aveugle qui vit sous les escaliers des entrepôts à Vendela. J'avais l'habitude de lui apporter de la nourriture, pas seulement à cause des histoires qu'il racontait, mais parce que je l'aimais bien.

– Comment est-il devenu si sage s'il vivait seul ? Est-il allé à l'école ?

– Il disait qu'en restant immobile, il pouvait entendre les paroles prononcées au Manoir et que, la nuit, il acquérait de la sagesse en rêvant.

– Un jour, j'aimerais rencontrer Sittiponder.

– Alors, Wulder utilise le vent pour changer les choses quand Il le souhaite ?

– Quoi ? Où as-tu été pêcher une idée aussi étrange ? Oh non ! J'ai dit « faire du vent », une expression signifiant « faire l'important ». Wulder ne fait pas l'important en changeant Ses règles sur un coup de tête, sans vraiment y réfléchir, ce qui pourrait entraîner bien des ennuis.

– Oui, Wulder ne ferait pas de vent sans réfléchir. J'ai décidé que tu ne pourrais pas épouser Dar.

L'ombre de Bardon tomba sur elles.

– Épouser Dar ?

Toopka lui décocha un grand sourire.

– Mais Kale pourrait t'épouser, Bardon. Vous pourriez ensuite m'adopter, et Dar pourrait toujours être mon oncle.

Un air terrifié balaya l'expression habituellement réservée du lehman.

Toopka, tu as fait exprès de dire cela.

– *Bien sûr que oui. Comment peut-on dire quelque chose par accident ?*

Je veux dire que tu as dit cela avec l'intention délibérée de gêner Bardon – et moi !

– Kale est t-trop j-jeune pour se marier, bégaya Bardon. Et moi, je n'ai pas de profession.

– Tu es un serviteur de Paladin.

Toopka planta ses poings sur ses hanches minuscules.

– N'est-ce pas là une pro-fesse-sion ?

– J'étais en formation.

Bardon fit courir sa main sur le côté de sa tête, lissant ses cheveux sombres qui n'avaient jamais l'air dérangés ni décoiffés.

– Je ne me suis jamais rendu aux préparatifs importants.

Toopka s'approcha de lui.

– Paladin a dit que je pouvais participer à la quête parce que je serais utile. *Je* n'ai suivi *aucune* formation. Alors, si *je* suis utile, *tu* dois être utile au cube.

Dibl arriva et atterrit sur Bardon, près de son cou musclé. Bardon sursauta et tourna la tête pour jeter un coup d'œil au dragon vif perché sur l'étoffe brune de sa tunique. Le guerrier inspira rapidement et quand il expira, son visage s'adoucit. Il sourit. Puis, ses épaules se secouèrent légèrement et un rire s'échappa de ses lèvres. Il donna une petite tape sur la tête duveteuse de la doneel indignée et regarda Kale.

– Je suis venu te demander, commença-t-il, si tu es prête à partir. Paladin a dit qu'il n'y a pas de portail à l'intérieur de la cité. Nous devrons entrer par la campagne.

Kale se leva comme Dar s'approchait avec deux paquets lancés sur son dos. Librettowit le suivait.

Le tumanhofer hocha la tête en direction de Lehman Bardon.

– On n'a pas besoin de moi au sein de l'expédition à Creemoor. Cam prendra soin de Fenworth. J'ai demandé à retrouver ma bibliothèque, mais Paladin m'envoie avec vous.

Librettowit haussa les épaules en déplaçant le fardeau sur son dos.

– Peu importe. Je crois que les librairies de livres rares à Prushing vaudront bien les ennuis de suivre la trace d'un meech mécréant.

Régidor trotta pour venir les rejoindre.

– Je pourrai renifler sa trace. Qui de mieux placé qu'un dragon meech pour trouver un autre dragon meech ?

Toopka applaudit et sautilla sur ses orteils.

– Une sournoise petite doneel, voilà qui.

Bardon souleva l'enfant dans ses bras.

– Tu dois te coller à Kale comme une pomme de pin de roche et éviter les ennuis. Je suis ton commandant en chef, et tu dois obéir à mes ordres.

Les yeux de Toopka s'arrondirent.

– Tu es responsable de nous tous ?

– Non, c'est Dar, mais je détiens un grade supérieur au tien, petite endormeuse des rues.

Régidor s'éclaircit la gorge.

– Je ne crois pas avoir rencontré ce mot dans les dictionnaires de Librettowit.

– Endormeuse des rues fait référence, lui apprit le bibliothécaire, à une personne naïve qui ne semble pas être consciente de ce qui se passe autour d'elle. Mais en fait, cela signifie arnaqueuse, une personne qui manipule les gens de son entourage. Dans ce cas-ci, endormeuse des rues se veut un terme affectueux. Bardon dit que Toopka est une petite coquine.

Toopka inclina la tête et fronça les sourcils.

— Je crois que je n'aime pas trop qu'on m'apprécie de cette façon.

Kale gloussa en claquant ses doigts pour attirer l'attention des dragons nains fourrageant autour.

— Alors, tu ferais mieux d'agir avec plus d'honnêteté avec tes amis. Gymn, Metta, nous partons.

Les dragons, incluant Dibl, volèrent jusqu'à Kale et se frayèrent un chemin sous les plis de sa cape pour trouver leur antre de poche. Kale se pencha pour rouler son tapis de couchage.

En quelques minutes, le groupe de quête s'aligna devant Paladin. La deuxième compagnie d'aventuriers, qui se rendrait à Creemoor, se tenait à côté d'eux.

— Une dernière chose avant que vous partiez, dit Paladin. Kale, je dois voir les œufs de dragon toujours sous ta protection.

Kale abaissa rapidement son sac sur le sol et retira les œufs des poches cousues dans la cape en rayons-de-lune. Les trois dragons nains sortirent en pépiant d'excitation.

Paladin s'accroupit de l'autre côté et examina lentement chacun des cinq œufs que Kale avait alignés au-dessus de son bagage personnel.

— Celui-ci, dit-il en ramassant l'œuf du milieu.

Il le remit à Kale.

— Range-le dans ta pochette de stimulation.

Les petits dragons filèrent dans les airs et exécutèrent des pirouettes au-dessus de l'assemblée. Dibl plongea dans la barbe de Fenworth et ne réapparut pas.

— Allons, allons, protesta le vieil homme en caressant sa barbe. Sors de là. Tu manges, n'est-ce pas ? Assure-toi d'engloutir les insectes, et pas les boutons. Je ne tolérerais pas que ma robe tombe à cause d'un glouton sans expérience qui dévore mes boutons d'os au lieu des coccinelles. Tu pourrais te rendre utile pendant que tu y es et savourer cette coccinelle batteuse qui me tient réveillé la nuit.

Un bourdon vrombit hors du rideau de cheveux gris à une vitesse folle avec Dibl juste derrière lui. Le dragon l'attrapa, le mâcha et l'avala, puis il poussa un trille joyeux.

– Tout à fait ! acquiesça le magicien en hochant la tête d'un air entendu devant son entourage. Sucré. Un délice. Très rassasiant. Mais il chatouille en descendant.

24

LE VOYAGE COMMENCE

Kale et ses amis montèrent sur les dragons. Paladin prit la position de tête, les guidant vers le château de Brunstetter. Voler au-dessus de la campagne rappelait à Kale que cette plaine vallonnée abritait des animaux plus gros que dans n'importe quelle autre partie d'Amara. S'ils avaient voyagé par la voie terrestre, ils auraient pu voir des poulets aussi gros que des chiens, des chiens aussi gros que des vaches, des vaches aussi grosses que des chevaux et des chevaux si gros qu'elle aurait pu marcher dessous sans baisser la tête.

Le soleil atteignit son zénith et la cité urohm de Blisk apparut à l'horizon. Ils atterrirent dans un champ de dragon et se rendirent au centre de la métropole en charrette.

Dame Brunstetter, une femme aux yeux noirs, pleine de dignité, servit au groupe en quête un repas du midi. Dar et Régidor savourèrent le repas en faisant abondamment claquer leurs lèvres. Kale donna un coup de pied sous la table au doneel après qu'il eut siroté sa soupe particulièrement bruyamment.

– Aïe !

Il se tourna pour lancer un regard furieux à sa copine o'rant.

Dame Brunstetter rit, les prunelles pétillantes de joie.

– Je sais exactement ce que tu ressens, Kale. Mais c'est une de leurs coutumes. Les doneels croient qu'il s'agit d'un compliment – et non d'une impolitesse – de manger en faisant du bruit. Le problème vient après le départ de mes amis doneels à la fin d'une longue visite. Je dois alors réapprendre à mes enfants les manières de notre peuple.

Comme pour prouver son propos, l'un des gamins prit une bouchée de venaison rôtie et émit un claquement sec avec sa bouche avant d'essuyer de la graisse sur son menton avec une serviette de lin.

Le repas fut vite expédié. Paladin remercia leur hôtesse pour sa bienveillance et introduit le groupe de quête dans une pièce derrière la salle du trône.

Un portail scintillait sur un solide mur de pierre. Kale tenait Toopka, et les bras de la doneel étaient enroulés autour de son cou. Librettowit était dans l'ombre, appuyé contre une cloison adjacente de la petite pièce. Bardon prenait place à côté de la porte, sa posture rigide, une main sur la poignée de son épée et la mâchoire crispée. Kale intercepta un regard dans sa direction et lui sourit. Il détourna les yeux sans réagir à son geste d'encouragement.

Ça va, Bardon. Nous sommes tous nerveux.

Il cligna des paupières, mais ne répondit pas.

Régidor tenait sa queue dans une main. Ses jointures blanches brillaient à chaque doigt recouvert d'écailles.

Kale regarda la plaque de pierre du sol et eut envie de la présence de Leetu Bends. *Elle ne se montre pas toujours amicale, mais elle agit vraiment comme si rien ne la dérangeait. Pendant la dernière quête, je me croyais en sécurité, juste parce qu'elle était présente.*

Paladin fit signe à Dar de partir en premier. Le diplomate doneel avança devant son chef.

– Encore une fois, je te fais vœux de ma loyauté, mon seigneur. Que Wulder me garde humblement à ton service.

Paladin posa une main sur l'épaule de Dar.

– Je t'ordonne de rester fort face à l'ennemi de notre grand et puissant Wulder, d'honorer Sa parole d'espoir, de surveiller avec sagesse Ses guerriers confiés à ta charge et de chercher la justice et la miséricorde dans cette quête.

Dar s'inclina légèrement et traversa le portail.

Régidor avança d'un pas décidé.

— Est-ce que je reçois aussi mes ordres? Ai-je droit à des instructions particulières?

— Tes ordres sont identiques à ceux de Dar. Chaque membre de ce groupe doit respecter le commandement de Dar et accepter sa mission comme la sienne propre.

Il regarda autour de la pièce aux murs de pierre afin d'inclure chaque participant à la quête.

— Vous pouvez décliner cette mission maintenant.

Personne ne bougea pour saisir cette offre.

Paladin se retourna vers le dragon meech.

— Régidor, tu grandiras en sagesse, en stature et en maturité en très peu de temps. Ne crois pas que tu puisses distancer tes compagnons. Wulder a placé chacun d'eux dans ton cercle d'influence pour ton bien et pour le leur. N'oublie pas ton rang. Tu n'es ni la tête ni la queue de cette expédition.

— Je comprends, mon seigneur. Nous sommes dépendants les uns des autres.

— Exactement.

Paladin fit claquer sa main sur son épaule.

— Va.

Dès que les lumières du portail s'évanouirent après le passage de Régidor, Paladin leva son bras comme un fauconnier invitant son oiseau à atterrir.

— Venez, mes petits.

Les trois dragons nains rampèrent hors de leur antre de poche respective et voltigèrent jusqu'à lui. Ils se perchèrent sur la manche élégante et regardèrent soigneusement Paladin. Après avoir plongé son regard dans les yeux de chacun pendant plusieurs minutes, le chef accorda à ses petits sujets le droit de voler à travers le portail.

Kale réalisa qu'un peu de son angoisse s'était dissipée.

Je ne sais pas ce qu'il leur a dit, mais ce devait être merveilleux.

Elle entendit le rire profond de Paladin dans sa tête.

– *Je leur ai dit de bien se comporter.*

Kale sourit largement.

C'est tout ?

– *Je leur ai bien rappelé que Wulder est préoccupé par le fait qu'ils réussissent ou non, et qu'il les accompagne en tout temps.*

Ah, cela me réconforte également.

Paladin fit signe à Librettowit de s'avancer. Le bibliothécaire prit sa position devant son régent d'un pas traînant. Paladin posa une main sur chaque épaule.

– Mon ami, tu es toujours le héros réticent. Que ferions-nous sans toi ?

Librettowit releva la tête d'un coup et il se renfrogna.

Le visage de Paladin ne portait nulle trace d'humour, seul le respect sincère le marquait.

– Va, mon éminent confrère. Prends soin de ces jeunes vauriens.

Librettowit hocha sèchement la tête une fois pour acquiescer et traversa le portail.

– Bardon, appela Paladin.

Le lehman esquissa un pas en avant et salua.

– À vos ordres, mon seigneur.

– Aie confiance dans tes connaissances déjà acquises, Lehman. Cette fondation te servira bien.

Paladin hocha la tête pour lui signifier son congé, et le jeune guerrier s'approcha du portail. Il n'hésita qu'un instant avant d'avancer à grandes enjambées.

Kale observa Paladin, se demandant si ce serait son tour.

Le visage du régent afficha un air sévère inhabituel.

– Toopka !

La petite doneel bondit des bras de Kale sans un son et courut pour se tenir devant le chef d'Amara, roi pour certains, fléau pour d'autres.

Elle garda le silence, mais regarda Paladin avec précaution.

Que se passe-t-il ? pensa Kale. *Je n'ai jamais vu Toopka à court de mots.*

— Je ne suis pas aussi content de toi que je le souhaite, déclara Paladin.

Toopka baissa la tête et examina le plancher.

— Je t'ordonne, à partir d'aujourd'hui, de suivre le chemin de la vérité, pas seulement en paroles, mais de façon tacite aussi. Dans tes gestes et dans tes mots. Même en pensées, car tu te leurres aussi souvent que tu leurres les autres.

La tête de Toopka oscilla de haut en bas en signe d'acceptation de l'ordre. Elle renifla et elle essuya une larme sur sa joue avec une main duveteuse.

Paladin souleva l'enfant dans ses bras et l'enserra dans une étreinte chaleureuse, l'embrassant sur le côté de son visage pendant qu'elle sanglotait.

— Tu ne dois pas utiliser ton triste départ dans la vie comme excuse pour suivre la mauvaise voie. Wulder t'a beaucoup donné. Redonne à ton tour, ma chère enfant, redonne. Ne garde pas tout dans ton cœur par peur qu'il n'y ait pas davantage. Donne librement et tu recevras en retour. Wulder a une abondante réserve.

Il la déposa debout sur le sol, tira un mouchoir blanc de sa poche et essuya délicatement ses larmes.

Ensuite, il sourit et l'embrassa sur le dessus de son crâne. Avec une main douce dans son dos, il la poussa à travers le portail.

— Tout ira bien pour toi, Toopka. Aie confiance et sois digne de confiance.

La doneel disparut par le portail.

— À présent, mon enfant et mon amie, serviteur et Gardienne des dragons, c'est ton tour. Avance.

Il tendit la main, et Kale s'approcha pour la prendre.

— Dis-moi à quoi tu penses.

— Tu le sais déjà.

– Dis-le-moi.

– Je ne connais pas mes camarades comme je croyais les connaître. Dar est beaucoup plus important qu'il n'en a l'air, n'est-ce pas ?

– Je suis d'accord.

– Toopka et Bardon ont des secrets, pas vrai ?

– Oui. Tu dois être une amie pour les deux.

– Librettowit est fatigué.

– Tout comme Fenworth. Nous sommes tous las du combat contre Risto et ses semblables. Mais tout de même, nous allons persévérer.

– Que me confies-tu, Paladin ? Explique-moi exactement ce que tu veux que j'accomplisse, et je ferai de mon mieux.

Paladin sourit et mit tendrement sa main chaude en coupe sur le côté de son visage.

– Comme toujours, Kale, je te demande d'agir au mieux avec ce qui est placé devant toi. C'est tout.

Kale cligna fermement des yeux pour empêcher les larmes de couler sur ses joues.

– Pourquoi ne peux-tu pas simplement me le dire ?

– Parce que dans ce cas, tu connaîtrais *mon* assurance envers Wulder au lieu de découvrir la tienne.

Sans vraiment comprendre, elle acquiesça et se tourna vers le portail. Elle hésita.

– Y a-t-il autre chose ?

– Profite du voyage.

Kale prit une profonde respiration, pénétra dans l'air épais explosant de lumière, et sortit du portail, directement dans les bras de Mamie Noon.

25

Festin d'amis

Kale poussa un cri perçant et étreignit l'émerlindian en soulevant son corps minuscule.

— Tu es ici ! Tu es ici !

Elle fit tournoyer la vieille femme, puis la reposa à terre.

— Oh, Mamie Noon, tu es exactement la personne que je souhaitais voir.

Mamie Noon tint délicatement le visage de Kale entre ses mains brunes et plongea profondément son regard dans le sien. La joie paisible de la sage femme coula en Kale, diminuant les battements de cœur de la jeune fille et l'emplissant de paix.

Puis, Mamie Noon esquissa un pas de côté et glissa son bras autour de la taille de Kale.

— Viens, nous devons discuter.

Kale examina la pièce dans laquelle elle était entrée par le portail.

Une maison marione !

Ses pieds ralentirent, mais Mamie Noon la tira doucement vers une porte carrée. Le souvenir des mariones réservés qu'elle avait connus alors qu'elle était esclave la mettait mal à l'aise. Par contre, elle avait aussi rencontré des mariones loquaces au village de Lee Ark.

Je me demande quel type de mariones vit ici. Chaleureux ou froids ?

Kale lâcha un soupir de soulagement dès que la lourde porte de bois s'ouvrit au son du rire et de la musique.

La foule se mêlait dans le large hall d'entrée d'un manoir de campagne. Des poutres sombres et rustiques accentuaient les murs de plâtre blanc. Un immense foyer dominait une extrémité de la pièce. Kale aperçut deux solides portes carrées laissant voir la chaussée avant et la pelouse.

Accompagnés de ses huit compagnons, de nombreux mariones d'âge varié participaient à un genre de célébration. D'autres visiteurs arrivaient et étaient accueillis par l'hôte et dirigés vers un buffet de mets aromatiques.

— La fête sert à camoufler votre départ de cette maison, expliqua Mamie Noon. Il se peut que l'ennemi sache ou ne sache pas qu'il existe un portail dans la pièce du fond. Il se montre certainement suspicieux des activités de la famille.

Gymn était assis dans les mains en coupe d'une femme âgée installée dans une berceuse. Kale savait qu'il apaisait les douleurs de son arthrite. Metta, Dibl et Toopka avaient rejoint le groupe autour de Dar, qui jouait du clavecin. Régidor examinait l'instrument de musique comme s'il s'agissait d'un délicieux dessert. Librettowit et Bardon étaient assis dans un coin, le bibliothécaire avec une chope à la main et une mine renfrognée, Bardon se contentant de la même mine renfrognée.

Agacée, Kale l'appela.

Bardon !

Ses yeux bougèrent dans sa direction et sa mâchoire se détendit.

Arrête de froncer les sourcils. Ces gens risquent leur vie pour nous aider.

— *Je ne fronce pas les sourcils. Je ne fais qu'observer.*

En apercevant ce côté de ton visage, on dirait bien que tu fronces les sourcils.

Dibl quitta les musiciens et se percha sur l'épaule de Bardon. Le sérieux lehman leva un doigt et caressa le ventre jaune du dragon. Dibl bourdonna, ferma les yeux de plaisir et s'appuya contre le cou de Bardon. Le lehman sourit et décocha un clin d'œil à Kale.

Mamie Noon tira sur le bras de Kale.

— *Ne plisse pas le front ainsi, ma chère, ces personnes sont nos amis.*

Elle guida Kale à travers le grand hall vers un salon où des fauteuils confortables et un canapé entouraient une table élégante.

— Je n'ai pas vraiment faim, Mamie Noon, déclara Kale en s'assoyant. Nous venons de manger au château Brunstetter.

Mamie Noon s'installa aussi, souleva la théière de porcelaine et versa son contenu dans de délicates tasses. Sa robe tissée à la main tombait gracieusement en plis légers sur ses épaules.

— Juste une tasse de thé, alors, pour calmer tes nerfs.

— Mes nerfs se portent bien depuis que je t'ai vue. Peux-tu venir avec nous ?

Mamie Noon gloussa.

— Non, ma chère. Je suis beaucoup trop vieille pour les aventures.

Kale prit une gorgée du thé chaud sucré. Elle ferma les paupières lorsqu'il coula dans sa gorge, se réjouissant de la façon dont il la rafraîchissait jusque dans son for intérieur. Quand elle rouvrit les yeux, elle soupira et s'attaqua au sujet qui la préoccupait le plus.

— Mamie Noon, j'ai vu ma mère.

— Est-ce vrai, ma chère ?

— Oui.

À présent qu'elle avait décidé de se confier à Mamie Noon à propos de sa mère, même contre la volonté de cette dernière, elle n'arrivait plus à retenir les mots.

— Elle m'a appelée d'une forêt proche de notre campement. C'est la plus belle femme que je n'ai jamais vue.

Kale baissa les yeux sur le breuvage dans sa main. Sous l'infusion ambre foncé, de minuscules éclats de feuilles de thé flottaient près du fond de la tasse.

Elle secoua légèrement la tête.

— Mais je ne l'aime pas, Mamie Noon. Elle m'a ordonné de ne dire à personne que je l'avais rencontrée. La seconde fois où elle m'a convoquée, je me sentais très mal. Quand Paladin a déclaré que je devais venir ici au lieu d'aller à Creemoor pour la libérer, j'étais contente.

Ses mains tremblaient, et la tasse de thé cliqueta sur la soucoupe. Elle se hâta de déposer la fragile vaisselle de porcelaine sur la table. Elle serra les poings et les posa sur ses genoux.

— Qu'est-ce qui ne va pas chez moi ?

Kale regarda brièvement Mamie Noon, mais elle détourna les yeux avant de vraiment apercevoir l'expression de la vieille femme. Elle ne souhaitait pas voir sa désapprobation.

— En tant qu'esclave, je sais que je suis censée obéir. J'ai toujours été bonne pour exécuter ce que l'on m'ordonnait. Mais j'ai désobéi à ma maman. Et je ne veux pas la trouver ni vivre avec elle. J'aimerais mieux rester avec Dar et Régidor, Librettowit et le magicien Fenworth, mes amis.

Elle sanglotait.

— Je comprends ce que tu dis, ma chère.

Mamie Noon avala une autre gorgée de thé.

— Mais je ne comprends pas pourquoi tu pleures.

Kale jeta un regard furtif sur Mamie Noon et constata qu'elle ne la regardait pas avec dégoût. Elle prit une profonde inspiration en essayant de maîtriser ses sanglots. Elle devait lui expliquer qu'elle avait échoué et qu'elle était vouée à l'échec constant.

— Je ne suis pas bonne pour mener des quêtes. Je ne possède aucun don utile pour mes amis. Je vais faire quelque chose de stupide, et ils seront tués à cause de moi. Je ne possède pas le savoir de Librettowit. Je ne peux pas me battre comme Dar et Bardon. Je n'en sais même pas autant que Toopka sur la vie en ville. Et je suis une mauvaise personne. Je n'aime même pas ma mère.

Mamie Noon réussit à prendre un air compatissant malgré le sourire sur ses lèvres.

— Tu n'es pas une mauvaise fille, Kale. Tu n'es pas obligée d'aimer une dame dont tu ignores tout. Tu n'es pas tenue d'obéir à une personne qui ne t'a pas démontré qu'elle est digne de confiance.

— Mais elle est au service de Paladin. Elle se charge d'un travail dangereux depuis des années.

— La femme que tu décris ne ressemble pas à la Lyll Allerion que j'ai connue il y a des années.

Mamie Noon marqua une pause pour brasser son thé.

— Vivre dans la forteresse du mal nuit certainement à un individu. Les gens changent.

— Parfois pour le mieux, ajouta Kale en pensant à tout ce qu'elle avait appris depuis qu'elle avait quitté Rivière au Loin.

— Oui, et parfois non, répliqua Mamie Noon. Nous allons patienter et ne pas évaluer son caractère sans en savoir plus. Wulder révélera son cœur.

Mamie Noon se leva. Kale bondit sur ses pieds. Elle ne refusait pas ce signe de respect à sa guide émerlindian.

— Notre temps de conversation est limité, déclara Mamie Noon. Je dois remettre à toi et à tes amis les choses dont vous avez besoin pour demeurer en ville. Mais tu as tenu des propos que je ne peux pas passer sous silence.

Elle avala sa salive devant le ton sévère de Mamie Noon. *Elle est dégoûtée de moi.*

— *Je ne le suis pas !*

La voix retentit sèchement dans son esprit.

— À présent, écoute-moi. Tu as parlé de toi comme étant une esclave. Tu ne dois jamais recommencer. Tu as déclaré ne posséder aucun talent utile pour tes compagnons. En cela, tu ridiculises la sagesse de Wulder.

Kale haleta.

Mamie Noon hocha la tête.

— Exactement. C'est une grave erreur que de diminuer les dons que t'a offerts Wulder. Juge correctement la valeur de ces talents. Tu dois connaître précisément tes mérites afin de ne pas manquer à tes engagements envers tes amis. Cela révélerait l'insuffisance de ton esprit et non celle de ta capacité.

L'émerlindian rassembla sa jupe dans ses mains et se dirigea vers la porte.

– Nous sommes en retard. Je veux que tu puisses entrer dans la cité d'ici demain après-midi, ce qui signifie que tu doives partir avant la tombée du soir aujourd'hui.

Elle s'arrêta, la main sur la poignée de porte. Sa voix s'adoucit.

– Kale, souviens-toi d'utiliser pleinement tes dons et de saisir toutes les occasions offertes par Wulder d'améliorer ton talent. Tu es la Gardienne des dragons, et aucun de tes dons n'est insignifiant.

26

Embuscade

Kale voyagea sur le dessus d'une pile de malles et de valises attachées sur le toit d'une voiture tirée par un cheval. Bardon était assis à côté du cocher, un marione nommé Bruit, et Toopka était confortablement installée entre eux deux. Librettowit, Régidor et Dar étaient montés à l'intérieur. Avec l'ordre de rester hors de vue, les dragons nains dormaient avec contentement dans leur antre de poche respective.

Mamie Noon avait donné un sac de pièces de monnaie aux aventuriers, des lettres d'introduction, une liste de contacts et la clé d'une résidence de la haute société. Le groupe en quête ne paraderait pas à travers les montagnes, les vallées et les cavernes cachées, mais plutôt à travers les rues de la métropole et les demeures des riches. Régidor serait déguisé en abbé étranger dont le monastère se permettait de pratiquer le commerce au bénéfice de son domaine. Librettowit se prétendrait marchand d'art. Dar, majordome et valet. Bardon jouerait le rôle du shérif de la maison, un serviteur spécial armé pour protéger la famille et la propriété. Kale et Toopka se transformeraient en servantes ordinaires.

Mamie Noon avait remis à Kale une pièce d'argent, un disque plat plutôt étrange avec deux entailles en forme de pointe de tarte irrégulière sur les côtés. Elle lui avait appris que cela lui servirait à identifier les gens. Kale avait tourné et retourné la pièce d'argent luisante dans sa paume calleuse.

– Comment ? avait-elle demandé.

– Je ne sais pas vraiment, ma chère. Mais Paladin a dit qu'elle serait utile, alors fait de ton mieux pour ne pas la perdre.

Kale rangea le disque dans la pochette avec l'œuf choisi par Paladin. À présent, alors qu'ils cahotaient dans le chaud soleil de l'après-midi, le petit objet de métal était presque oublié.

Un immense cheval de trait tirait la voiture. L'animal, d'une race élevée par les urohms, n'avait aucune difficulté à hisser son fardeau sur des collines cultivées. De chaque côté, les cultures semblaient prêtes pour la récolte dans les champs admirablement entretenus. Des charrettes de ferme, des bohémiens et de petits chariots passaient fréquemment sur la large route bien nivelée.

Alors qu'ils approchaient d'une région boisée, Kale se laissa aller contre un paquet mou et plaça ses mains derrière sa tête. Elle admira les nuages blancs et cotonneux flottant lentement dans le ciel bleu.

Ce ne sera pas si mal. Pas de mordakleeps. Pas de blimmets. Pas de grawligs. Pas de schoergs.

Une flèche siffla près de la tête de Kale et se ficha dans un des troncs d'arbre. La hampe vibra en émettant un bourdonnement fort et eut pour conséquence de faire se redresser les poils de son cou.

Des cris éclatèrent, lancés par les autres voyageurs sur la route. Un cheval hennit, et le son fut suivi par celui de sabots galopant au loin.

Kale entendit Bardon hurler : « Baissez-vous ! » et elle le vit tirer Toopka du siège du passager et la pousser sur le plancher du perchoir du cocher.

Bruit se débattit pour contrôler le cheval apeuré et le faire s'arrêter. L'instant suivant, Bardon tenait un arc dans ses mains et une flèche encochée et prête à être décochée. Il visa la cible devant et relâcha la flèche. D'un mouvement fluide, il en sortit une autre de son carquois.

Kale jeta un regard par-dessus une ligne de bagages. Une bande de bisonbecks dépenaillés avançaient péniblement parmi les voyageurs à pied. Ils agitaient des matraques, s'emparaient de paquets et poussaient leurs victimes sur le bord de la route. Des femmes hurlaient, des enfants pleuraient et des hommes tentaient désespérément de protéger leurs familles et leurs possessions des gros voleurs brutaux.

Bruit s'efforçait encore d'empêcher le cheval de filer à toute allure. Sous Kale, les portes de la voiture s'ouvrirent à la volée. Librettowit et Dar se hâtèrent d'apporter leur aide.

En prenant une profonde respiration, Kale sortit sa petite épée de son fourreau. Le carrosse bondit quand le cheval se cabra et piaffa pour protester furieusement contre le chaos autour d'eux. Elle attendit un moment de calme entre deux embardées, puis elle sauta sur le dos d'un bandit bisonbeck à côté du véhicule.

Sa lame plongea dans l'épaule du voleur de grand chemin et toucha l'os. Le bisonbeck hurla et tenta d'attraper Kale. Elle tira sec pour libérer son épée et elle glissa le long de son dos jusqu'au sol.

Alors qu'il pivotait, elle s'arc-bouta comme elle avait vu Dar le faire lors de ses combats de pratique avec Bardon. La vitesse acquise par la brute entraîna sa jambe sur la lame de Kale, lui coupant le mollet. Elle roula de côté en emportant l'arme tachée de sang avec elle.

L'homme tomba avec un bruit sourd sur la route de terre. Kale se retourna et l'aperçut se tortillant pour s'éloigner des roues de la voiture qui ballotaient frénétiquement. Bardon atterrit sur ses pieds à côté du hors-la-loi tombé. Kale se détourna.

Librettowit agitait un hadwig. La sphère de métal garnie de pointes déchira le flanc d'un attaquant. Le bisonbeck rugit et fit face au tumanhofer. Modifiant son mouvement de balancier d'un geste d'expert, Librettowit poinçonna l'homme plus grand au visage. Le brigand se pencha en avant en saisissant vivement sa joue blessée. Le coup suivant de l'arme lourde s'arrêta sur l'arrière de la tête de la victime et l'envoya s'allonger sur la route.

Kale rejoignit Dar qui se tenait entre deux affreux bisonbecks et une famille de cultivateurs. Le fermier marione tenait bon avec son gaillard de fils à côté de lui. Mais sans armes à l'exception de leurs bâtons de marche, ils avaient dû accueillir avec joie la présence du fougueux doneel. Les deux bisonbecks débraillés réévaluèrent leur chance contre quatre combattants déterminés et prirent la fuite.

Kale, Dar et les deux agriculteurs regagnèrent la bataille aux côtés d'un bohémien tentant de conserver sa charrette. Quand les brutes se dispersèrent, Kale se retourna et vit Bardon se battre avec une épée. Elle ne bénéficia que d'un instant pour admirer sa grâce en comparaison de son assaillant maladroit avant qu'un cri n'attire son attention sur un bisonbeck se dirigeant vers un bosquet d'arbres en emportant une femme tumanhofer.

Kale les suivit. Des hèrenots s'élevaient sur leurs troncs sveltes avec suffisamment d'espace entre eux pour qu'elle n'ait aucune difficulté à rattraper le vilain kidnappeur de femme. Elle se lança sur les genoux de l'homme et l'envoya au sol en le saisissant solidement à bras-le-corps. Elle roula ensuite sur le côté et se releva avec sa petite épée prête au combat. Ni l'homme ni la jeune femme ne bougèrent.

Elle examina la masse de vêtements en désordre, attendant un signe de vie. Elle haletait à cause de sa course, mais sur le sol, rien ne bougeait pour indiquer une respiration. Pendant qu'elle observait, les habits rétrécirent comme s'ils avaient perdu leur rembourrage. La femme et son ravisseur avaient disparu, ne laissant qu'un tas de vêtements en lambeaux.

Kale se redressa en quittant sa position de combat et fronça les sourcils. Elle ouvrit son esprit, mais ne perçut rien. En avançant d'un pas prudent, elle garda son épée pointée vers l'étrange tas.

Un grognement l'avertit une seconde avant qu'un corps solide la frappe de plein fouet sur le côté et la renverse. Elle réussit à conserver son emprise sur son épée alors que son adversaire immobilisait son bras au sol. En se débattant sous son poids, elle se sentit repousser plus profondément dans les vieilles feuilles. Une main immense pesait sur son crâne, et elle crut qu'elle allait suffoquer dans le paillis humide.

Elle prit conscience de la détresse des dragons nains prisonniers dans sa cape. Metta chantait une chanson de combat indignée que Kale n'avait jamais entendue auparavant. Gymn envoyait une vague après l'autre d'énergie à la jeune fille, mais cela ne suffisait pas à renverser l'homme sur son dos. Dibl gloussait pendant que des images de petits fruits écrasés lui passaient par l'esprit, et donc s'infiltraient dans celui de Kale.

Le bisonbeck gronda, se crispa, gronda encore et se leva. Elle força ses bras sous elle et poussa pour soulever son corps hors de la boue. Elle roula sur son flanc et vit Bardon asséner un coup de poing à l'assaillant désarmé. L'homme tomba à genoux, puis sur le sol.

Bardon se tenait avec son épée en joue, scrutant les alentours pour détecter d'autres adversaires.

— Est-ce que ça va, Kale ?

Elle acquiesça en marmonnant

— Oui.

La diminution des bruits de combat lui indiqua que l'échauffourée tirait à sa fin.

Dibl s'envola de sa cape et atterrit sur leur sauveteur. Bardon caressa son ventre orange. Une étincelle se tapissait dans les yeux bleus du lehman. Il tendit la main pour aider Kale à se relever.

— La prochaine fois, dit-il en souriant, essaie d'attaquer ton adversaire par le dessus, et non par le dessous. Cela te procure un avantage.

Elle retira brusquement sa main dans la sienne.

– Ça, ce n'est pas drôle.

Elle rougit en voyant la saleté et les feuilles sur elle.

– Dibl pense le contraire.

Ses yeux se levèrent pour rencontrer les siens.

– Tu as entendu Dibl en pensée ?

La mine de Bardon se renfrogna, et il secoua la tête.

– Non, il ne s'agissait que d'une impression.

– Une impression, c'est habituellement tout ce que l'on obtient d'un dragon nain, expliqua Kale. Des images. Des pensées qui ressemblent à des mots, mais qui n'en sont pas tout à fait.

– Je ne suis pas télépathe.

Elle ignora son objection et continua de réfléchir à la façon dont Bardon avait « entendu » Dibl.

– Dibl est lié à moi. Je peux pratiquer la télépathie avec lui. Il converserait facilement avec une autre personne adepte de la télépathie. Dans une situation désespérée, un de mes dragons nains pourrait sûrement transmettre un message à quelqu'un plutôt incompétent dans cet art.

Kale étudia Bardon, cette personne qu'elle avait toujours considérée comme bouchée en matière de magie. Elle secoua la tête.

– Mais tu as entendu Dibl.

– Non.

– Est-ce toi qui as pensé à cette raillerie à propos de moi me battant depuis le dessus au lieu du dessous ?

Bardon acquiesça avec un sourire suffisant sur ses lèvres serrées.

– Quelle a été la réaction de Dibl ?

– Il a ri.

Kale leva un doigt et l'agita devant le lehman collet monté.

– Il n'a pas ri tout haut.

La mine renfrognée de Bardon reprit sa place, mais il ne répondit pas.

– Combien des serviteurs de Paladin au Manoir pratiquent la télépathie ?

– Certains instructeurs. Grand Ebeck. Peut-être une demi-douzaine en tout.

– Alors, peut-être que tu n'as jamais eu l'occasion de développer le don.

– Peut-être que tu dis un tas de bêtises.

Ils se regardèrent avec mauvaise humeur, chacun avec les mains posées sur ses hanches, les jambes droites, dans une attitude indiquant qu'ils ne se laisseraient pas marcher sur les pieds.

Dibl vola vers l'épaule de Kale.

Elle cligna des yeux et se détendit.

– Merci.

– Pourquoi ?

Elle se pencha pour essuyer sa lame dans les feuilles pour nettoyer le sang.

– Pour m'avoir sauvé la vie.

– Oh, ça.

Elle leva les yeux et gloussa.

– Oui, ça.

Bardon sourit.

Elle baissa la tête, se concentrant sur le polissage de son arme.

Il a souri, et Dibl n'est même pas assis sur son épaule.

27

VOYAGEURS ISOLÉS

– Une illusion ?

Librettowit réfléchissait à la question de la disparition du bisonbeck et de la jeune femme. Bardon, Toopka et Kale avaient rejoint Librettowit, Dar et Régidor à l'intérieur du véhicule dès que l'échauffourée avec les bandits avait pris fin. Dar avait ordonné à Bruit de quitter la route principale et d'emprunter un raccourci afin d'éviter la petite ville de Tourk. Le carrosse était secoué et ballotté sur les chemins raboteux, avançant moins vite qu'à leur départ.

Avec chaque oscillation de la voiture, les passagers entassés s'inclinaient les uns vers les autres. Comme Rédigor était nerveux, sa queue prenait plus de place qu'à l'habitude. Le dragon meech devait maintenir une prise ferme sur elle afin de l'empêcher de tressaillir dans le visage de ses compagnons.

Librettowit entrelaça ses doigts et posa ses mains sur son estomac.

– Le truc était conçu pour attirer quelqu'un loin de la foule. Était-il destiné à n'importe qui ou à Kale en particulier ?

Bardon hocha la tête.

– S'agissait-il d'un groupe de voleurs de grand chemin arrivés par hasard ou avaient-ils été payés pour nous attaquer ?

La queue de Régidor lui échappa des mains et elle frappa le côté de la tête de Librettowit. Le libraire lui lança un regard furieux. Le dragon meech saisit sa queue et la ramena sur ses genoux.

Régidor exprima son opinion.

– J'aurais opté pour un hasard si on n'avait pas attiré notre Gardienne des dragons dans les bois.

Dar observa Kale d'un œil attentif et il croisa les bras sur son torse.

– Je suis d'accord avec Librettowit. Je pense qu'il s'agissait d'une illusion.

Kale regarda son ami d'une mine renfrognée.

– Mais quand j'ai frappé les jambes de l'homme, elles étaient solides et elles se sont repliées exactement comme l'on s'y attend.

Bardon prit part à la discussion.

– Les gens ont disparu sous la pile de vêtements, puis, à leur tour, les habits se sont évanouis pendant le combat. Illusion !

– Oui, acquiesça Dar. Kale, as-tu prononcé les mots que t'a appris Mamie Noon pour te protéger avant de te joindre à la bataille ?

Ses yeux s'élargirent. *Je suis sous l'autorité de Wulder. Au service de Wulder, je cherche la vérité. Mes pensées m'appartiennent, ainsi qu'à Wulder. Je n'ai pas répété ces paroles depuis avant ma dernière rencontre avec ma mère.*

Dar hocha la tête d'un air entendu.

– Donc, tu n'as pas protégé ton esprit.

Kale le fixa avec colère.

Lis-tu mes pensées ?

– *Non !*

Dar soupira. Puisqu'elle était déjà liée à lui par leur bref échange télépathique, Kale sentit la frustration de son copain se calmer. Elle la quitta aussi. Il était son bon ami. Elle lui faisait confiance.

Une émotion se transmit de Dar à Kale, et elle haleta quand elle se rendit compte qu'il s'agissait d'amour. Le chaud sentiment l'enveloppa. Cela ressemblait à la paix qu'elle expérimentait avec Mamie Noon.

Elle réalisa encore autre chose. *Je me sens exactement ainsi lorsque j'ai conscience de la présence de Wulder. Sauf que maintenant, ce n'est pas grandiose. Quand je sens Wulder près de moi, je ne vois pas Son amour. Il est trop grand. Ce petit sentiment que je ressens en ce moment est plus confortable que l'amour majestueux et plein d'autorité de Wulder.* Un frisson de satisfaction donna la chair de poule à Kale. *Wulder m'aime.*

Elle ne se rappelait pas avoir déjà été consciente de l'amour d'un autre pour elle. Les déclarations de Lyll Allerion ne comptaient pas. Quelque chose à propos de cette relation continuait de la tarabuster.

— Kale, dit Dar en pointant un doigt sur elle, tu es sujette aux influences maléfiques parce que tu es un être spirituel. Tu dois toujours rester sur tes gardes.

— Sur mes gardes ?

— L'ennemi cible la personne qui selon lui fait avancer les plans de Paladin.

Toopka sauta sur le genou de Bardon.

— Peut-être que Kale devrait se laisser capturer. Elle pourrait ensuite nous parler par télépathie et nous apprendre ce qui se passe de l'intérieur.

— De l'intérieur de quoi ? demanda Kale.

Toopka haussa les épaules.

— Je ne sais pas. De l'intérieur du château de Risto ou de l'intérieur de la prison où l'on garde l'autre meech ou de l'intérieur des quartiers de l'armée.

— J'ai déjà visité l'intérieur du château de Risto.

Kale secoua la tête.

— Et je n'ai pas envie d'y retourner. Je ne crois pas que l'on retient le dragon meech en prison, car il est censé se promener à l'extérieur pour influencer les autres dragons.

— Et, interrompit Librettowit, les quartiers de l'armée bisonbeck se trouvent dans le château de Risto.

Bardon s'éclaircit la gorge.

— Là où Kale n'a pas envie d'aller.

Le lehman était assis coincé entre elle et le mur de la voiture, Dibl sur son épaule. Kale se tourna sur son siège pour regarder le visage de Bardon. Elle ne décela aucun humour dans son expression, mais un murmure semblable à un gloussement silencieux lui passa par l'esprit. Elle plissa les yeux devant lui, convaincue que cette vague de rire contenu venait de lui.

À ce moment-là, la porte donnant sur le siège du cocher au-dessus de leurs têtes s'ouvrit. Kale leva les yeux et vit l'arrière des bottes du conducteur et ses jambes de pantalon.

— Je vous demande pardon, dit Bruit d'une voix traînante de paysan, parlant fort pour couvrir le son de l'attelage et du cheval, mais il y a un carosse en difficulté sur la route à quelques distances devant. Voulez-vous que je m'arrête ?

Bardon lança Toopka sur les genoux de Kale, attrapa le bord de la fenêtre ouverte de son côté et se glissa à l'extérieur du carrosse bondé en grimpant sur le toit.

Sa voix leur parvint d'en haut, forte et nette.

— Trois femmes o'rants et un cocher marione. Les femmes sont habillées comme l'aristocratie terrienne.

— Nous devons nous arrêter, déclara Dar. Kale et Toopka, sur le toit, tout de suite. Nous ne pouvons pas voyager avec des servantes de basse condition avec nous dans la voiture. Jeune Dibl, rappelle-toi que tu dois rester invisible.

Kale poussa Toopka par la fenêtre et dans les mains tendues de Bardon, puis elle rampa à l'extérieur, se hissant avec difficulté pour s'allonger sur les bagages.

Bruit tira sur les rênes en disant :

— Du calme, Romer. Nous allons nous arrêter une minute ou deux pour voir de quoi ont besoin ces gens.

Le cheval s'appuya sur l'entrave et l'attelage cliqueta.

Kale fixa le carrosse élégant, noir luisant avec des roues jaunes. Le toit avait été abaissé pour permettre aux passagères de profiter de l'agréable soleil d'automne. Deux jeunes femmes étaient perchées sur le siège faisant face à l'avant. Une dame plus âgée était juchée dans le siège assorti qui faisait face à l'arrière du carosse. Le cocher était assis dans la poussière à côté de la roue, en train de réparer une lanière de cuir.

La plus jeune des filles leva une main en guise de salutation. Kale lui répondit presque avant de se rappeler son rang de servante. Bien qu'elle ne pût entendre les mots prononcés, Kale sut quand la femme âgée exprima une forte réprimande. La demoiselle se mordit la lèvre et baissa la tête.

Kale explora leurs pensées pour déterminer s'il s'agissait d'une nouvelle embuscade.

L'esprit de la mère décrivait la liste des détails ménagers qui étaient ignorés en raison du délai qu'elles mettaient à revenir au foyer après leurs visites de courtoisie.

Celui de l'aînée des filles bouillonnait de plaisir que cette journée excessivement ennuyeuse se termine par une rencontre avec un homme splendide, de toute évidence le shérif de la maison. Le visage étonnamment séduisant de cet homme faisait palpiter son cœur.

Kale cligna des yeux deux fois quand elle comprit que la jeune dame faisait battre ses cils en direction de Bardon.

La plus jeune sœur trouvait Bardon attirant elle aussi, à tel point qu'elle ne pouvait que le regarder furtivement. Avec chaque regard, elle rougissait et baissait les yeux avec modestie sur ses mains gantées repliées sur ses genoux. Elle espérait que leur mère inviterait le groupe à leur manoir afin qu'elle puisse l'observer toute la soirée.

Kale examina son compagnon. La silhouette de Bardon était grande et svelte, un peu plus grande que l'o'rant moyen. Ses muscles saillaient sous l'habit simple de serviteur. Son visage affichait l'habituelle expression réservée. Ses yeux bleu clair sous ses sourcils foncés étaient surprenants, mais Kale pensait qu'ils paraissaient trop souvent distants, pas amicaux du tout. Mais en toute justice, elle admettait que Bardon s'était adouci récemment.

Romer ralentit et s'arrêta à côté du carosse. Dar sauta en bas de la voiture et ouvrit la porte pour que Librettowit en descende.

— Bon après-midi, Mesdames.

Librettowit s'inclina.

— Trevithick Librettowit pour vous servir. Pouvons-nous vous aider ?

L'aînée des femmes répondit.

— Les sangles se sont distendues dans le harnais. Notre cocher va tout arranger en un instant.

Le conducteur s'était levé quand Dar et Librettowit s'approchèrent. Il mit le doigt à son chapeau pour saluer les hommes.

Kale reporta son attention sur les réflexions du cocher. Son esprit se concentrait sur l'impossibilité de rattacher le cuir pourri entre ses mains. Kale transmit l'information à Librettowit.

— Hum ! dit le tumanhofer en fixant le cocher frustré. Puis-je vous offrir l'aide de mon cocher ? Peut-être avons-nous une pièce de cuir à greffer à votre harnais.

La plus vieille o'rant jeta un coup d'œil à son conducteur. Il hocha la tête, et elle regarda de nouveau Librettowit.

— Très bien.

Bruit remit les rênes à Bardon et il descendit de son perchoir. Kale sentit le carrosse osciller quand l'homme passa d'une position à l'autre, mais elle sentit également les mouvements de Régidor à l'intérieur de la voiture une fois que les pieds du cocher touchèrent le sol. Elle le soupçonnait d'être assis à côté de la petite porte partiellement ouverte qui permettait au conducteur de parler aux voyageurs à l'intérieur de la voiture.

Cela prit un certain temps aux deux cochers pour improviser un lien entre la croupière et la sangle sous-ventrière. Dar demeura silencieux. En tant que majordome, il ne pouvait pas entreprendre un échange social avec des gens au-dessus de sa condition. Librettowit entretenait la conversation, bien qu'un peu raide dans ses manières.

La mère présenta ses filles, mesdemoiselles Adel et Peony Gransford, et elle-même, dame Gransford. Kale regarda les deux jeunes dames lancer des regards de séduction à Bardon.

Librettowit expliqua leur voyage à Prushing.

— Je suis à la recherche d'un livre rare et j'ai entendu dire qu'on l'avait vu à l'Emporium d'antiquités de Dottergobeathan. Mon compagnon de voyage, l'abbé Gidor, reste dans la voiture. Je vous prie de pardonner cet apparent manque de courtoisie, mais c'est un homme pieux de la Portée nord. Il se promène avec la tête camouflée et il parle rarement.

Dame Gransford lança un regard désapprobateur vers le carrosse fermé.

— Quelle affaire pourrait bien amener cet homme à Trese ?

— Son monastère fabrique de la belle vaisselle de verre et des objets d'art. Le commerce de ces articles augmente le revenu de leur modeste communauté.

Les yeux de la femme s'illuminèrent, et Kale reçut une impression de cupidité. Librettowit venait sans le savoir de toucher une source de fierté chez dame Gransford. Elle collectionnait la belle vaisselle.

Elle fit tournoyer son parasol et regarda son aînée avant de parler.

— Prushing se trouve à une journée de route d'ici. Vous arriverez trop tard à Broadfiord pour trouver une auberge. Puisque votre retard est causé par l'aide que vous nous avez apportée, puis-je vous offrir l'hospitalité au manoir de mon mari ? Il n'est situé qu'à trois kilomètres, une fois que nous aurons tourné au prochain carrefour.

Kale fixa l'arrière du crâne du doneel en voyant ses oreilles s'incliner en avant en réaction à la suggestion de la femme.

Dar, est-ce une bonne chose ?

– *Oui. Nous sommes aussi bien de commencer à nous informer auprès des gens à propos de toute activité inhabituelle parmi les dragons. Dis à Librettowit que je suis en faveur d'accepter l'invitation.*

Kale transmit le message à Librettowit et le bibliothécaire accepta l'hospitalité avec grâce.

– *Je n'aime pas cela,* déclara Régidor en s'adressant par l'esprit à Kale uniquement. *La lueur qui entoure les filles et le cocher ne semble rien indiquer de particulier, mais la luminescence de la femme est teintée d'une nuance sombre.*

Dis-le à Dar.

– *Je l'ai fait.*

Et qu'a-t-il répondu ?

– *Sois prudent.*

28

Hébergés par l'ennemi

– *Apporte-moi de la nourriture !*

Kale sursauta quand la voix de Régidor rugit dans son esprit. Elle jeta un coup d'œil sur la vaste cuisine pour voir si l'un des serviteurs du manoir avait remarqué. Le groupe varié de mariones, d'o'rants et de tumanhofers travaillait en équipe dans une atmosphère amicale. Ils avaient réservé un bon accueil à Kale, Bardon et Toopka autour de leur table de bois ordinaire.

Kale s'adressa à son ami meech.

Tu n'as pas de nourriture ?

– *Une croûte de pain, un morceau de fromage jaune dur et une chope de cidre coupé à l'eau.*

La jeune fille ressentit le dégoût du dragon comme s'il s'agissait du sien. Elle sut tout de suite à qui Régidor attribuait la cause de son maigre repas, et, par conséquent, sa tirade ne la surprit pas.

– *Dar leur a dit que mon couvent de moines mange rarement de la viande et des légumes et des aliments de luxe comme le sel et le sucre. Seule la nourriture la plus simple rencontrerait les restrictions strictes de ma diète.*

Kale sourit en imaginant le plaisir que tirait Dar du caractère acariâtre de leur ami. Elle vit Bardon lever un sourcil dans sa direction.

– *Qu'est-ce que tu mijotes ?*

La question pénétra son esprit accompagné de la prise de conscience qu'elle n'était pas à l'origine de la conversation.

Tu es télépathe, Bardon !

– *Je ne le suis pas. Je ne fais que répondre à ce que tu dis.*

Mais je n'ai rien dit. Tu as posé une question.

– *Tu me regardais, et cela a ouvert le canal de communication.*

Tu es têtu.

– *Tu as tort et tu ne veux pas l'admettre. Ça, c'est têtu.*

La voix de Régidor hurla dans ses pensées.

– *Et pendant que vous vous disputez en vain, je meurs de faim !*

De l'intérieur de sa cape en rayons-de-lune, trois autres voix s'infiltrèrent dans son esprit. Les dragons nains désiraient eux aussi de la nourriture.

D'accord, d'accord !

Elle se leva et quitta la cuisine au pas sans prendre la peine d'expliquer son départ soudain. Des enjambées rapides dans l'air frais de la soirée l'amenèrent jusqu'aux écuries. Elle pénétra dans la grange et hocha la tête en direction de Bruit, assis avec les écuyers du manoir autour d'une table éclairée par une lanterne.

En grimpant à une échelle de bois vers le grenier, elle demanda mentalement à Bardon de se taire alors qu'il la réprimandait pour son impolitesse. Elle dit aussi à Régidor de patienter. Il exposa son opinion sur le manque de considération que les autres lui accordaient en le laissant seul et affamé dans une pièce morne de l'immense maison de pierres pleine de courants d'air. En haut de l'échelle et hors de vue des hommes en bas, elle sortit les dragons nains de sa cape.

– Ne vous montrez pas, murmura-t-elle. Vous pouvez fourrager ici autant que vous le désirez. Je reviendrai dormir dans le grenier. Si quelqu'un monte, cachez-vous !

Kale redescendit l'échelle et hocha la tête vers les joueurs qui levèrent les yeux de leur partie de cartes.

Elle frissonna en retraversant l'espace à découvert entre les écuries et l'immense manoir de pierres. Un vent froid la fouetta sous sa cape.

Régidor réagit.

– *Brr. C'est glacial ici. Assure-toi de m'apporter un plat chaud.*

Elle revint bruyamment dans la cuisine chauffée et alla se réchauffer les mains près du feu.

– *Vérifie si tu peux aussi trouver une couverture supplémentaire.*

Tout d'abord, laisse-moi voir si je peux me servir un bol de ragoût. Ensuite, je penserai à la literie.

Elle regarda nonchalamment les gens dans la pièce. Seul Bardon semblait conscient de sa présence.

– *Je vais te couvrir pendant que tu prends quelque chose pour Régidor.*

Ses yeux s'ouvrirent tout grand. Sa voix dans sa tête prouvait sa théorie. Bardon pouvait pratiquer la télépathie, et il la pratiquait. Il faudrait s'occuper de son don.

Connaît-il les convenances que Leetu Bends m'a fait entrer dans le crâne ? Sait-il comment se protéger ?

Kale détourna le regard du lehman gênant et aperçut un bol propre sur un meuble de préparation. Elle traversa la pièce, le ramassa et retourna vers l'âtre. Personne ne semblait s'intéresser à ses gestes. Plusieurs des travailleurs avaient terminé leurs tâches pour la journée. Ils se détendaient autour d'une table, savourant leur repas et échangeant les potins de la maison. D'autres servantes portaient des plateaux de nourriture dans la salle à manger et rapportaient les plats vides.

Les assiettes luisantes sur les grands plateaux polis contenaient des mets délicats qu'elle n'avait jamais vus auparavant. L'arôme remplissait son nez comme une potion prometteuse.

Kale versa des louches de ragoût de gros morceaux de viande et de légumes dans le bol. Puis, elle s'assit dans un coin à l'écart et fit semblant de manger en observant l'activité autour d'elle. Au moment opportun, elle se glissa par la porte dans la partie principale du hall d'entrée et parcourut un couloir obscur vers des escaliers menant aux chambres. L'esprit concentré sur son ami meech, elle suivit l'instinct qui la guiderait vers sa chambre.

J'arrive, Régidor.

– Bien. Je suis affamé.

J'ai un gros bol de ragoût. Il est délicieux.

– Peux-tu me trouver ?

Je pense que j'arriverais même à te trouver dans une mine tumanhofer, avec tous ses tunnels qui serpentent et tournent.

– Kale, ton talent est réellement remarquable.

Elle s'arrêta dans le couloir sombre.

Remarquable ?

– Oui, remarquable ; mais continue d'avancer. J'ai faim.

Régidor lui envoya une impression de son estomac qui grondait. Elle arbora un grand sourire et augmenta la cadence.

Une fois, elle dut se réfugier dans une alcôve pour éviter le passage d'une femme de chambre revenant d'une commission. Deux fois, elle dépassa des salles sur la pointe des pieds, sachant qu'une personne travaillait à l'intérieur. Un chien se leva devant une autre pièce qu'il gardait et il la défia en émettant un grondement sourd.

– Ça va, mon gars, dit-elle en s'approchant. Je ne veux pas entrer dans la chambre à coucher de ton maître.

Le chien se réinstalla confortablement. Il la regarda passer son chemin, et seul son nez remuant indiquait son intérêt envers le bol de ragoût.

Elle se hâta vers l'extrémité du couloir et tourna dans un passage lugubre éclairé par une unique applique vacillante. Une porte s'ouvrit au bout, et elle se dépêcha d'aller là où Régidor l'attendait.

– Je n'aime pas cet endroit, Kale, dit-il en prenant le bol.

Il se dirigea vers un tabouret et s'assit rapidement, une cuillère de bouillon déjà dans la bouche.

— Miam. C'est bon.

Elle s'assit sur le bord d'un lit de camp dur recouvert d'une couverture épaisse et rêche.

— Qu'est-ce qui te déplaît au manoir ? Est-ce uniquement parce qu'ils t'ont installé en reclus ? C'est l'idée que Dar se fait d'une blague.

— Non.

Régidor avala à grand bruit un gros morceau de pomme de terre sur sa cuillère et fit claquer ses lèvres en mâchant.

— Tu te souviens que je t'ai dit que je peux voir quelque chose à propos des gens. Je pense que cela a un rapport avec le degré de paix qu'ils ressentent par rapport à leur vie.

Il dévorait le ragoût à une vitesse impressionnante tout en parlant.

— Mais tu es enfermé seul dans cette pièce.

Il secoua la tête encore une fois.

— Non, j'ai déambulé dans les couloirs.

— Régidor !

— Ne t'inquiète pas. J'ai enroulé ma queue autour de ma taille et je l'ai rentré sous la ceinture en dessous de ma robe, et mon capuchon couvrait ma tête. Mes bras étaient croisés et cachés sous mes manches. J'avais l'air d'un moine faisant une promenade méditative.

Elle l'avait vu pratiquer avec son déguisement. Il avançait à pas mesurés, sa tête baissée et toute sa silhouette enveloppée dans sa robe de religieux. Mamie Noon avait fourni le costume et Kale était certaine qu'il possédait des qualités secrètes.

Régidor avait grandi à un rythme phénoménal. Il était plus grand qu'elle à présent, et sa queue — une encombrante nuisance quand il n'avait que quelques semaines — était maintenant proportionnelle à son corps. Il ressemblait tellement à un o'rant que Kale se demandait d'où venaient les dragons meech. Ils n'appartenaient ni aux races supérieures ni aux races inférieures.

— Qu'as-tu vu ? s'enquit-elle.

— La plupart des habitants de ce manoir sont exactement ce qu'ils semblent être, des serviteurs laborieux. Mais quelques-uns émettent des vibrations annonçant leurs espérances d'une grande richesse. Certains combattent des souvenirs de méfaits. D'autres refusent de réfléchir à ce qu'ils doivent accomplir pour gagner cette fortune.

Sa cuillère marqua une pause au-dessus du bol.

— Et le bref aperçu que j'ai reçu du maître du manoir…

Le dragon meech frissonna.

— Il est maléfique. Le besoin de combler son désir perturbe les bouillons de nuances de pourpre et de noir. Les couleurs s'entrechoquent et lancent des étincelles, envoyant des filets ressemblant à des éclairs dans l'air autour de lui.

Régidor déposa sa cuillère dans le bol presque vide.

— Cela me trouble, Kale. Il y a une force en cet homme que je ne m'explique pas.

— Un des hommes de main de Risto ?

Régidor acquiesça avec sobriété.

— On le supposerait.

Le grenier des écuries servait de chambre d'invité pour les serviteurs de passage. Seul Dar, à titre de valet de Librettowit, occupait une pièce à l'intérieur.

Leurs estomacs remplis du délicieux dîner, tous les voyageurs étaient prêts pour une bonne nuit de sommeil. Bardon et Bruit installèrent leur lit respectif à l'extrémité où dormaient aussi quelques garçons d'écurie de rang inférieur. À l'autre bout du grenier, Toopka et Kale se pelotonnèrent sur une couverture grossière avec la cape en rayons-de-lune étalée sur elles. Les dragons nains se cachaient dans leur antre de poche.

Kale s'éveilla au milieu de la nuit. Elle écouta pour tenter de déceler le bruit inhabituel ayant rompu son sommeil très agréable. De légers ronflements s'élevaient entre les planches du plancher de bois. Un cheval remua et souffla. Un autre piaffa nerveusement, se cogna sur la porte de sa stalle et renifla.

Elle s'assit.

Une fenêtre laissait entrer une large bande de lumière venant du clair de lune à travers le grenier. Du foin blanc fantomatique divisait aussi la pièce en deux, mais Kale pouvait voir les hommes dormant au-delà.

Bardon, réveille-toi !

Le lehman souleva une épaule arrondie puis se détendit de nouveau sur son grabat.

Bardon, réveille-toi !

Il se redressa et la regarda directement à travers l'espace.

Il y a quelque chose en bas. Quelque chose d'autre que les chevaux et les aides d'écurie.

Bardon enfila ses bottes, tira son épée de son fourreau à côté de son grabat et se déplaça silencieusement sur les genoux. Il rampa vers le bord du grenier.

Elle l'imita et se traîna pour rencontrer le lehman en haut de l'échelle.

Au début, elle ne vit que des ombres.

– *Là !*

Ses yeux suivirent le doigt pointé de Bardon.

Une ombre bougea.

Elle retint son souffle.

Une silhouette s'éloigna du mur et traversa la vaste grange jusqu'à la porte. Il se tenait à l'intérieur, la porte légèrement entrouverte, son attention rivée sur quelque chose à l'extérieur.

Qu'est-ce ? demanda-t-elle.

– *Un ropma.*

Kale essaya de se rappeler tout ce qu'elle connaissait sur les ropmas. À part le fait qu'ils faisaient partie des sept races inférieures et s'occupaient habituellement en menant des troupeaux, elle ne savait rien.

Ils sont inoffensifs, non ?

– *Lui pourrait l'être.*

Que penses-tu qu'il fasse ici ?

– C'est toi qui peux le découvrir.

Moi ?

Kale sentit une vague d'exaspération venant de son camarade.

– Kale, pénètre son esprit et trouve la raison de sa présence ici.

Oh !

Ses lèvres formèrent une ligne droite, et elle monta instantanément sa garde afin que Bardon ne l'entende pas fulminer. Bien sûr, elle aurait dû y penser en premier.

Plus d'erreurs stupides. Mes pensées m'appartiennent, ainsi qu'à Wulder. Je suis sous l'autorité de Wulder alors que je cherche la vérité.

Elle se concentra sur la forme indistincte près de la porte. Ses réflexions étaient simples. Une seule chose importait au ropma en ce moment. Il devait suivre les ordres.

Il attend quelqu'un, Bardon.

– Qui ?

Ce n'est pas clair. C'est quelqu'un qu'il n'a jamais vu et il trouve cela difficile. Il présente un schéma de pensées très élémentaire.

– Qui attend-il ?

Elle ravala une réplique coléreuse. Ce n'était pas aisé de tirer une réponse d'un esprit qui n'avait qu'une vague notion des choses. Au lieu de rembarrer Bardon, elle fixa son attention sur l'homme-animal en bas.

Petit.

Couvert de poils.

Important.

De beaux vêtements.

La main de Kale bougea sur le bras de Bardon. Ses doigts s'enfoncèrent dans sa manche.

Bardon, il attend Dar.

29

POUSSIÈRE

Que devrions-nous faire ?

– *Intercepter Dar.*

Bonne idée.

Kale se détourna de Bardon et se plaça en face de la maison. Elle n'en avait pas besoin pour joindre Dar avec son esprit, mais Bardon la troublait toujours. La plupart du temps, son attitude flegmatique et stylée lui rappelait qu'il était entré très jeune au service de Paladin. Et qu'elle n'avait même pas complété trois semaines de formation.

Dar, où es-tu ?

– *Dans mes appartements. Pourquoi ? Qu'est-ce qui ne va pas ?*

Il y a un ropma t'attendant ici dans la grange.

– *Il est en avance.*

Tu l'attendais ?

Elle se tourna vers Bardon.

Il l'attendait.

Son visage donnait l'impression qu'il venait d'avaler un grain de poivre.

– *Ouais, j'ai entendu.*

Kale s'accorda un instant pour jubiler.

Alors, vas-tu cesser de nier que tu peux faire de la télépathie ?

Il détourna les yeux, examinant posément la forme sombre sous eux.

– *Dar, ici Bardon.*

Tu n'as pas besoin de lui annoncer ton identité. Il la connaît par ta voix.

– *Silence, Kale.*

Kale retint un gloussement.

Je suis silencieuse. Je n'ai pas prononcé un seul mot.

– *Tu sais ce que je veux dire. Fiche-moi la paix. Ce n'est pas le bon moment pour me harceler.*

Kale laissa le sérieux de la situation la ramener à la sobriété. Elle hocha la tête.

Bardon l'ignora.

– *Dar, que veux-tu que nous fassions avec ce ropma ?*

– *Empêchez-le de se faire prendre. Il n'a pas inventé les boutons à quatre trous. J'arrive dès que je le peux. En passant, il s'appelle Poussière.*

Kale plissa le front.

Poussière ?

Bardon plaça sa main sur la sienne. Ses doigts à elle étaient encore posés sur la manche de son compagnon, et elle sentit une rougeur envahir son cou quand elle réalisa qu'elle s'était accrochée à lui pendant tout ce temps.

– *Je n'ai jamais rencontré un ropma, mais selon les livres, les parents prénomment leurs enfants en l'honneur de leur environnement naturel – gazon, nuage, pierre, roche, pluie, oiseau, insecte.*

Kale écouta la voix calme de Bardon dans son esprit. Comme il reprenait rapidement le contrôle de lui-même. Kale savait qu'elle se hérissait trop facilement et le restait trop longtemps.

Elle décida qu'elle pourrait apprendre à demeurer stoïque dans le feu de l'action.

Tout ce que j'ai à faire, c'est d'en développer l'habitude, non ? Alors, je vais y travailler.

– *De quoi parles-tu ?*

Je ne parle pas. Je réfléchis. Et tu ne devrais pas écouter. C'est impoli.

– *Comment suis-je censé ne pas écouter ? Tu es juste ici !*

Il cessa de la regarder avec colère et il scruta l'espace en bas. Il pointa vers l'une des stalles. Un homme se tenait là et tâtonnait avec le verrou de la porte de la stalle. Elle ne pouvait pas le voir, mais elle le localisa avec son don. Il était accroupi derrière deux balles de foin empilées.

Le garçon d'écurie qui s'était réveillé sortit par la porte arrière.

Bardon, le ropma va s'enfuir. Il a peur.

– *Nous devons l'arrêter. Dar veut lui parler.*

Elle lança une jambe par-dessus l'échelle en parlant assez fort pour que le ropma l'entende.

– Je vais me chercher à boire. Tu viens ?

– Bien sûr, répondit Bardon après une seconde de délai. Le ragoût du dîner était bon mais salé.

Ils descendirent discrètement l'échelle. Les barreaux de bois craquaient sous leur poids. Kale jeta un regard anxieux vers la stalle où d'autres hommes dormaient et vers la porte arrière de la grange. Le garçon d'écurie reviendrait.

Bardon et Kale marchèrent vers la porte de devant comme s'ils avaient l'intention de se rendre au puits. Quand ils dépassèrent la cachette du ropma, Bardon esquissa un pas de côté pour arriver derrière l'homme-animal pendant que Kale passait par-dessus les balles de foin devant la créature.

Bardon posa une main ferme sur la bouche poilue du ropma. Le bras puissant du lehman encerclait Poussière, épinglant ses bras difformes sur ses flancs. L'homme-animal ressemblait à une grande poupée de chiffon entre les bras de Bardon.

Kale se positionna devant eux, ouvrit la porte, puis la referma lorsque Bardon eut traîné dehors le ropma qui donnait des coups de pied et se débattait. Une lune brillante dans un ciel sans nuage baignait la cour de ferme de trop de lumière. Ils se dirigèrent à la hâte derrière une rangée de remises servant à l'entreposage pour ne plus être vus.

Elle balaya rapidement leur entourage avec son esprit. La seule personne debout et occupée était l'homme qui avait quitté la grange pour ses besoins personnels. Il retournait en ce moment à son lit de paille.

Elle se tourna pour regarder le ropma. Ses yeux sombres, frangés tout autour par de longs cils noirs, s'arrondirent. Kale pouvait voir sa panique autant qu'elle la ressentait avec son don.

– Nous ne te ferons aucun mal, dit-elle pour rassurer l'homme-animal. Nous travaillons avec Dar. Il veut que tu restes ici.

Bardon parla dans l'oreille de Poussière.

– Si je te libère, tu ne dois pas faire de bruit. D'accord ?

Poussière hocha la tête. Bardon retira avec précaution sa main de la bouche de la créature et relâcha son étreinte sur le corps maigre et nerveux.

Le ropma ouvrit la bouche et glapit.

– S'il vous plaît, s'il vous plaît, pas mal à Poussière. Poussière faire comme vous voulez.

– Nous ne voulons pas te faire de mal, murmura Bardon. Reste seulement ici jusqu'à l'arrivée de Dar. Il s'en vient.

– Sire Dar homme bon. Sire Dar sauve la vie de Poussière. Aide Ma et Pa. Sire Dar homme bon.

– Oui, c'est vrai.

Kale tapota le bras tremblant de Poussière en se demandant son âge. Il n'était sûrement pas un enfant, mais il agissait comme un garçon apeuré.

– Il arrivera dans une minute, et tu pourras lui parler.

La tête de Poussière oscillait de bas en haut, et sa bouche s'ouvrit dans un large sourire, montrant des dents remarquablement droites et d'un blanc éclatant dans la lueur de la lune.

– Sire Dar content. Poussière souvient de tout. Tout. Toutes les petites choses. Toutes les grandes choses. Poussière souvient. Poussière important.

Bardon soupira et plaça une main sur l'épaule de l'homme-animal.

— Je suis certain que tu l'es. Dar ne voulait pas que tu partes avant de t'avoir parlé. Il sort du manoir en ce moment. Je lui dis où nous nous cachons.

Poussière sauta d'un pied sur l'autre dans son excitation. Quand Dar tourna le coin de la dernière remise, Poussière tomba à genoux.

— Maître, maître, Poussière tout dire. Toi content, maître. Toi content de Poussière.

Dar caressa gentiment la tête du ropma.

— Lève-toi maintenant. Tu n'as pas à te mettre à plat ventre pour moi.

Debout, Poussière dépassait le doneel d'une tête.

— Plat ventre.

L'homme-animal répéta les mots inconnus.

— Plat ventre. Pas plat ventre avec sire Dar. Pas plat ventre. Juste dire tout à sire Dar. Grandes choses. Petites choses. Tout.

— Oui. Qu'as-tu à m'apprendre, Poussière ?

— Apprendre ?

— Commence par les grandes choses.

Le ropma changea de position et fixa le sol.

Dar posa une main sur son bras.

— Ne t'inquiète pas, Poussière. Tu ne diras pas tout de travers. Je ne serai pas en colère.

— Sire Dar homme bon.

— Oui. Parle-moi des dragons meech.

— Très loin. Dans le nord.

— Combien ?

— Dix. Très loin.

— Sont-ils libres ?

— Peut pas les attacher.

— Non, je voulais savoir s'ils peuvent venir ici.

— Non. Très loin. Dans le nord. Très loin. Pas venir aujourd'hui.

Bardon soupira et marcha lentement de quelques pas vers le coin du bâtiment. Il prit position pour surveiller la cour.

– *Ça pourrait prendre un moment.*

Sa pensée pénétra l'esprit de Kale comme un doux murmure.

Elle acquiesça. Mais ce n'était pas ce qui la tracassait.

Bardon, as-tu remarqué comme nous travaillons bien ensemble ? Je savais exactement à quel moment tu allais te saisir de Poussière. Je savais que tu voulais que je bloque sa fuite vers la porte au cas où il échapperait à ton emprise. Quand nous sommes sortis de la grange, je savais où tu voulais l'amener. Tu ne t'adressais pas à moi par télépathie. Je le savais, tout simplement.

– *Oui, je l'ai remarqué.*

Bardon garda les yeux sur l'étendue entre le manoir et la grange et il haussa les épaules.

Je ne pouvais même pas faire cela avec Leetu Bends, et elle est la personne avec qui il m'est le plus facile de converser en pensées.

Il resta silencieux. Kale tendit son esprit vers le sien et rencontra un tourbillon de pensées confuses. Les impressions qu'elle recevait lui indiquaient que le lehman avait horreur de tout ce qui touchait à la télépathie.

Pourquoi es-tu tellement furieux ?

– *Je ne le suis pas.*

Tu es en colère parce que tu peux pratiquer la télépathie et que tu peux penser avec moi quand nous travaillons ensemble, et qu'ainsi, nous n'avons même pas besoin de communiquer. Cela te rend furieux.

– *Furieux. En colère. Ce ne sont pas là les bons mots, Kale. J'ai toujours su ce que je ferais dans la vie. Je devais être chevalier, purement et simplement un chevalier, servant Paladin au mieux de ma capacité. Et maintenant, que suis-je ?*

Tu es toujours un serviteur de Paladin. Tu es un guerrier habile. Tu es un homme honorable. Tu n'as pas besoin du terme « chevalier » accolé à ton nom.

Le ropma sautillait sur place. Sa voix aiguë crissait dans l'air de la nuit.

— Non, non, Sire Dar. Toi pas aller là-bas. Très loin. Plein gens méchants. Méchants ropmas. Méchants bi-becks. Méchants gralis. Méchants personnes importantes. Pas aller.

Dar tapota le bras du ropma agité.

— Ça va, Poussière. J'ai beaucoup de boulot avant de me rendre à la Portée nord. Parle-moi des dragons.

— Méchants. Tous méchants. Dragons méchants.

Le ropma enfonça ses poings dans ses yeux, arrêtant brusquement les larmes coulant sur son visage poilu. Son nez coulait, et il l'essuya avec son bras déformé.

— Dragons méchants. Manger mouton de Pa.

— Les dragons sont-ils toujours méchants ? demanda Dar.

Le visage de Poussière se déforma ; de toute évidence, il réfléchissait. Après un moment, il s'efforça d'exprimer ses pensées en mots.

— Gentils dragons méchants. Pas heureux. Gentils dragons pas heureux. Gentils dragons méchants.

Dar hocha la tête comme s'il comprenait parfaitement les mots confus.

— Les dragons qui étaient gentils auparavant étaient heureux. Maintenant, ces dragons ne sont plus heureux, alors ils sont méchants, et non gentils. Exact ?

Les yeux de Poussière s'illuminèrent, et il arbora un grand sourire.

— Sire Dar homme bon. Homme intelligent.

Dar lui tapota le bras pour la deuxième fois.

— Tu es un bon ropma, Poussière. Un homme bon. Retourne avec Ma et Pa. Dis-leur que sire Dar est content.

Poussière émit un bruit de gorge qui aurait pu être un gloussement et il détala à travers le champ.

Stupéfaite, Kale le regarda courir. Il fila à travers le pâturage herbeux et il sauta par-dessus une clôture avec l'aisance d'une gazelle.

La voix de Bardon gronda dans son dos.

– Dar, tu ne parais pas content.

– Je ne le suis pas. Poussière nous a apporté de très mauvaises nouvelles.

30

Dragons Meech

Kale inspira subitement. Comment Poussière, avec son langage limité, pouvait-il transmettre autre chose que l'information la plus basique ? Quelle pouvait être la mauvaise nouvelle ?

— Dar, est-ce que tu parles du fait que les dragons deviennent méchants ? Nous le savions déjà.

Dar secoua la tête. Ses oreilles étaient aplaties sur sa tête, une indication claire de son tracas.

— Nous nous attendions à ce que les dragons se montrent peu coopératifs en tombant sous l'influence de Risto. La mauvaise nouvelle, c'est que la colonie de dragons meech a été attaquée tôt par un matin froid et forcée de fuir vers la Portée nord.

— Il existe une colonie de dragons meech ?

Kale regarda Bardon et vit sa propre surprise reflétée sur le visage de son compagnon.

— Il y *avait* une colonie de meech à Wittoom. Ses membres s'étaient isolés dans les montagnes Kattaboom. Parfois, ils admettaient une personne à sang chaud pour stimuler un œuf. Je crois que Risto a entendu parler de Régidor — ou plutôt de l'œuf qui deviendrait Régidor — de cette façon.

— Explique, demanda Bardon d'une voix calme.

— Un dragon meech a envoyé une demande afin que quelqu'un vienne stimuler un œuf. Il s'agissait d'un appel précis à une personne en particulier, pas d'une requête publique. Mais

Risto en a eu vent et il a filé lui-même cette personne ou il l'a fait suivre.

« Le doneel en route pour assister le meech est mort pendant le voyage. Peu de temps après, un bataillon de bisonbecks a fondu sur la colonie. L'heure matinale s'est révélée propice aux assaillants. Aucun dragon ne bouge très vite un matin froid au sortir d'un sommeil profond. Pendant ce raid, Risto s'est emparé de l'œuf meech. Tout le groupe de dragons a fui vers le nord.

— Et, à ce moment-là, le deuxième œuf a aussi été volé ? dit Bardon.

— Il semblerait. Mon peuple n'a eu aucun contact avec les dragons meech depuis qu'ils ont abandonné leurs maisons et se sont enfuis. Un envoyé a constaté le désastre au cours d'une visite diplomatique de routine. Évidemment, il lui était impossible de savoir que deux œufs avaient été dérobés.

— Comment a-t-il découvert qu'un œuf avait disparu et où les dragons s'étaient cachés ? demanda Kale.

— Il y a une petite tribu de ropmas de montagne à proximité. Il les a questionnés.

Bardon caressa son menton avec ses doigts.

— Je comprends que les dragons meech ne sont pas des guerriers.

Dar grimaça.

— Totalement inutiles dans un combat.

L'esprit de Kale vola vers son ami le dragon meech. Régidor dormait paisiblement. Kale entrevit son rêve d'une table croulant sous les mets riches et elle le chassa. Elle se tourna vers Dar.

— Donc, Régidor a des parents en exil à la Portée nord ?

— Oui, acquiesça Dar.

— Allons-nous les secourir ?

— Il s'agit là d'un problème pour un autre jour.

Bardon plaça la main sur la poignée de son épée et regarda vers le manoir.

– Quelle information Librettowit a-t-il obtenue des Gransford ?

– Plusieurs des fermiers locaux vivent des difficultés avec leurs camarades dragons. Tous, sauf l'honorable monsieur Gransford, qui prétend posséder un talent supérieur aux autres pour manipuler les dragons. Dame Gransford brûle du désir déplaisant de se valoriser au détriment de ses voisins. Ses filles n'ont rien dans la tête, ce sont des créatures vaines sans aucune formation littéraire. *Cela* a dégoûté notre bibliothécaire davantage que l'orgueil et la cupidité du maître de maison.

Dar marqua une pause.

– Je soupçonne que nous avons démasqué un membre du réseau de Risto s'affairant à affaiblir la structure économique d'Amara.

Il poursuivit après un instant.

– Les dragons forment une part intégrante du commerce d'Amara. Les dragons portent messages et produits. Depuis des siècles, ils travaillent volontiers de concert avec les sept races supérieures. La nature d'un dragon exige qu'il développe une relation avec une personne ou avec une famille. Ce lien nourrit leur cœur. Sans cette connexion avec un être à l'extérieur de son peuple, un dragon deviendra dépressif et dépérira.

Kale s'appuya contre la remise bringuebalante en bois, croisa les bras et fixa les yeux sur le globe blanc brillant dans le ciel presque noir.

– Je me demande pourquoi Wulder a agi ainsi. Il a créé les dragons et Il a engendré un profond désir en eux de se lier aux races supérieures. Wulder doit avoir un objectif derrière ce plan.

Dar lui décocha un clin d'œil.

– Wulder a toujours un objectif. Cependant, Sa façon de faire les choses est parfois tellement éloignée de notre compréhension que nous Le louangeons sans tout savoir. Puis, il y a ces choses qui nous semblent nocives. Pour celles-là, nous devons attendre une explication. Et jusqu'à ce que ce jour arrive, nous devons avoir confiance en Sa sagesse et en Sa bonté.

Bardon parla d'une voix monotone.

– Wulder est toujours sage, toujours bon.

Dar regarda le jeune lehman, le front plissé par-dessus ses sourcils en broussaille.

– Très peu de gens ont le privilège de savoir cela dans leur cœur. Nous l'apprenons presque tous dans notre tête d'abord, et ensuite, Wulder le révèle à notre cœur.

Kale se tourna vers Dar.

– Là ! Tu l'as encore fait ! Sauf que cette fois, c'était avec Bardon. Tu as entendu ses pensées.

Dar gloussa.

– Non, Kale. Je n'ai pas le don de télépathie.

– Mais tu connaissais la préoccupation de Bardon ; il peut réciter les principes de Wulder, mais il ne les ressent pas.

Dar secoua lentement la tête.

– Kale, certaines réflexions sont communes à ceux qui souhaitent suivre Paladin. Chaque individu tend à penser que ses difficultés à comprendre son rôle dans la vie sont uniques. Mais non. Wulder nous a créés semblable, même aux endroits qui nous font trébucher. Pour cette raison, nous sommes mieux équipés pour nous aider les uns les autres.

Bardon ramassa un bâton et l'examina. Kale l'observa, envahie par les sentiments qui affluaient dans le cœur du jeune homme. L'attaque survint trop vite et avec trop d'intensité pour qu'elle puisse la déchiffrer.

Étrange. Il a l'air si détaché. Si froid. Pourtant, ses sentiments sont féroces. S'il s'agissait des miens, je gémirais.

À cet instant, Bardon la regarda. Leurs regards se rencontrèrent, et elle lut la désapprobation dans le sien. Ne lui avait-elle pas déclaré plus tôt que c'était impoli de plonger dans les pensées des autres ? Elle se détourna, ne sachant pas si la réprimande venait de lui ou de son propre inconscient.

Elle cita Mamie Noon. *Mes pensées m'appartiennent, ainsi qu'à Wulder.* Elle secoua la tête pour dissiper le trouble semé dans son esprit par les émotions de Bardon et elle fit une seconde tentative. *Mes pensées m'appartiennent, ainsi qu'à Wulder.*

Paladin lui avait dit qu'elle pourrait toujours parler à Wulder. *Wulder ? Les pensées de Bardon ne devraient-elles pas appartenir seulement à lui et à Toi ? Je ne souhaite pas vraiment être entrelacée aussi intimement avec son esprit. Que se passe-t-il ?*

— Discipline.

La voix de Dar interrompit ses réflexions.

Kale et Bardon regardèrent tous les deux attentivement le petit doneel. Leurs yeux parcouraient le visage impatient du plus petit homme et la façon dont ses poings s'enfonçaient dans sa taille au-dessus de ses hanches.

— Je comprends maintenant pourquoi Paladin vous a jumelés. Vous allez devoir vous soutenir mutuellement.

Kale vit la mâchoire de Bardon se serrer devant cette idée et elle rit presque. Cependant, la perspective d'être appelée à aider le lehman la mettait sur les nerfs elle aussi.

— Bardon, as-tu fait des rapports réguliers sur les progrès de Kale aux gens du Manoir ?

— Oui, jusqu'à ce que nous nous séparions du magicien Fenworth. Je ne peux plus communiquer avec Grand Ebeck maintenant.

Kale se hérissa. Elle avait oublié que Bardon devait garder un œil sur elle et raconter son développement.

Dar poursuivit.

— Et quel était le propos courant de tes rapports ?

Bardon leva le menton et regarda le doneel droit dans les yeux.

— Qu'elle manquait…

Il hésita.

— De discipline, dit Kale en terminant la phrase à sa place. Tu leur as dit que je manquais de discipline.

Elle tapa du pied sur le gazon clairsemé et gronda.

— J'ai de la discipline. Tu ne peux pas vivre comme esclave pendant des années et ne pas être rompu à la discipline.

— Je suis d'accord, intervint Dar. Cependant, cette discipline était imposée par ceux en position d'autorité sur toi. Bardon parle de la discipline intérieure. *Celle-là,* tu dois encore la développer. Et personne n'est mieux placé pour t'aider que Bardon.

Elle croisa les bras sur sa poitrine et lança un regard furieux, d'abord au doneel et ensuite au lehman.

Dar sourit largement.

— Mais pour calmer ton mécontentement devant un effort aussi pénible Kale, n'y a-t-il pas quelque chose que tu veux faire remarquer à Lehman Bardon ? Un domaine où il a besoin d'entraînement ?

Elle sentit son humeur s'égayer. Elle fut incapable de retenir le sourire satisfait sur son visage.

— Oui ! Bardon possède le don de la télépathie et il ignore comment l'utiliser ou le contenir.

Dar arqua un sourcil en regardant le solide jeune homme se tenant droit sous le clair de lune. Bardon hocha sèchement la tête vers le doneel.

Dar se tourna vers Kale.

— Tu te souviens des instructions de Leetu Bends ?

Elle acquiesça d'un signe de tête.

— Et de Mamie Noon.

— Bien, alors, dit Dar. Je pense qu'il s'agira d'un échange équitable de vos talents.

Il frappa ses mains ensemble pour signifier son contentement.

Le diplomate pivota vers le lehman.

— Bardon, tu seras étonnée du degré d'autodiscipline développé par Kale pour gérer son don de télépathie.

Il sourit à Kale.

– Kale, tu gagneras à appliquer cette discipline dans d'autres domaines quand Bardon te montrera comment cela peut se réaliser.

Il prit une profonde inspiration de l'air frais de la nuit.

– Maintenant, retournons à notre lit. Demain, nous devons effectuer un long voyage jusqu'à Prushing. Et là, notre aventure débutera vraiment.

31

PRUSHING

Kale passa les portes de Prushing sur le toit de leur voiture. Sa place sur le dessus des bagages lui offrait une vue exceptionnelle. Elle voyait tout autour du carrosse, par-dessus la tête du cheval Romer et même par les fenêtres du deuxième étage de certains édifices. Elle compara la ville côtière avec les trois autres cités visitées auparavant, et Prushing perdit au change.

Vendela étincelait comme un bijou dans le paysage. Avec ses murs blanc brillant, ses toits bleu azur et ses sphères, ses globes, ses flèches et ses tourelles colorés, Vendela ressemblait à un tableau dépeignant une resplendissante métropole royale.

La majestueuse cité urohm de Blisk élevait ses murs jaunes sur la plaine. Les teintes se fondaient très bien ensemble — safran, crème doré, rayon de soleil et une couleur plus chaude rappelant le coucher du soleil. Des gens de toutes les races supérieures traînaient dans les larges rues de pavés ronds. Ils étaient vêtus d'habits propres, bien mis et colorés, et ils se saluaient avec bonne humeur.

Dans la ville tumanhofer de Dael, où Kale s'était aventurée avec ses amis l'hiver précédent, un éclairage souterrain faisait briller les rues lisses d'une chaleur charmante.

Elle secoua la tête quand elle vit un homme repousser un tas de détritus sur le trottoir devant lui. Sa lèvre se retroussa de dégout. Librettowit avait dit : « Prushing est l'une des plus anciennes cités d'Amara. » Et cela paraissait.

Des murs gris mornes entouraient la ville fortifiée perchée très haut sur un escarpement rocheux au-dessus de la Portée nord du canal Odamce. Des poutres noircies traversaient la porte en bois comme des balafres de guerre. À l'intérieur, les roues des chariots résonnaient sur les rues raboteuses. Des briques tombées de murs anciens gisaient en tas désorganisé dans des ruelles froides et humides.

Des ânes brayaient, des colporteurs criaient les mérites de leurs produits, des harnais cliquetaient quand des voyageurs se hâtaient vers leur destination sans un mot gentil ni un salut aux gens qu'ils croisaient. C'était surtout des mariones et un nombre étonnant de bisonbecks qui se promenaient dans les rues. Kale ne vit que quelques tumanhofers et o'rants, et pas un seul urohm ou kimen.

Avec chaque respiration, elle se rappelait que la brise de la mer soufflait sur cette ville. Mais dans les gorges des rues lugubres, l'air putride l'étouffait.

Bruit les conduisit tout droit à la maison qu'ils devaient occuper. Il déchargea leurs affaires rapidement et leur souhaita bonne chance.

— Pourquoi es-tu si pressé, Bruit? lui demanda Toopka.

— La vie en ville ne me convient pas, expliqua-t-il. J'aime mieux passer les grilles et descendre la colline pour me rendre à une petite auberge que je connais juste à l'extérieur des limites du port de Prushing.

— Je ne suis jamais allée dans un port, déclara Toopka.

Elle lança un regard d'espoir à Kale.

— Des embarcations accostent sur la rivière Pomandando, lui fit remarquer Kale.

— Mais il s'agissait de trafic riverain, répliqua Dar en décochant un clin d'œil à Toopka. Les bateaux en mouillage à Prushing arrivent de partout à travers le monde.

Kale tenta d'imaginer un bassin profond avec des navires de différentes nations, portant des drapeaux jamais vus d'elle auparavant. Aucune image nette ne lui venait à l'esprit. Elle sourit à Toopka.

— Nous irons bientôt. Pas aujourd'hui, par contre. Entrons explorer la maison.

L'hôtel particulier était bâti autour d'une cour herbeuse avec des fleurs ressemblant à des vignes courant sur les murs. Au rez-de-chaussée face à la rue, quatre pièces et un hall d'entrée servaient à accueillir les invités. Au fond, le long de la ruelle, la cuisine et trois pièces pour les domestiques arboraient des meubles solides et confortables. À l'étage, d'autres chambres à coucher et un bureau occupaient le carré. Dar, Régidor et Librettowit passeraient leurs nuits ici alors que Kale, Toopka, les dragons nains et Bardon dormiraient en bas.

Les camarades se groupèrent dans la vaste cuisine.

— Il n'y a pas d'écurie, observa Bardon en regardant par la fenêtre arrière.

— Il n'y a pas de cuisinier, protesta Toopka, les bras croisés sur la poitrine.

Dar examina le garde-manger.

— Pire que cela, ma chère Toopka, il n'y a pas de nourriture.

Toopka sauta sur un tabouret à trois pattes à côté de la table.

— Kale et Régidor peuvent nous fabriquer un gâteau. Ils ont au moins suivi *cette* leçon de magie.

Kale lança un regard au dragon meech qui avait repoussé son capuchon loin de son visage. Elle acquiesça pour signifier son accord, puis elle regarda la petite doneel avec sympathie.

— Régidor et moi ne pouvons pas accomplir cela sans les ingrédients, Toopka. Après tout, nous sommes des *apprentis* magiciens.

Toopka bondit en bas de son siège et lissa son tablier bleu sur le devant de sa robe de servante.

— Alors, rendons-nous au marché. Nous aurons besoin de nourriture. Et je pense que nous devrions embaucher davantage de domestiques. C'est une grande maison. Je ne veux pas m'occuper de tout l'époussetage, la lessive et le nettoyage de la cuisine à moi toute seule.

— Plus de domestiques, voilà une excellente idée, affirma Dar.

— Je veux aller au marché, déclara Régidor en replaçant son capuchon. Ce sera ma première fois.

— Il ne sera pas aussi agréable que celui de Vendela, je te le dis.

Toopka attrapa sa minuscule veste laineuse là où elle l'avait laissé tomber plus tôt et passa brusquement ses bras dans les manches. Elle se dirigea vers la porte arrière et s'arrêta avant de tourner la poignée.

— Qui vient?

Régidor, Kale et Bardon suivirent la petite doneel dans la ruelle. Toopka sautilla le long du passage miteux vers l'avant de la maison sans s'occuper des détritus et du désordre. À la rue principale, elle marqua une pause et regarda des deux côtés. Sans hésitation, elle s'approcha de la personne la plus proche déambulant sur le pavé endommagé.

— Pardonnez-moi, Madame, dit la doneel en s'adressant à la femme marione. Pourriez-vous m'indiquer où se trouve le marché le plus près ?

— Ce serait celui de Haute Colline, mais on te volera là-bas, c'est sûr.

La vieille femme s'arrêta et resserra son châle de laine épaisse autour de sa silhouette corpulente. Elle désigna le bas de la route de sa main recouverte d'une moufle.

— Il vaut mieux descendre une certaine distance sur la rue Higgert End. Les prix sont meilleurs et les produits frais de la ferme. Mais n'achète pas ton poisson et ta volaille là-bas. Va à la Cour bénie pour ta viande et ce genre de chose.

— Oui, Madame. Dans quelle direction ?

— Au prochain coin, là où la tour de l'horloge est placée au milieu de la route, tourne au sud et continue pendant quatre pâtés de maisons. Vire à l'est et parcoures-en deux autres. Tu seras rendu à la rue Higgert End. Je suis contente que ce soit tes jeunes jambes qui marcheront tout ce chemin si tard dans la journée. J'ai mal depuis mon gros orteil jusqu'à mon coude.

Elle soupira et fléchit son bras comme si elle tentait de défaire un nœud.

— Reviens par la route Dolly et tu dépasseras la Cour bénie. C'est en haut de la colline, puis en bas. Il n'y a aucune façon de se rendre quelque part dans cette ville sans marcher longtemps.

— Merci, Madame.

Toopka exécuta une courte révérence.

— J'espère que vous passerez une soirée paisible au coin du feu.

— Tu es une charmante enfant. Ne cours pas les rues toute seule après la noirceur.

Toopka lui lança un grand sourire.

— Non, Madame. J'ai des amis.

La petite doneel désigna de la main Kale, Bardon et Régidor se tenant près de la ruelle.

— Oh mon doux, murmura la vieille femme. Celui-là me paraît bien étrange.

— C'est un moine, en quelque sorte. Mais il n'est pas dérangeant. Il médique tout le temps. Même quand il se promène, il médique. Il songe toujours à des pensées nobles et il n'exige jamais rien comme le font les autres. Et il ne s'agite pas quand cela prend un moment avant qu'il reçoive enfin ce qu'il a demandé.

— Je vois, dit la vieille dame en gardant un œil sur la silhouette bizarre. Tu demeures au 469 ?

— Oui, Madame. Nous sommes arrivés aujourd'hui.

La marione se redressa et hissa son sac sur son épaule.

— Je ferais mieux d'y aller.

— Merci pour les renseignements.

— Il n'y a pas de quoi, je t'assure. Tes manières sont excellentes pour une servante. Tu réussiras bien.

Toopka exécuta une autre révérence alors que la femme continuait sa marche pénible le long de la rue.

— C'était très bien, Toopka, dit Bardon en quittant la ruelle. L'information que tu lui as transmise deviendra notoriété publique d'ici demain midi.

Toopka hocha rapidement la tête.

— Je sais.

Kale lui tira doucement l'oreille.

— Et comme tu n'as pas servi une seule fois Régidor, c'est incroyable tout ce que tu connais sur ses habitudes.

Toopka haussa les épaules.

— J'ai une grande ma-gnation.

— Imagination. Et les moines méditent. Ils ne médiquent pas.

Toopka sautilla dans le froid et enfouit ses mains sous ses bras pour les réchauffer.

— Je pari que certains médiquent.

Kale secoua la tête.

— Tu ne sais même pas ce que cela signifie.

Toopka lui lança un sourire insolent, haussa de nouveau les épaules et partit en bondissant dans la direction du marché.

Quand les quatre compagnons revinrent dans la rue avec les bras chargés de nourriture, le soleil se couchait à l'horizon. Une lueur illuminait encore le ciel à l'ouest, mais une première étoile scintillait dans le ciel sombre à l'est.

— N'emploient-ils pas un allumeur de réverbères dans cette ville ? s'indigna Toopka avec dégout.

Kale sentit un chatouillement à la base de son cou. Des hommes mauvais se tapissaient quelque part dans l'ombre. Elle s'arrêta de marcher en direction de la maison et essaya de déterminer leur emplacement avec précision.

— Bardon ?

— Je sais, je les sens.

— Qui ? demanda Toopka.

— Des voleurs, répondit Régidor.

— Je vous ai dit que j'avais besoin d'une arme, déclara Toopka en tapant du pied.

Une douzaine de bandits vêtus de noir sortirent des ruelles obscures.

— Toopka, cria Kale en tirant sa petite épée, va chercher Dar et Librettowit.

Toopka lâcha son fardeau, se pencha et courut entre les jambes des assaillants. En un instant, Bardon et Kale se retrouvèrent dos à dos à se battre avec leur épée. Trois hommes s'agglutinèrent autour de Régidor.

Il rejeta son capuchon. Ses yeux jetaient une lumière verte dans la semi-obscurité. Il tournoya sur lui-même avec les deux bras étirés, et deux des attaquants tombèrent. La longue robe brune de moine se relâcha sur la silhouette du dragon meech, révélant sa tunique et son pantalon unis et son corps musclé. Libérée de la ceinture à la taille, la queue de Régidor fouetta l'air. Le troisième brigand cria quand l'épaisse queue couverte d'écailles le renversa sur le sol.

Régidor pivota juste à temps pour démolir un autre type avec son poing et un second avec sa queue. Il donna un coup de pied très haut quand un troisième s'approcha et il frappa l'homme à la poitrine, projetant son propre corps dans les airs. Il exécuta une pirouette arrière et atterrit en équilibre sur ses jambes.

Quatre hommes munis de matraques menaçantes entourèrent le dragon meech. Régidor émit un grondement sourd avec sa gorge, et l'instant suivant, du feu jaillit de sa bouche.

Les assaillants hurlèrent et déguerpirent vers les ruelles sombres. Même les deux attaquants de Kale et de Bardon s'enfuirent.

Régidor se tenait debout, les deux pieds fermement plantés au sol, prêt à une autre attaque. Sa queue fouettait l'air sous l'impulsion de sa colère. Ses épaules se soulevaient et s'abaissaient pendant qu'il prenait de profondes et rapides respirations, préparant son corps pour l'action.

Bardon et Kale se tournèrent vers le son de pas pressés arrivant derrière eux. Dar et Librettowit accouraient de la maison pour leur venir en aide. Leurs épées en main, ils s'arrêtèrent à côté des deux o'rants. Toopka, à bout de souffle, les rejoignit.

Tout au long de l'étroite rue, des hommes en tenues noires gisaient en tas, vaincus. Parfois, l'un d'eux gémissait. Deux se levèrent et quittèrent les lieux en titubant.

Régidor tendit la main vers sa robe de moine, il la secoua et l'enfila.

Kale arqua un sourcil en regardant Dar.

– Tu as vu ?

Dar hocha la tête.

– Je croyais que tu avais dit que les dragons meech ne valaient rien au combat.

– De toute évidence, les histoires sont fausses.

Bardon s'éclaircit la gorge.

– Il bouge comme un lézard.

Librettowit acquiesça.

– Agile comme un lézard.

– Je ne pense pas que je lui dirais *cela,* intervint Toopka, regardant Régidor avec un nouveau respect. Cela pourrait lui déplaire.

32

Passer aux choses sérieuses

– J'ai faim.

Toopka ramassa le paquet qu'elle avait laissé tomber pour courir chercher de l'aide.

– Allons-nous rentrer manger toute cette nourriture que nous avons achetée ou rester debout dans la rue ?

Sa voix tremblait. Elle coinça un second paquet sous son bras et tendit la main vers un autre.

– Je veux jouer avec les petits dragons. Je veux que Dar joue de la musique et que Librettowit raconte des histoires. Je veux manger beaucoup et m'amuser et aller au lit.

Bardon rangea son épée et souleva Toopka dans ses bras. Les paquets tombèrent au sol, et elle lança ses bras autour du cou du lehman en enfouissant sa tête dans son épaule.

– Je ne suis pas grande et forte. Je ne suis pas courageuse. Pouvons-nous, s'il vous plaît, manger ?

Bardon lui tapota le dos.

– Oui, nous pouvons. Je pense qu'il s'agit là d'une bonne idée pour nous tous.

Après le repas, les chants et les contes, Kale borda Toopka dans le lit qu'elles partageraient. La fillette s'installa confortablement avec les dragons nains. Gymn se nicha près de son cou. Metta se coucha sur son oreiller et lui fredonna à l'oreille. Dibl joua au pied du grand lit, effectuant des pirouettes et des culbutes. Kale savait qu'il se calmerait à la longue. Elle embrassa Toopka et murmura : « Fais de beaux rêves », puis elle partit aider Bardon à nettoyer la cuisine.

– Tu t'es montré gentil avec Toopka ce soir, lui dit-elle en rangeant les assiettes.

– Tu m'as dit comment agir.

– Non.

– Oh oui, tu l'as fait. Je n'ai fait que suivre tes encouragements.

– Je ne me souviens pas du tout de cela. Par contre, je me rappelle avoir pensé qu'elle était effrayée et qu'elle avait besoin de réconfort.

– Et donc, je l'ai prise dans mes bras.

Elle s'assit sur une chaise près de la table.

– Bardon, nous devons discuter de cela. Ce qui se passe entre toi et moi dépasse la télépathie.

Bardon s'installa en face d'elle. Il croisa les doigts et posa les mains sur la table. Son expression sereine démentait les émotions qu'elle sentait bouillonner en lui.

– Je suis d'accord.

Il parlait lentement, posément.

– Et je dois t'informer d'une autre de mes découvertes.

Il marqua une pause et fixa ses mains.

Elle résista à l'envie de plonger dans ses pensées et d'en tirer sa prochaine phrase. En bloquant la tentation de prendre librement l'information dans son esprit, elle ressentit le flot mouvementé de ses émotions.

Il étira ses deux index de façon à ce qu'ils pointent vers elle à travers la table, mais elle douta qu'il eût conscience de son petit geste.

Je vais perdre toute patience et le secouer.

Un sourire frétilla aux coins de sa bouche.

– Désolé, Kale. Je t'ai agacé encore une fois.

Il lâcha un gros soupir.

– J'ai découvert que je ne peux pas pratiquer la télépathie si tu ne te trouves pas à proximité. Quelle que soit l'aptitude que je possède, elle semble liée à la tienne.

— *C'est* étrange.

Elle tambourina avec ses doigts sur la table.

— Je me demande si Librettowit sait ce qui se passe entre nous. Ses livres traitent de presque tous les aspects de la vie. Enfin, je me demande s'il existe des documents décrivant un tel événement dans le passé.

— Nous pourrions l'interroger à ce sujet. Mais ses livres se trouvent au château aux Marais.

— Alors, nous devons nous exercer ou explorer cette aptitude par nous-mêmes.

— En acquérir la maîtrise, insista Bardon. Questionnons tout de même Librettowit et Dar afin d'obtenir leurs conseils.

— Oui, acquiesça-t-elle. Je pense que nous pouvons apprendre à gérer ce don avec le temps.

— Et nous devrions disposer de temps ici. Dar dit que nous allons rassembler des renseignements sur tout ce qui se passe d'inhabituel dans la campagne.

Elle secoua la tête.

— Pourquoi ne pouvons-nous pas tout simplement nous rendre en région rurale, là où il y a de l'action? Pourquoi rester dans cette cité lugubre quand nous pourrions traquer le meech?

— Prushing constitue le meilleur endroit pour entendre les histoires et les potins, car il y a beaucoup de commerce ici. Nous pouvons localiser avec précision les déplacements de l'autre meech en observant le schéma des événements.

Je n'aime pas cela. Je préférerais agir.

— Nous avons beaucoup à faire. Nous ne sommes vraiment pas prêts à continuer. Nous devons nous préparer.

Tu me fais penser à Librettowit.

— Ce n'est pas une si mauvaise chose.

Elle sourit au lehman par-dessus la table. Ils avaient poursuivi leur conversation naturellement en pensée. Si Bardon n'était pas si pénible de certaines autres façons, elle pourrait vraiment l'apprécier. Elle serra les mains ensemble, essayant de contenir ses doigts nerveux.

— Qu'as-tu pensé des talents de combattant de Régidor?

— Spectaculaires.

Elle hocha la tête.

— Étonnants.

Elle déplaça un panier de fruits d'un coin de la table vers le centre. Elle prit une paspoire, la tourna dans ses mains, puis la remit dans le contenant.

— Je pense qu'il en a été troublé. Il est demeuré silencieux toute la soirée.

— Peut-être que son personnage de moine a fini par déteindre sur lui.

Bardon lui lança un grand sourire, et elle remarqua une mèche de cheveux sombres tombée sur son front.

Elle détourna le regard.

— Quand nous entraînerons-nous à aiguiser nos aptitudes de télépathie?

— Demain.

⟡ ⟡

Le lendemain, Dar prit le rôle du majordome et embaucha des serviteurs pour travailler tous les l'après-midi jusqu'en fin de soirée.

Le groupe de compagnons sombra rapidement dans la routine. Pendant la matinée, Dar, Bardon, Kale et Régidor s'exerçaient au combat dans la cour, améliorant leurs talents et apprenant des uns les autres. Quand Dar suggéra cette ligne de conduite, Kale n'offrit aucune résistance. Encore piquée au vif par l'évaluation de son attitude par Bardon, elle était déterminée à lui prouver qu'elle était disciplinée.

Régidor continua de grandir à une vitesse phénoménale. Il dépassa Bardon de trente centimètres et, sous peu, il surpassa autant Dar que le lehman au combat à mains nues.

L'après-midi, les serviteurs se promenaient dans la maison pour exécuter leurs tâches. Librettowit quittait les lieux avec

Dar, et ils cherchaient des informations auprès de la haute société ainsi que des marchands et des érudits. Librettowit utilisait ses lettres d'introduction et sa capacité de raconter une bonne histoire pour obtenir des invitations. Dar visitait les auberges où les serviteurs de grades supérieurs prenaient leur pause de l'après-midi.

Après le repas du midi, Régidor se retirait dans ses appartements avec les dragons nains. Les employés engagés n'apercevaient jamais le « moine » pendant sa période journalière de méditation.

Kale et Toopka travaillaient en équipe avec les serviteurs et glanaient des nouvelles. Bardon parlait avec les domestiques et aidait parfois à soulever les objets lourds, mais en tant que shérif de la maison, il n'exécutait aucun travail ménager. Kale réfléchit encore une fois à la façon dont les femmes se comportaient en présence de Bardon. Et pas seulement les jeunes femmes de chambre riant sans arrêt. La plus vieille gouvernante et la cuisinière rougissaient quand le lehman s'adressait à elles.

De plus, au cours des longues pauses de l'après-midi, Bardon et Kale s'enfermaient dans la chambre de Régidor et pratiquaient la télépathie. Kale enseignait à Bardon les choses que Leetu Bends lui avait apprises. Plus elle se rappelait et réalisait ces exercices, plus sa propre compétence augmentait.

Régidor s'enthousiasma pour leurs efforts et se joignit à eux. Il pensait constamment à de nouvelles façons d'appliquer les vieilles techniques. Certaines étaient extravagantes, et si Dibl se trouvait dans la pièce, les résultats atteignaient le ridicule. Le dragon meech « confondit » la langue de Kale ; chaque fois qu'elle ouvrait la bouche pour parler, tout ce qui en sortait était : « Je suis un lapin rapide. » Elle convainquit Bardon que son pantalon était trempé en lui envoyant une série d'images mentales lui faisant croire qu'il avait renversé une cruche d'eau. Il riait de leurs espiègleries, mais le sérieux lehman n'était jamais à la source des farces.

Kale insista pour qu'ils s'exercent aux bonnes manières de la télépathie. Régidor éprouvait souvent de la difficulté à soumettre sa propre formidable volonté aux principes de Wulder. Il remettait en question la nécessité de respecter les pensées privées d'un autre.

– Article quatre-vingt-treize, déclara Bardon avec autorité. Préserve la dignité en respectant la vie privée.

Les trois devinrent très compétents avec leur don de télépathe, bien que celui de Bardon sommeillât quand Kale et lui étaient séparés. Bardon et Kale pouvaient fondre leur esprit ensemble et travailler comme une seule personne ou totalement s'ignorer à volonté. Elle se sentait beaucoup plus à l'aise avec cette situation, par rapport à ces expériences passées où elle était envahie par le maelstrom de ses émotions à lui.

Le soir, les amis se rassemblaient pour dresser la liste des menues informations accumulées ici et là. Librettowit possédait une carte géographique sur laquelle il notait leurs découvertes.

– Trese perd assurément la collaboration des dragons.

Le bibliothécaire désigna le centre de Trese, près du lac BartalSprings.

– Le dernier incident reporté s'est déroulé à Bealour, un petit village sur la côte est du lac. Deux dragons ont détruit des récoltes et disparu de la région. Cinq autres dragons se sont envolés vers le nord et ne sont jamais revenus.

Dar pointa les trois régions témoin des plus récentes mises à sac.

– La tendance dénote qu'on se déplace d'un endroit à l'autre. Voyez-vous comme ils ont suivi cette route commerciale ?

– Cela ne devrait-il pas nous indiquer où se trouve le dragon meech ? s'enquit Kale.

– Oui, sauf pour un fait intrigant, répondit Dar. Personne n'a rapporté avoir aperçu le dragon meech. Et un dragon meech est assez difficile à ne pas remarquer.

– Donc, il voyage tout comme moi, dit Régidor. Il se déguise.

– Et il réussit très bien, déclara Librettowit. La plupart des gens se souviendraient de toi comme du moine couvert des pieds à la tête par ta bure. Ce meech est camouflé de telle façon que même son costume est banal.

Toopka se tortilla sur sa chaise.

– Pouvons-nous aller voir nous-mêmes ?

– Non, affirma Dar. Nous recueillons d'abord de l'information du port. Nous n'avons pas encore extrait les nouvelles qu'il pourrait y avoir là.

– Hum, dit Librettowit. Le port de Prushing est un endroit dangereux avec des personnages peu recommandables et menaçants.

– Exactement ! déclara Dar avec un grand sourire.

33

Incursion dans l'antre du mal

Kale tenta de laisser les dragons nains à la maison, mais Gymn lui rappela qu'ils s'étaient révélés utiles dans des situations dangereuses. Dibl se contenta de s'installer à demeure dans son antre de poche et refusa de se faire déloger. Librettowit déclara qu'il était bibliothécaire et qu'il n'approuvait pas les expéditions risquées. Étrangement, Toopka ne s'opposa pas à devoir rester avec le tumanhofer.

Une brume fraîche tournoyait autour de Kale, Dar, Bardon et Régidor pendant qu'ils avançaient prudemment à travers les rues étroites menant aux docks. L'atmosphère — qui dans l'après-midi était vibrante et colorée dans les marchés visités par Kale et Toopka — avait changé. Le port de Prushing vivait apparemment selon deux modes de vie : dans la journée, il ressemblait à une fête foraine et le soir, l'air était lourd de trahison.

Dar les guidait vers La trompette, une auberge bruyante abritée sous une structure de bois délabré. Une musique assourdissante et le fracas des pieds dansant à un rythme enthousiaste les accueillirent.

À l'intérieur, des lanternes suspendues sur les murs émettaient une lueur verdâtre dans l'air enfumé. De nombreuses tables rondes encombraient les extrémités et les danseurs énergiques, y compris des urohms, frappaient du pied et tournoyaient au centre.

Des kimens ! Et des dragons nains ! Regarde, Dar. Que fabriquent-ils ici ?

– Avec un peu de chance, ils nous fourniront des faits dont nous avons grandement besoin.

Je veux dire ; que viennent faire des kimens dans un endroit aussi tapageur ? J'ai toujours pensé à eux vivant dans des lieux paisibles et éloignés.

– Ne te rappelles-tu pas que les kimens ont assumé le rôle d'observateur ?

Oui, et j'imagine que le meilleur endroit pour observer le mal, c'est là où il s'active. Mais Dar, suppose que certains de ces kimens sont de connivence avec les forces de Risto.

– Alors, Régidor le détectera. Tu en serais probablement capable aussi, Kale, si tu essayais.

Je ne vois pas l'aura autour des gens.

– Non, mais tu peux infiltrer leur esprit et observer le genre de réflexions qu'ils se passent.

Dar, tu ne sais pas à quel point c'est fatigant de pratiquer la télépathie. Et quand il s'agit d'une personne maléfique, j'en sors avec un sentiment désagréable.

– Non, j'imagine que je n'en sais rien, sauf ce que j'ai lu ou entendu dire.

Kale lança un regard de biais à son ami.

En plus des dragons nains assis parmi les clients de La trompette, d'autres animaux étaient installés à quelques tables.

Quel étrange assortiment de bêtes de compagnie ! Certaines paraissent s'ennuyer et d'autres semblent plus intelligentes que leurs maîtres.

Kale identifia deux singes. Quelques chiens étaient accroupis sur les genoux de leur propriétaire et d'autres étaient recroquevillés et dormaient sous des chaises et des tables. Un bisonbeck tenait en laisse une énorme créature semblable à un chat. De gros oiseaux colorés se perchaient sur des épaules. Et des animaux dont Kale ignorait totalement l'existence de l'espèce accompagnaient aussi quelques-uns des hommes présents ayant l'air plus rudes.

Kale s'approcha de Régidor, là où elle se sentait plus en sécurité. Le dragon meech avait démontré un talent rassurant dans plusieurs formes de combat.

Un roulement de tambour exécuté par le groupe musical dans un coin de la pièce noya presque tout le vacarme dans la vaste salle. Un grand rideau s'ouvrit par le centre par petite secousse. Kale vit une scène et elle sut que ce spectacle ne ressemblerait en rien à ceux qu'elle avait vus à Rivière au Loin.

— Trouvons une table et commandons un repas, dit Dar. Kale, demande aux dragons nains de sortir aussi pour rassembler des informations.

Ils s'installèrent à la seule table offrant quatre places vides. Deux bisonbecks occupaient les autres chaises, mais ils avaient succombé à une multitude de grosses chopes de bière forte. L'un ronflait et l'autre bavait sur la table. Après que le groupe de quête se fut assis, un urohm vint vers eux et hissa les deux hommes hors de leurs sièges. Il les traîna vers une porte de côté et les lança à l'extérieur. Une rapide et efficace marione nettoya la surface avec une guenille molle et sale. Un marione vêtu de beaux habits apparut derrière elle.

— Rosey, apporte un linge propre et nettoie cette table de nouveau. Il s'agit ici de gentilshommes venus de la grande région de Prushing, sans aucun doute.

Il s'inclina devant Dar.

— Qu'est-ce qui vous ferait plaisir, Monsieur? Nous offrons du poisson de la mer, du bœuf des pâturages de Trese, un caneton acheté hier seulement.

Dar commanda un repas pour tous.

Kale savait que Régidor aurait aimé s'installer dans un endroit plus dans l'ombre. Il aurait pu desserrer la ceinture retenant sa queue. Et il aurait pu manger plus à son aise sans exposer son visage aux traits reptiliens.

Les dragons nains sortirent en rampant de la cape en rayons-de-lune, mais ils ne s'aventurèrent pas pour explorer ce nouveau lieu bruyant et coloré. Ils s'assirent sur la tête et les épaules de Kale et regardèrent leur entourage d'une mine renfrognée. Même Dibl rentrait les épaules et enfonçait ses minuscules griffes dans le crâne de Kale.

– Aïe !

Elle souleva le dragon jaune de sur ses cheveux et le confia à la garde de Bardon.

Les artistes entrèrent en scène. Trois chanteurs interprétaient une chanson en harmonie et assez fort pour être entendus par-dessus le chahut des clients.

Metta glissa de l'épaule de Kale et s'étira sur la manche de sa blouse. Le petit dragon se détendit. Sa queue fouettait l'air, et elle hochait la tête au rythme de la musique.

Metta ! Il t'est interdit de te souvenir des paroles de cette chanson.

L'extrémité de la queue de dragon violet tressaillit d'agacement.

Bien sûr que tu peux t'en empêcher ! insista Kale. *Pense à autre chose.*

Metta s'assit et jeta un coup d'œil à Kale par-dessus son épaule.

Je sais que l'air est accrocheur. Pourquoi n'inventes-tu pas des mots en écoutant la musique ; plus tard, nous pourrons les partager avec Toopka.

Le petit dragon étira son cou et hocha la tête. Puis, elle reporta son attention sur la scène.

Kale lâcha un soupir de soulagement. Metta n'acceptait pas les réprimandes facilement. La jeune o'rant se félicita d'avoir détourné le dragon nain têtu de son idée d'apprendre les paroles crues chantées par le trio.

Des jongleurs leur succédèrent ensuite, lançant des assiettes, des balles, des matraques peinturées et des couteaux dans les airs avec une adresse éblouissante.

— Je vais essayer cela, murmura Régidor.

Une troupe de danseuses de cancan sauta derrière un chanteur. Puis, un autre homme, assisté par une femme, se présenta sur scène avec des chiens qui exécutèrent des tours remarquables.

Le bruit dans la pièce s'atténua pendant les chants, mais reprit de plus belle pendant le spectacle des animaux. Kale dut se pencher près de Dar et lui parler à l'oreille.

— Toopka adorerait cela.

— Quoi ?

J'ai dit, Toopka adorerait cela.

Dar hocha la tête.

— *Nous devrons cependant passer aux choses sérieuses bientôt.*

Le cœur de Kale se serra. Elle avait presque oublié leur mission de la soirée. S'entretenir avec les domestiques dans la sécurité de la demeure louée ne l'effrayait pas. Elle posait des questions indiscrètes sans craindre une seconde de voir sa nature inquisitrice contestée.

Une fois qu'elle avait dirigé les réflexions d'une jeune femme vers des sujets pouvant mettre au jour un détail important, Kale utilisait souvent son don pour rassembler l'information qui n'atteignait jamais les lèvres de la servante. Elle trouvait la plupart des faits pertinents voguant dans les pensées des filles. Un cousin déménagé en ville parce que le travail était difficile sur la ferme où les dragons refusaient de coopérer. Aucun tissu n'était sorti de l'usine de la ville de Nordante, car les dragons ne voulaient plus porter les marchandises destinées au marché.

Mais ici, dans cette foule chahuteuse, Kale appréhendait de s'approcher d'étrangers et d'entamer une conversation avec eux. Elle savait qu'elle ne pouvait pas fouiller l'esprit d'autant de gens avec son talent. Un tel effort l'épuiserait.

Régidor tendit le bras par-dessus la table pour poser sa main écailleuse sur la sienne.

– *Ne t'inquiète pas d'avoir à composer avec cette racaille. Je me charge d'aller de table en table. Plonger dans les esprits ne me vide pas de mon énergie autant que toi.*

Que puis-je faire ?

– *Garde un œil sur les dragons nains.*

Dar éloigna prestement sa chaise de la table.

– Je vais me joindre à une partie de cartes dans l'une des pièces du fond.

– Comment sais-tu qu'il y a des parties de cartes là-bas ?

– Ma chère, il y a toujours des parties de cartes dans des endroits comme celui-ci.

– Oh.

Dar lui décocha un clin d'œil et marcha lentement vers un des pans où quelques portes menaient dans le hall d'entrée.

Bardon se leva.

– Je vais commander un verre au bar.

Kale l'observa se faufiler entre les tables jusqu'à un long comptoir où des hommes servaient des clients debout. Elle se tourna vers son ami meech afin de s'adresser à lui en pensée. Elle le découvrit brûlant de curiosité et décidé à étudier toutes les espèces dans l'auberge. Kale rit en elle-même en regardant ses tactiques.

Régidor, son capuchon recouvrant son visage, et les bras croisés et enfouis dans ses manches, déambulait nonchalamment dans la salle et marquait une pause à chaque table. Mais alors qu'il progressait dans la pièce, son attitude se modifia. De l'extérieur, il semblait le même, mais malgré la distraction de cet environnement chaotique, Kale ressentait le trouble croissant chez Régidor.

Elle n'aimait pas devoir rester assise seule avec pour toute compagnie les dragons nains. Elle se déplaça pour s'appuyer contre le mur à côté d'une grande poutre porteuse et elle se sentit en sécurité dans son ombre.

Depuis ce poste d'observation, elle remarqua qu'aucun des animaux ne se promenait dans la salle.

Je ne vais pas envoyer les dragons pour espionner. Nous nous contenterons d'observer la pièce d'ici.

Bardon tenait une grosse chope dans sa main. Il la porta à sa bouche et l'inclina. Toutefois, Kale ne le vit pas avaler. Elle sourit. Bardon ne perdrait pas sa lucidité à cause d'une bière forte.

L'une des femmes ayant dansé sur scène évolua d'un pas léger vers Bardon et s'arrangea pour se dénicher une petite place à côté de lui. Elle sourit au lehman et lui dit quelque chose.

Kale s'arrêta juste avant d'utiliser son don pour écouter aux portes.

Je ne veux pas savoir. Je ne veux pas entendre ce que pense Bardon en ce moment. Et je ne veux certainement pas ressentir ses émotions.

Elle se détourna pour observer Régidor. Sa silhouette svelte, drapée dans l'habit sombre d'un moine, contrastait vivement avec l'apparence négligée de la plupart des hommes et des femmes assis autour des tables. Ses mouvements lents et délibérés ainsi que l'atmosphère de calme qui l'entourait accentuaient son incongruité.

Kale nota que le malaise de plusieurs hommes s'accroissait quand le religieux se tenait près de leur table. Un o'rant donna un petit coup au bisonbeck à côté de lui et pointa Régidor. Un rire s'éleva de la table. Un autre bisonbeck sourit d'un air méprisant au personnage en robe. Un homme se leva comme pour défier son ami meech, mais son compagnon le pressa de se rasseoir.

Kale se mordit la lèvre. Régidor se concentrait sur la tâche devant lui. Il était inconscient de l'humeur changeante de la foule.

Régidor, ces gens n'aiment pas te voir te promener dans la pièce. Ils se méfient de toi.

– Quoi, Kale ? Pourquoi m'as-tu interrompu ? Ces gens se vautrent dans des mensonges troublants.

Les gens, Régidor. Ils…

– Hé, le moine !

Un marione crasseux se leva en titubant devant Régidor.

– Tu as une raison pour être ici ? Tu nous jettes un sort ou quoi ?

– Non, répondit Régidor de sa profonde voix sonore.

Deux autres hommes rejoignirent le marione ivre, un tumanhofer et un urohm.

Le tumanhofer parla.

– Peu importe. Nous sommes fatigués de te voir nous regarder la bouche ouverte. Nous te jetons dehors.

– Et si je choisis de ne pas partir ?

Non, Régidor, non ! Contente-toi de sortir.

– Malheur à toi ! Je suis le premier maître sur le *Rondamoor*. Personne ne me contrarie.

Un murmure parcouru la foule. Un homme parla.

– Personne ne le bat au combat non plus. Tu ferais mieux de t'en aller, homme moine.

Régidor extirpa une main à la peau tannée de sa manche. Lentement, il leva un doigt, son ongle presque une griffe, et il repoussa le bord de son capuchon. Il se rabaissa et révéla le sourire étincelant de nombreuses dents pointues.

– Je choisis de rester.

34

UNE BAGARRE

La salle sombra dans le silence. Les musiciens cessèrent de jouer. Les clients mirent fin à leurs babillages. Les travailleurs derrière le bar retirèrent prestement les verres et les bouteilles et les entassèrent sous le comptoir.

Régidor défit la ceinture sous sa robe, détacha le bouton du haut et laissa l'habit tomber au sol. Sa queue s'échappa de la bande à sa taille. Une chemise blanche unie cachait son torse, mais ne dissimulait pas le renflement des muscles de son dos et de son cou. Les épaules redressées et la tête relevée, il paraissait plus grand que ses deux mètres. Le pantalon noir qu'il portait tombait lâchement deux semaines auparavant. À présent, il s'étirait sur ses cuisses et ses mollets musclés. La partie supérieure de ses bottes cirées noires moulait ses jambes de son cuir souple, mais les semelles et les talons étaient suffisamment durs pour servir d'arme mortelle.

Il frappa le sol de bois de son orteil en marquant un rythme lent qui fit lever les poils sur les bras de Kale.

– Qu'est-ce que tu es, hein ? grogna le tumanhofer.

– Un meech, répondit Régidor, sa voix résonnant dans la pièce silencieuse.

L'urohm glissa une main dans ses cheveux graisseux.

– Tu veux dire, comme un dragon meech ?

– En effet.

L'urohm avala péniblement et baissa les yeux vers ses deux comparses.

Le marione se hérissa.

— Les dragons meech, ça n'existe pas.

Régidor émit un petit rire.

Le marione sautilla sur ses talons en secouant ses poings serrés.

— Nous pouvons le battre. Nous sommes trois.

Le tumanhofer rugit, baissa la tête et attaqua. Ses deux copains lui emboitèrent le pas.

Régidor s'appuya sur sa queue, lança un pied dans les airs en décrivant un arc et frappa l'assaillant d'un coup franc sur sa tempe. Le meech compléta la courbe et atterrit sur ce même pied. Il ramena son appendice caudal en avant pour toucher le marione d'une savate dans le ventre.

Une douzaine d'hommes se joignirent à la bataille avec l'urohm. Kale attrapa un chandelier et sauta dans l'arène en agitant son arme de fortune. Avant qu'elle n'atteigne Régidor, toute la salle se lança dans l'émeute. Quelques-uns ramassèrent leur boisson et se dirigèrent vers la porte. Certains se débattirent pour passer dans la foule belligérante et bondirent sur la scène et disparurent avec les artistes dans les méandres du bâtiment.

Metta et Gymn s'envolèrent en flèche au-dessus de la mêlée. Dibl plana vers un chandelier rustique fabriqué avec six lanternes sur une vieille roue de charrette. Il se percha sur l'une des piques et cria des sons qui ressemblaient drôlement à des encouragements.

Kale se fraya un chemin à travers la bagarre en essayant toujours de rejoindre Régidor. Elle réalisa rapidement qu'il n'avait pas besoin d'assistance. Personne ne réussissait à frapper le guerrier tournoyant distribuant des coups violents. Il touchait ses adversaires avec ses poings, ses pieds et sa queue.

Deux batailleurs tombèrent sur elle et la renversèrent sur le sol. Elle se débattit pour se libérer de sous leurs corps et elle rampa sous une table. De là, elle observa le chahut alors que des pieds bottés traînaient autour d'elle. Un bruit sourd au-dessus l'avertit que quelqu'un avait atterri sur la table. Le bois grinça, et elle déguerpit juste avant que le meuble ne s'effondre et explose en mille morceaux.

Kale se mit debout prestement pour ne pas être piétinée. Elle évitait les coups lorsque possible et elle poussait si nécessaire afin de se frayer un chemin jusqu'au bar. Bardon se défendait contre deux matelots bisonbecks débraillés. Kale sauta sur le dos de l'un quand il leva son poing pour l'assener derrière la tête du lehman. Le bisonbeck cria et commença à tourner sur lui-même. Elle se cramponna, sachant qu'autrement elle serait catapultée comme une roche par un lance-pierre. Bardon se débarrassa de son assaillant et il reporta son attention sur le matelot portant Kale sur son dos.

Metta et Gymn plongèrent vers le sol en crachant de la salive verte et violette sur le bisonbeck. La matière visqueuse et collante le brûla quand ils la projetèrent dans ses yeux. Malheureusement, il oscillait et tournoyait sauvagement, offrant ainsi une cible difficile.

Kale se tenait avec un bras enroulé partiellement autour de l'épais cou de l'homme. Elle enfonça les doigts de sa main libre dans l'oreille externe bien charnue et elle la tourna et la tira de toutes ses forces.

Le bisonbeck hurla. Il ralentit son mouvement et, d'une main maladroite, il tenta d'attraper celle de Kale. Bardon saisit l'occasion pour écraser son poing sur le nez du type plus imposant. Le lehman frappa un autre coup sur la trachée du matelot crachotant. Kale se laissa glisser de sur son dos et courut se placer à côté de Bardon. Le bisonbeck tomba à genoux en toussant.

Nous devons sortir Régidor d'ici.

– Nous ne pouvons pas nous en approcher d'un poil.

Pas physiquement; mais nous le pouvons avec notre esprit.

– Que suggères-tu ?

Travaillons ensemble. Disons-lui simultanément de sortir dans la rue.

– Et quand nous serons à l'extérieur ?

Je ne sais pas exactement. Oh, où se cache Dar quand nous avons besoin de lui ?

– Nous pouvons y arriver, Kale. Tu as raison. Nous allons faire sortir Régidor dans la rue et loin de la bataille.

Kale déversa un flot de paroles persuasives.

Régidor, nous devons nous éloigner d'ici. C'est inutile. Arrête de te battre. Rends-toi à la porte. Régidor, nous devons partir. Plus de combats. Quitte les lieux. La porte d'entrée, Régidor, dans la rue. Laisse cette racaille derrière. Sors. Sors ! Sors d'ici !

Régidor se dirigea doucement vers la porte.

Kale et Bardon évitèrent des poings levés et s'esquivèrent devant autant de combattants que possible. Bardon dégagea un chemin pour elle jusqu'à ce qu'ils atteignent les portes battantes. Les dragons nains vinrent se nicher sur les deux o'rants alors qu'ils attendaient le meech à la sortie.

Régidor surgit d'un nœud d'hommes querelleurs et fila comme une flèche vers la porte. Kale et Bardon le suivirent, les dragons volant derrière eux.

Dans la rue, des individus se battaient au couteau.

Oh non ! C'est pire.

– Ne t'inquiète pas. Nous partons d'ici. Régidor, vers High Street avant que Kale ne soit blessée.

Régidor asséna son poing sur un marione et donna un coup de pied sur la main armée d'un autre. Le dragon attrapa un tumanhofer ayant eu la mauvaise idée de s'en prendre au meech par-derrière et il lança l'homme courtaud sur le toit surplombant la devanture du porche d'entrée.

Régidor offrit un sourire tout en dents à Bardon.

– Allons-y ! cria-t-il.

Trois brutes remarquèrent leur retraite et commencèrent à les bombarder avec des débris venant de la rue. Une bouteille siffla près de l'oreille de Kale. Un petit bâton rebondit sur son dos. Elle avait peur pour ses dragons nains ; elle aurait souhaité les transporter en sécurité dans sa cape en rayons-de-lune.

Elle entendit un bruit sourd, un grognement, et elle vit Bardon trébucher, puis Régidor ramassa le lehman blessé et le lança par-dessus son épaule. Ils coururent jusqu'à ce que le vacarme de la poursuite cesse.

Régidor disparut dans une allée et déposa Bardon. Le lehman inconscient reposait mollement contre le mur.

– Occupe-toi de lui, ordonna le meech. Je retourne chercher Dar.

Haletante après sa course, Kale tomba à genoux à côté de Bardon. Le jeune homme glissa de sa position à demi assise. Il bascula, et sa tête vint se poser sur les cuisses de Kale. Elle plaça la main sur son torse et sentit sa respiration.

– Régidor, ces hommes te recherchent sûrement.

– Ils ne peuvent pas me faire de mal.

– Là n'est pas la question. Tu leur feras du mal. Cela ne rime à rien de semer la pagaille.

– Je vais rester hors de vue. Quand j'atteindrai La trompette, je parlerai à Dar par télépathie. Je veux qu'il me rapporte ma bure.

– À présent, tu as besoin de ta bure ?

Elle ne peut s'empêcher de laisser le sarcasme paraître dans sa voix.

– Mamie Noon me l'a offerte.

– Oh.

Elle regarda Régidor se glisser dans la rue et filer vers un autre endroit plongé dans l'ombre pour se dissimuler.

Metta s'installa sur l'épaule de Bardon, et Gymn, sur son torse.

Blessure à la tête ?

Suivant les directives des dragons, elle passa ses doigts sur l'arrière du crâne de Bardon. Elle sentit une bosse, et sa main était trempée de sang lorsqu'elle la retira.

Elle se démena pour fouiller à l'intérieur de sa cape en rayons-de-lune. Elle était assise dans une position inconfortable avec les plis du vêtement emprisonnés sous ses jambes. Dès qu'elle eut retourné le rebord assez loin, Kale demanda à Metta de pénétrer dans une cavité et de trouver quelque chose pouvant servir de tampon à appuyer sur la plaie.

Le dragon violet revint sous peu avec une petite pièce de lin. Kale la pressa contre l'entaille en laissant reposer ses doigts sur son scalp. Gymn enroula son corps autour de sa main et de la blessure de Bardon.

Pendant que l'énergie de guérison se déplaçait en cercle entre le minuscule dragon vert, le lehman blessé et elle-même, Kale toucha le menton froid et moite de Bardon. Les ombres obscures l'empêchaient de voir son teint, et elle se demanda à quel point il était pâle. Elle passa ses doigts dans les cheveux noirs et droits pour les éloigner de son visage, et sa main frôla légèrement son oreille. Sa forme l'étonna.

En explorant avec ses doigts, elle trouva de nouveau l'oreille et elle en fit courir un autour de la courbe inférieure en remontant jusqu'en haut, où elle marquait une pointe nette et s'effilait vers la tempe.

Cette protubérance n'était pas aussi prononcée que celle de Mamie Noon, de Leetu Bends ou de Grand Ebeck, mais le bout de son oreille n'était certainement pas arrondi comme celle d'un o'rant.

Elle prit une rapide respiration et murmura ce qui lui vint à l'esprit.

— Bardon, tu es un halfelin.

35

PERSONNE DISPARUE

Cinq minutes s'écoulèrent. Puis dix. Kale fixait son attention sur le cercle guérisseur. Gymn se détendit quand le lien entre les trois s'intensifia. Elle sentit la douleur s'apaiser dans la tête de Bardon. Simultanément, un flot de vie tout neuf revigora son esprit à elle. Ce paradoxe de renouveau au cours de l'acte de guérison vidait son corps physique de son énergie, mais provoquait un étrange sentiment de paresse paisible. Elle aurait pu facilement s'enliser dans un état de rêve content.

Metta était installée sur l'une de ses épaules et chantonnait. Dibl était posé sur l'autre.

Les yeux de Bardon clignèrent en s'ouvrant.

– Kale?

– Tu as été frappé à la tête avec une brique ou un autre objet.

Il s'assit.

Gymn roula sur le crâne de Bardon, sauta sur son épaule et glissa sur son dos. Quand il toucha le sol, il se leva sur des jambes flageolantes, secoua la tête, puis lança un regard dégoûté à son patient.

Sur l'épaule de Kale, Dibl exécuta une petite danse qui se termina par une culbute. Kale rigola.

Bardon arqua un sourcil dans sa direction.

– Gymn est contrarié parce que tu l'as laissé tomber après qu'il t'a guéri. Pour rendre les choses pires encore, il était presque endormi. Dibl, évidemment, pense que tout cela est très drôle.

Bardon se contorsionna pour regarder derrière lui. Il souleva le dragon vert mécontent.

— Je suis désolé, Gymn. Je n'avais pas réalisé que tu dormais sur ma tête.

Il leva une main et la passa sur sa plaie.

— Il ne reste que du sang séché.

Kale plissa le nez.

— Charmant.

Bardon regarda autour de lui.

— Où se trouvent Régidor et Dar ?

La brume se changea en crachin. Elle rabattit son capuchon sur sa tête.

— Bonne question. Je n'ai pas aperçu Dar pendant la bagarre. Régidor est retourné le chercher ainsi que sa bure.

— Pourquoi diable a-t-il provoqué la bataille ?

— Tu crois qu'il l'a provoqué ?

— Il n'était pas obligé de défier ces ivrognes.

Bardon étira ses bras devant lui pour tester ses muscles.

— Régidor aurait pu se contenter de partir. Mais non, il lance son déguisement et il commence à les tabasser.

— Est-ce que tu vas bien ?

— Oui.

Kale sentit ses muscles se détendre en le regardant plier ses membres pour leur insuffler de la vitalité. Elle ferma son esprit au lien incroyable entre eux et pensa à autre chose.

— Régidor *est* étonnant. As-tu déjà vu quelqu'un d'aussi rapide ?

— Non. Il semble encaisser les coups et voler vers son adversaire. Oh, j'abandonne ! Il n'y a pas de mots pour décrire sa façon de livrer le combat — une combinaison d'acrobate du cirque et de danseur.

Kale se rappela avoir entendu le magicien Cam dire que Bardon se battait comme un danseur. Elle se souvint de ses oreilles et expédia ses pensées dans une autre direction.

— Es-tu certain d'aller bien ?

— Je me sens un peu paresseux.

Elle rit. Le terme « paresseux » ne collait pas du tout à Bardon.

Il se leva et s'étira.

— Retournons marcher près du bord de mer et voyons si nous pouvons trouver Dar et Régidor. J'ai un étrange pressentiment.

— Ce pressentiment est-il basé sur ton don de télépathie ou sur la raison ?

— La raison. Ne penses-tu pas que c'est bizarre que Dar ne soit pas apparu pendant la rixe ? Il n'a jamais hésité à prêter son épée pour une juste cause.

— Mais il n'y avait pas de juste cause. Il s'agissait d'une émeute stupide.

Bardon passa ses doigts dans sa chevelure, lissant les côtés par-dessus ses oreilles.

— Peut-être que cette pluie lavera le petit tapis de sang sur mes cheveux.

Elle garda de nouveau ses pensées pour elle. Bardon avait une raison de ne pas révéler son héritage double. Elle combattit son envie de le questionner.

— Kale, où se trouve mon épée ?

— J'imagine que tu l'as laissé tomber dans la rue.

— Quelqu'un l'a probablement ramassée, mais retournons voir.

Kale se leva et secoua la boue sur le bas de sa cape en rayons-de-lune. Le haut brillait maintenant à cause des gouttes de pluie. Gymn atterrit sur le devant du vêtement et fila à l'intérieur. Apparemment, il était fatigué et souhaitait faire une sieste dans son antre de poche.

Dibl se percha sur l'épaule de Bardon et Metta vola au-dessus de Kale. Kale pensa brièvement à l'œuf suspendu autour de son cou dans la pochette. Et ensuite, elle se rappela les quatre œufs encore dans les poches de sa cape en rayons-de-lune. Elle repoussa la pensée de huit dragons s'envolant près de sa tête dans l'avenir et marcha péniblement à la suite de Bardon vers un présent décidément dangereux.

De la boue glissante couvrait les restes du pavé de pierres rondes. Quand la lueur d'une lampe brillait à travers une fenêtre sale, un pâle carré de lumière luisait et se reflétait dans les flaques.

La pluie commença à les bombarder avec davantage d'intensité. Autant Metta que Dibl se réfugièrent dans la cape. Ils passèrent des lampadaires, et Kale vit un filet d'eau rouge courir sur la nuque de Bardon, venant du sang dans ses cheveux.

La cape la maintenait confortablement au chaud, mais elle s'inquiétait pour Bardon. Elle savait qu'il valait mieux ne rien dire. Même s'il réalisait qu'il serait mieux avec un manteau, il n'y en avait pas à portée de main.

La pluie tombait à torrent sur eux quand ils arrivèrent à la ruelle où La trompette faisait face aux docks. Personne ne s'attardait dans l'averse. Kale posa son regard dans une autre direction. Elle fouilla la rue de bas en haut, particulièrement les ombres, à la recherche d'assaillants potentiels. Puis, elle examina l'allée crasseuse pour trouver l'épée perdue. Elle utilisa son don pour explorer l'endroit, espérant débusquer tout adversaire. Mais les bâtiments abritaient des douzaines de bandits. Elle était incapable d'en identifier un avec une malveillance dans son cœur dirigée vers elle et ses compagnons en particulier.

Bardon !

– *Quoi ?*

Je viens de réaliser une chose.

– *Tu es incapable de déceler la présence de Dar.*

Elle hocha la tête pour marquer son accord, même si elle doutait que Bardon puisse la voir dans la rue sombre inondée de pluie. Il saurait son inquiétude même sans la voir.

Et Régidor.

– *Il a disparu aussi.*

Concentre-toi, Bardon. Nous devrions être capables de les trouver.

Un instant de silence suivit ces paroles.

Bardon et Kale commencèrent tous deux à courir quand une brève lueur de la présence de Régidor perça à travers le brouillard maléfique de leur environnement. En dépassant deux docks vides et trois accueillant la masse énorme et noire de bateaux, ils filaient vers le signal de plus en plus fort. Ils ralentirent lorsque le sixième mouillage fut en vue. Un bateau ballotait dans l'eau à côté de l'appontement. De grandes caisses s'alignaient sur l'allée de planches, empilées en rangées inégales. Des lumières scintillaient par les hublots sur un bord du vaisseau étranger.

Kale et Bardon rejoignirent Régidor dans les ombres entre deux entrepôts. Régidor s'adressa à eux par télépathie.

– *Dar est monté à bord de ce bateau.*

Bardon identifia le type de vaisseau.

– *Une frégate ; un voilier de guerre de grandeur moyenne, très rapide. Quel dommage que nous ne puissions voir son drapeau ! Par contre, je sais qu'il vient de la Portée nord.*

Kale observa le bateau.

Je ne sens pas la présence de Dar. En fait, je ne détecte aucun occupant.

Régidor acquiesça.

– *Il y a un genre de bouclier autour qui bloque notre perception. Je me demande si nous pourrions découvrir comment faire. Nous devons essayer.*

Bardon lança un coup d'œil au meech. Kale savait que ses sentiments reflétaient les siens. Ce n'était pas le moment pour

Régidor de se laisser aller à sa curiosité à propos du fonctionnement des choses.

Bardon décocha un demi-sourire à Kale et parla à Régidor.

– Oui, mon ami meech. Mais pas maintenant. Maintenant, nous devons découvrir une manière de porter secours à sire Dar.

36

TROUVER DAR

Un marin était assis sur un baril au pied de la passerelle de débarquement. Un autre assurait la garde en haut. La forte pluie devait avoir incité toute la main-d'œuvre à descendre dans la cale. Cette même pluie aidait Régidor, Bardon et Kale à s'approcher furtivement. Les trois conspirateurs se cachèrent derrière une énorme caisse posée à deux mètres tout au plus du matelot frissonnant.

– *Il fait à peu près ta taille, Kale.*

Bardon s'adressa en pensée à ses deux amis.

Régidor regarda le lehman d'une mine renfrognée.

– *Qu'est-ce que cela a à voir avec quoi que ce soit ?*

Bardon va assommer l'homme, répondit Kale. *Je vais mettre son manteau et m'asseoir à sa place afin que tout le monde à bord croie qu'il effectue encore son tour de garde.*

– *Et tu sais cela parce que toi et Bardon pensez ensemble.*

Régidor inclina la tête.

– *Je veux vraiment savoir pour quelle raison c'est ainsi. Je n'ai rien trouvé dans les livres à propos de ce phénomène. Toutefois, je n'ai pas fini mes recherches.*

Le matelot se blottissait misérablement sous un grand manteau, le col relevé autour de son cou et un chapeau de toile cirée enfoncé sur la tête.

– *Et que faisons-nous du type en haut de la passerelle ?* s'enquit le meech.

Bardon pointa le garde plus alerte.

– *Infiltre son esprit, Régidor. Distrais-le avec des images irrésistibles pour lui. En ce moment, je présumerais qu'il s'agit d'un fauteuil confortable près d'une bonne flambée et une tasse de cidre de vin chaud.*

Régidor fixa l'individu pendant un moment.

– *Tu as tort, Bardon. Il préférerait être allongé dans sa couchette sous le pont. L'homme se trouve en mer depuis trop longtemps pour penser à des fauteuils confortables et à un feu de foyer.*

– *Peux-tu le distraire ?*

Régidor renifla.

– *Laisse-le-moi.*

Kale retourna pas à pas vers l'endroit où l'appontement rejoignait la terre. Elle s'avança à découvert et s'approcha du premier matelot. Quand le vieillard la remarqua, elle projeta des questions dans son esprit.

Que fiche-t-elle dehors par un temps pareil ? Où va-t-elle ? Pense-t-elle que je vais la laisser monter à bord ?

Elle sourit et hocha la tête devant l'homme aux idées embrouillées et elle poursuivit sa marche. Alors que le garde tournait le cou pour suivre ses déplacements, Bardon surgit et s'empara de lui. Une main serrée sur la bouche du matelot, Bardon le traîna vers leur cachette. Kale marcha sur les talons du lehman.

Régidor se tenait dans l'ombre, les yeux fixés sur la silhouette en haut de la passerelle. Kale se demanda quelle méthode Régidor avait utilisée pour inciter par la ruse l'esprit de l'homme à penser qu'il ne se passait rien d'inhabituel sur le dock. Parfois, son ami la surprenait avec quelque chose de tellement inventif qu'elle n'aurait en aucun cas pu prédire ses actions, et elle était celle qui était censée le connaître le mieux. Librettowit disait que cette qualité faisait de Régidor un génie.

Le dragon meech avait atteint la maturité en très peu de temps. Devait-elle encore le « gérer » ? Elle ne croyait pas que quelqu'un d'autre que Paladin pouvait réellement diriger

Régidor. *Au moins, il m'écoute encore quand je fais appel à sa raison. Mais il est tellement plus intelligent que moi; un jour, mes opinions ne compteront plus. C'est un dragon tellement têtu.*

Le dragon regarda le prisonnier se débattre. D'un doigt, il toucha la tempe de l'homme. Le matelot s'évanouit.

Bardon tenait la forme soudainement molle.

– Qu'as-tu fait?

– Je l'ai endormi.

– Se réveillera-t-il?

Le ton coupant de Bardon trancha l'air.

– Oui, avec un mal de tête.

– Où as-tu appris comment faire cela?

– Dans les vieux livres de Librettowit. Mais je n'avais pas essayé jusqu'à maintenant.

Kale sentit la tension monter en flèche entre eux. Bardon n'appréciait pas l'ingérence du dragon. Régidor se rebiffait, car il savait qu'il aurait dû consulter le lehman avant d'endormir le matelot.

– Assez, dit-elle. Nous devons rejoindre Dar. Donnez-moi le manteau et le chapeau.

Elle s'installa sur le baril au pied de la passerelle. L'homme en haut demeurait insensible à toute activité inhabituelle. Régidor maîtrisait de toute évidence ses pensées. Elle arrondit le dos, prenant la même position que le matelot. Elle visionna le vieillard dans son esprit. Ils l'avaient laissé en tas derrière la caisse.

Un de vaincu; il en reste un. Cependant, combien de marins y aura-t-il entre nous et Dar, une fois à bord du bateau?

Cette pensée fit courir un frisson le long de son échine.

Elle attendit que Régidor et Bardon s'approchent du second individu. Cette fois, Bardon s'occuperait de la démarche hardie. Régidor exécuterait son approche tout en obscurcissant la vision du garde avec son talent.

Kale frissonna. *Il me semble que mes pieds sont enchâssés dans la glace. Ma cape et le manteau du matelot devraient me garder au chaud. Je parie que ma chair de poule est causée par les nerfs. Pourquoi attendent-ils ?*

Un bruit répondit à sa question. Quelqu'un était sorti sur le pont. Deux hommes se tenaient à environ deux mètres derrière elle et à quelque distance de sa tête. Elle entendit un murmure de voix.

Dar !

La voix de Bardon pénétra son esprit.

— Il descend seul du bateau. Nous découvrirons ce qui se passe une fois qu'il sera en sécurité loin de l'embarcation.

Dar dévala la passerelle, ses pas résonnant légèrement sur le bois trempé. Elle jeta un regard furtif de sous son chapeau pour voir le passage du diplomate doneel. Le bouclier transparent qu'il utilisait pendant les batailles était levé et il repoussait la pluie. Il s'éloigna sans indiquer qu'il avait remarqué sa présence.

Mais cela ne signifie pas qu'il ignore que je suis assise ici.

– *Régidor te couvre,* dit Bardon. *Viens.*

Kale sauta en bas du baril et rejoignit les deux autres dissimulés par la caisse. Elle enleva le manteau et le chapeau du matelot.

— Partons, murmura Bardon.

— Attends, répliqua Régidor.

Il pointa la silhouette en tas à leurs pieds.

— Nous ne pouvons pas laisser ce vieillard dehors dans le froid.

Bardon baissa les yeux.

— Que suggères-tu ?

— Amenons-le à La trompette.

— Pourquoi ?

Les mots explosèrent de la bouche de Bardon.

— Chut ! siffla Kale.

Régidor soupira.

— Parce que ce sera plus facile que de le border dans sa couchette sur la frégate.

— Mais pourquoi le déplacer ?

L'exaspération se déversa dans les émotions de Kale.

Elle leur ferma son esprit. Elle était fatiguée des querelles de ses amis et elle voulait rentrer à la maison.

— Je me sens responsable de lui.

Régidor se baissa et souleva la silhouette inerte sur son épaule.

— Allons-y.

Bardon regarda Kale pour obtenir une explication. Elle haussa les épaules, ramena son capuchon sur sa tête et partit derrière le dragon meech en traînant les pieds.

— Oh bon, grommela Bardon. Peut-être trouverons-nous mon épée.

Dar avait encore une fois disparu.

Cette aventure est sûrement la plus étrange que j'ai vécue. Je ne me sens pas particulièrement effrayée, pas en compagnie de Régidor et de Bardon. Mais que mijote Dar ? Et Régidor ? Pourquoi a-t-il provoqué la bagarre ? J'espère vraiment que quelqu'un va m'expliquer tout cela. Et j'espère que c'est pour bientôt.

Régidor monta au pas les deux marches en bois menant à La trompette, poursuivit son chemin sur le porche et poussa les portes battantes sans un signe d'impatience. À l'intérieur, la plupart des clients étaient partis. Plusieurs travailleurs balayaient les traces de la bataille. Ils s'arrêtèrent et, la bouche ouverte, ils fixèrent les trois compagnons.

— Écoutez, vous, là.

Le marione ayant pris leur commande pour le repas s'avança. Il tenait à la main une bougie cassée et non allumée.

— Je ne veux plus d'ennuis.

Régidor lâcha son fardeau sur une chaise inoccupée et déposa doucement la tête du matelot sur la table. Il se tourna ensuite vers l'aubergiste avec un sourire agréable.

— Pas d'ennuis. Je cherche seulement ma robe et l'épée de mon ami.

Un mouvement soudain à l'opposé de la salle attira l'attention de Kale. Elle avait trouvé l'homme qui avait ramassé l'arme dans la rue. Elle lança un regard à Bardon, et il hocha la tête.

Le marione leur bloquait la voie et agitait la bougie devant le visage de Régidor.

— Vous n'êtes pas bienvenus ici.

Le dragon meech garda le sourire.

— Aimeriez-vous que je l'allume pour vous ?

Il plissa ses lèvres minces et, avec un petit souffle, il envoya une mince flamme allumer la mèche.

Régidor contourna le marione abasourdi et il récupéra sa bure sur le plancher. Bardon se dirigea vers le tumanhofer ayant dissimulé l'épée sur ses genoux sous la table.

— Mon épée, je vous prie.

La voix de Bardon paraissait calme et polie.

Le tumanhofer avala avec difficulté. Ses yeux passèrent de Kale au dragon meech. Lentement, il tira l'arme et la posa sur la surface du meuble.

— Merci, dit Bardon.

Il en examina la lame, puis la glissa dans son fourreau.

Kale lâcha un soupir de soulagement. *Bien ! Maintenant, nous pouvons rentrer.*

La porte d'une des pièces du fond s'ouvrit. Dar émergea, impeccablement vêtu avec seulement une légère trace d'humidité sur le bas de son pantalon. Il balaya la salle détruite du regard.

— On dirait que vous avez été occupé, déclara-t-il.

Régidor s'arrêta, un seul bras inséré dans sa robe de moine.

— Pas moins occupé que toi, Sire Dar. Je pense qu'il est temps que nous ayons une conversation.

Dar inclina la tête.

— Ah.

Il regarda attentivement le visage de ses trois camarades.

— Oui, je crois que tu as raison. Mais d'abord, trouvons une voiture pour nous ramener à la maison. Il me semble que nous pourrons mieux bavarder devant notre propre foyer.

37

Bonnes et mauvaises nouvelles

L'estomac de Kale gronda quand elle fouilla dans une armoire à la recherche de ses pantoufles. Elle avait retiré ses bottes trempées avant de se glisser sur le bout des pieds dans la petite chambre où sommeillait Toopka. Kale fit taire son ventre en lui disant de se rappeler le copieux repas qu'il avait mangé à La trompette. Elle ne voulait pas éveiller Toopka. La fillette dormait profondément en émettant à l'occasion un léger ronflement que Kale avait appris à aimer. La jeune o'rant sourit quand Toopka grogna et se tourna de côté.

Ses pantoufles chaudes aux pieds, Kale retrouva le vieux pantalon que Dar lui avait fabriqué à partir d'une jupe il y avait longtemps. Elle l'enfila, puis elle ramassa celui qui était mouillé sur le plancher et elle le posa sur le dos d'une chaise en bois. Elle se hâta de revenir dans la cuisine, car elle ne voulait rien manquer de la conversation.

Ses compagnons se rencontrèrent devant la flambée dans l'âtre. Dar déposa des tasses de guimauve fumante et une assiette débordant de mullins frits et de daggarts sur la grande table. Il sortit aussi du dessert des pauvres pour les dragons nains. Même avec les touches réconfortantes de nourriture et d'éclairage à la bougie, on ne pouvait pas ignorer la tension autour de la table.

Librettowit avait croisé les bras sur sa poitrine et tambourinait sur la manche de sa robe de chambre avec ses doigts.

Bardon tenait une tasse, mais il ne buvait pas. Régidor maintenait sa queue sur ses cuisses et caressait les écailles sur sa pointe. Seuls les dragons nains paraissaient insouciants. Ils avalaient bruyamment leur gâterie.

Kale observa ses camarades autour de la table. Ils étaient tous aux prises avec le même avenir incertain, mais ils géraient la tension différemment. Librettowit laissait la mélancolie envahir ses traits. Bardon arborait un visage de pierre pour cacher son trouble intérieur. Les nerfs de Régidor le faisaient visiblement tressaillir. Dar adoptait son air d'hôte débonnaire.

Seuls Dar et les dragons nains semblent à l'aise. À qui est-ce que je ressemble ?

Elle jeta un autre coup d'œil sur les différents visages.

À personne encore. J'imagine que je dois choisir. Paladin me dit toujours de m'occuper de ce qui est devant moi. Et je connais mon problème en ce moment. J'ai faim !

Kale prit un daggart au caramel sur l'assiette qu'elle poussa ensuite vers Régidor.

Il releva la tête brusquement et il la regarda intensément pendant un instant. Puis, il soupira, sourit largement et se servit deux daggarts avant de passer les mets au bibliothécaire.

Dar était assis au bout de la table. Il enroula les doigts autour de sa tasse comme pour réchauffer ses mains.

— Tout d'abord, j'aimerais un compte-rendu de la bagarre à La trompette.

Ses yeux se tournèrent immédiatement vers elle.

— Kale ?

— Certains des clients se sont offusqués de la présence de Régidor.

Elle marqua une pause, ne sachant pas comment décrire la façon dont le dragon avait incité les hommes à se battre.

Le regard de Dar se reporta sur le lehman.

— Bardon ?

— Quand les types ont défié Régidor, il a révélé son identité et il a déclenché la bataille.

Les yeux de Dar se rétrécirent.

— Et qu'est-ce qui t'a provoqué, Régidor ?

Kale s'était tellement habituée aux pupilles inhabituelles de Régidor qu'elle les remarquait à peine. Mais à présent, les pupilles noires formèrent une épaisse ligne traversant le centre de ses iris verts. Le vert luisait comme s'il y avait du feu derrière. Kale se crispa, se demandant si le meech allait encore exploser.

— Ils parlaient des dragons, entre eux et à travers des ruminations stupides dans leurs esprits embrumés par l'alcool.

La voix profonde de Régidor gronda comme le tonnerre annonçant une violente tempête arrivant au loin.

— Les dragons doivent être tenus responsables de tous les maux de la société. Calomnies pernicieuses. Mensonges malveillants. Ces hommes complotent d'assassiner les dragons travaillant en équipe avec les races supérieures. Leurs paroles enflamment la peur de l'ignorance. Tuer. Détruire. Blesser. Emprisonner. Voilà leurs solutions à un problème inexistant. Écraser les œufs. Trancher la gorge des nouveaux nés. Brûler la carcasse des dragons exécutés. Des primes ont déjà été offertes dans le nord de Trese. Le massacre a commencé.

Kale tenta d'endiguer le flot de panique qui l'envahissait. Les dragons nains abandonnèrent leur dessert et rampèrent jusque dans ses bras, où elle les berça, tenant leur fragile petit corps comme pour les protéger d'un danger invisible.

— Des idiots, aboya Librettowit. L'économie d'Amara dépend depuis des siècles de la collaboration entre les races supérieures et les dragons. Les dragons ont toujours été généreux dans leur volonté de faciliter la fabrication et la mise en marché des produits. Comment ces vigiles se proposent-ils de mener les affaires après qu'ils auront annihilé nos précieux amis ?

— Oui.

Dar parla d'un ton lourd et solennel.

– Cette propagande bornée empoisonne la façon de penser de trop de gens. Le problème s'amplifie au moyen d'une planification soignée. Des fomenteurs répandent ces idées venimeuses. Et les dragons eux-mêmes agissent de manière irrationnelle et renforcent cette rumeur.

Kale berça ses trois dragons.

– Qu'allons-nous faire?

Même Dibl n'envoyait aucun encouragement dans son esprit inquiet.

– J'ai des nouvelles grâce à ma réunion de ce soir, déclara Dar. Nous pouvons enfin quitter cette ville déprimante et nous lancer sur la trace du dragon meech. Nous détenons une piste sérieuse.

Ils se penchèrent au-dessus de la table vers le doneel.

– On a remarqué qu'un chariot de marchands itinérants s'était trouvé à chaque endroit où une vague d'actions de dragons radicaux s'est produite. Le dragon meech doit voyager avec cette bande de voleurs. Ils vendent des élixirs, des potions, des baumes et des préparations pour guérir, soulager et atténuer tous les problèmes que vous pouvez nommer. Évidemment, c'est une escroquerie. Je crois que leurs poisons endommagent l'esprit des hommes ainsi que leur corps. Nous allons localiser ces escrocs et voir ce qu'ils transportent dans leur chariot à part la mésentente.

– Tout d'abord, dit Régidor, nous avons une autre question à régler.

Tous les yeux se tournèrent vers le dragon meech. Kale ressentit sa colère réprimée. Elle jeta un bref regard à Bardon pour déceler si lui aussi reconnaissait le danger. Le corps du lehman se crispa. Il repoussa sa chaise à trente centimètres de la table. Son attention restait sur l'expression sévère de Régidor.

Le dragon lança un regard de colère au doneel.

– Dar, tu ne nous mentiras plus.

– Mentir?

Le doneel serra un poing.

— Précise ton accusation.

— Tu nous as dit que tu allais dans la pièce du fond pour jouer aux cartes.

Régidor marqua une pause. Il martela ses mots suivants.

— Tu ne jouais pas aux cartes.

Dar hocha la tête. Son poing se desserra.

— Je vois ton inquiétude, Régidor. Je vais vous expliquer.

« Je me suis joint à la partie de cartes en espérant entendre quelques potins utiles. Cependant, un des joueurs était le premier maître à bord de la frégate *Breedoria*.

« Je savais qu'un messager avait prévu monter sur ce bateau à Dascarnavon. J'ai donc demandé au premier maître s'ils avaient embarqué un passager dans ce port. Il a répondu oui, mais que cet homme était malade. J'ai présenté mes excuses et j'ai quitté la partie pour me rendre sur le *Breedoria*. J'y suis allé et j'ai découvert que notre informateur n'était pas malade, mais blessé. Il m'a transmis les nouvelles que je viens de partager avec vous.

La froide narration des faits exécutée par Dar donna des frissons à Kale. Elle n'appréciait pas cet homme sévère et en contrôle qui avait pris la place de son ami aimant le plaisir.

Librettowit fit claquer sa tasse vide sur la table.

— De bonnes et de mauvaises nouvelles. Bonnes, car nous avons enfin une direction claire pour cette quête. Mauvaises, parce que nous devons quitter le confort relatif de cette maison pour poursuivre les corrupteurs. Je préfère ma bibliothèque aux régions sauvages de Trese.

Il se leva de sa chaise.

— Je propose de boucler nos valises demain matin et de partir dès que les dragons auront été convoqués.

Il sortit de la pièce en se traînant les pieds, claquant la porte du couloir avec un bruit mat. Kale vit un sourire trembler sur les lèvres de Dar. Elle se détendit un peu.

— Les régions sauvages de Trese ? s'enquit-elle. J'ai été élevée à Rivière au Loin, à Trese. La campagne était formée de terres cultivées et de forêts, des forêts très insipides avec peu de faunes que l'on pourrait qualifier de sauvages. Pas de grawligs, pas de blimmets, pas de mordakleeps. En fait, la plupart des citoyens de Trese pensent que les sept races inférieures sont une fable.

Dar gloussa.

– Tout endroit sans bibliothèques, sans librairies, sans institutions d'études supérieures est considéré comme non civilisé et sauvage par notre tumanhofer.

– Convoquer les dragons ?

Les yeux de Bardon brillaient d'excitation.

– Oui, Célisse et Merlander s'envoleront à notre rencontre, puis elles nous transporteront vers notre destination.

Le cœur de Kale bondit par-dessus sa crainte de leur quête et atterrit sur la joie ressentie à la perspective d'être réunie avec les deux dragons.

– Au lit, alors, déclara Dar.

Ils se levèrent et débarrassèrent la table des assiettes. Chacun prit une bougie pour éclairer la voie jusqu'à sa chambre.

– Kale, dit Dar en poussant la porte pour l'ouvrir, il y a un truc que je devrais peut-être te mentionner. Le premier arrêt de notre voyage est l'endroit où le chariot des vendeurs de potions est attendu pour sa prochaine visite. Il s'agirait de Rivière au Loin. Tu reverras bientôt les maîtres de ta jeunesse.

Kale cligna des yeux. *Oh, ce sera vraiment formidable. La seule chose qui pourrait améliorer ce voyage, ce serait si ma mère faisait une apparition.*

Dar lui décocha un clin d'œil.

– Et Fenworth sera là aussi. Lui et ses compagnons ont libéré ta mère.

38

LÉGENDE DU PASSÉ

Au matin, Dar partit s'occuper de leur transport pendant que les autres rassemblaient leurs affaires. Un transporteur frappa bientôt à la porte pour parler à Librettowit. Le tumanhofer l'engagea pour emporter des boîtes de livres sur un cargo dans le port. Le bateau naviguerait avec sa cargaison vers le sud, contournerait la côte et livrerait sa marchandise à un ami demeurant juste à l'extérieur des Marais. La première idée de Librettowit avait été d'envoyer ses paquets par les airs sur de grands dragons, mais le transporteur lui avait dit qu'ils ne s'étaient pas montrés fiables dernièrement.

Toopka sautillait partout en tentant de se rendre utile, mais en réalité, elle nuisait. Elle n'avait pas aimé être enfermée dans la cité et elle babillait sans cesse à propos de la quête, qui serait excitante, et de Prushing, qui ne l'était pas.

– C'est morne ! affirma-t-elle.

– Mais Toopka.

Kale remplit un coffre avec leurs vêtements.

– Tu es née en ville.

– Cette ville-ci est différente. Vendela est belle, et la plupart de ses habitants sont gentils. Ici, tout est gris et laid et la majorité des gens sont irritables. Penses-tu qu'ils sont irritables parce qu'ils vivent dans un environnement gris ?

Elle grimpa sur le lit et s'assit en tailleur avec un coussin sur les genoux.

Kale réfléchit à cela. Elle n'avait assurément pas été aussi heureuse ici qu'à Vendela. L'atmosphère de Prushing pouvait-elle avoir influencé son humeur ? Ou bien était-ce dû au fait qu'elle sentait qu'ils ne progressaient pas dans leur quête ? Peu importe le nombre de fois où Librettowit affirmait que leurs préparatifs étaient importants, l'attente lui paraissait une perte de temps. Peut-être que la grisaille enveloppait plus que la ville.

— La grisaille peut rendre les gens irritables, admit-elle.

Toopka soupira.

— Cela me paraît mal, de laisser un lieu gris rendre gris aussi l'intérieur de soi.

Elle roula de l'autre côté du lit et appuya son menton sur ses poings.

— Et je pense que le dedans est trop gris et triste pour essayer de transformer le gris au-dehors. Donc, le gris de l'extérieur reste le même ou s'assombrit davantage, et le gris à l'intérieur de soi devient plus foncé aussi, et en peu de temps, il ne reste aucun espoir de rendre les choses vives et jolies.

— Oui, je crois que ce pourrait être vrai.

— Et, ajouta Toopka avec des yeux de plus en plus grands, c'est pourquoi Vendela est différente. Si je me disputais avec quelqu'un comme le seigneur Tellowmatterden, une fois que j'avais longé deux pâtés de maisons, je voyais des fleurs et des charrettes joliment peinturées et des gens souriants. Alors, le seigneur Tellowmatterden devenait gentil et couvert de meilleures choses.

— Est-ce que tout ceci mène quelque part, Toopka ?

— Oui.

Toopka se leva brusquement sur ses genoux et bondit sur le lit.

— Je suis contente que nous allions à la campagne.

Kale glousssa, mais ses propres pensées n'étaient pas aussi joyeuses.

Je suis contente de quitter Prushing, mais je ne sais pas si je souhaite me rendre à Rivière au Loin. J'imagine que ce ne sera pas si mal. Après tout, je ne suis plus une esclave. J'ai un travail important. J'ai même rencontré Paladin, et personne ne l'a vu à Rivière au Loin.

Kale cessa de plier la minuscule tunique de Toopka et elle fixa ses mains. Elle n'exécutait plus des tâches quotidiennes dans les différentes maisons d'un village. À cette époque, ses paumes étaient calleuses et sa peau sèche et rude. Un nouveau durillon prouvait le zèle qu'elle avait montré à s'exercer avec sa petite épée.

Comme esclave, ses ongles étaient toujours craquelés, cassés et tachés. À présent, les bouts lisses et blancs pointaient par-dessus sa peau rose.

Mamie Noon m'a dit de me rappeler que je ne suis plus une esclave. Dame Meiger ne sera-t-elle pas étonnée ? Je ne suis plus miteuse non plus. Je suis plus grande, plus forte et plus intelligente également. Non seulement cela, mais je viens aussi pour protéger Rivière au Loin de l'influence destructrice de Risto. Je ne suis pas une esclave. Je suis la Gardienne des dragons. Grâce à Régidor et moi, les dragons rétifs seront sauvés.

Elle retira un chandail d'une cheville insérée dans le mur.

Mère m'a dit que j'avais un destin. Je suis une Allerion. Mère est brave et elle accomplit des choses merveilleuses et courageuses au cœur d'un des châteaux de Risto. Et elle est belle. Je lui ressemblerai. Un jour, je porterai de belles robes et je sentirai comme un jardin rempli de fleurs. Dame Meiger et les autres seront impressionnés devant ma grandeur. En ce moment, ils ne savent pas combien je deviendrai importante, mais je le deviendrai. Je n'agirai pas comme une esclave. Je vais me conduire comme l'une des guerrières en qui Paladin a le plus confiance.

Son sourire s'élargit pendant qu'elle rangeait la dernière pièce de leurs maigres habits dans sa cape. Toopka continuait de babiller, mais l'imagination de Kale conjurait la vision de la gratitude qu'exprimeraient ses anciens maîtres.

Une voiture s'arrêta devant la maison juste avant midi. Bruit leur offrit un grand sourire depuis son perchoir. Il descendit en s'aidant avec ses mains, puis il donna volontiers un coup de pouce à Bardon, à Kale et à Toopka pour charger les bagages et les attacher. Dar était sorti à grandes enjambées de l'hôtel particulier et avait ouvert la porte de la voiture. Régidor — sous son déguisement de moine — et Librettowit marchèrent sous le soleil et grimpèrent à bord du véhicule. Même à ce point-ci, les six amis prenaient soin de se prêter à leur mascarade.

Le voyage pour quitter la ville mit tous ses compagnons en joie. Une fois qu'ils eurent traversé les portes de la cité et commencé la lente descente sur la large route menant à la vallée, Bruit entonna un chant à pleins poumons. Ils tournèrent vers l'ouest à une fourche dans la route, de biais au port de Prushing. Une forte circulation ralentissait la cadence, mais Kale et Toopka échangeaient sur les personnes qu'elles passaient, sur les styles variés de vêtements et les différents types d'articles empilés sur les charrettes et les chariots. Bardon écouta les chansons du vieux conducteur et le bavardage anodin des filles sans participer à ni l'un ni l'autre.

Les dragons nains sortirent de la cape de Kale et restèrent sur les paquets au-dessus du carrosse. D'en bas, on ne pouvait pas les voir. Dibl lança une partie de cache-cache où Toopka était toujours chargée de trouver les dragons. Kale se désola pour ses trois amis qui devaient voyager à l'intérieur de la voiture bringuebalante et cahotante.

Tard dans l'après-midi, ils s'arrêtèrent dans une auberge accueillante et propre pour passer la nuit. Alors qu'ils se déplaçaient vers le nord et l'ouest le lendemain, ils remarquèrent une subtile dépression dans la campagne. Les cultures paraissaient sous-développées. Moins de chariots croulant sous les victuailles les dépassaient en se rendant au marché. Les gens ne les saluaient pas. Les cavaliers s'affalaient sur leur siège. Les randonneurs traînaient les pieds, les épaules arrondies.

Ce soir-là, l'auberge ne leur parut pas aussi amicale. Les camarades abandonnèrent leurs rôles de maître et serviteur. Cependant, Régidor portait encore son déguisement. Ils s'assirent dans un coin de la salle commune, savourant un repas de rôti de bœuf et de légumes de la ferme.

La majorité de la clientèle était composée de mariones, de fermiers vaillants et de marchands. L'amertume et le désespoir marquaient le cœur des dîneurs, des buveurs et des joueurs lançant des fléchettes sur une planchette en liège de quatre couleurs accrochée au mur. La conversation dans la pièce troubla Kale et ses compagnons.

Un homme agitait sa chope en parlant.

— Ils disent qu'il y a davantage de ces bêtes anormales au nord de la frontière. Ils se tiennent debout comme des hommes, s'expriment comme des hommes, pensent qu'ils sont comme l'une des sept races supérieures, mais bien sûr c'est impossible.

— Pourtant, ils ne font pas partie des races inférieures non plus.

Un fermier se leva pour marquer son point.

— Alors, que sont-ils, ces dragons parlant ?

— Quelque chose créé par l'un des magiciens maléfiques, sans aucun doute, grommela un homme près du bar. Mais cela ne fait aucune différence, ne le savez-vous pas ? J'ai quand même perdu mon Clem — un dragon que j'ai connu toute ma vie comme un être joyeux, serviable et plein de volonté, et qui est devenu maussade. Puis, il a renversé ma grange et piétiné mon champ de blé d'hiver. Je n'ai rien à porter au marché. Et il est parti. Ma famille a le cœur brisé. Et cela empirera au cours de l'année. Elle aura faim quand nous ne récolterons pas un autre champ et que nous n'apporterons rien au marché.

— Comment pouvez-vous mettre la responsabilité de cela sur les dragons meech du nord ? demanda l'aubergiste.

— Il ne vient jamais rien de bon du nord, marmonna l'un des hommes.

— Ils communiquent avec leur esprit. Voilà ce qui se passe, dit le cultivateur qui avait perdu Clem.

— De la télépathie entre dragons ?

Le fermier prit de nouveau la parole.

— Eh bien, oui ; ils l'ont toujours fait.

— Mais ce n'était pas une mauvaise chose, Spronder. Tu sais que les dragons n'ont jamais été méchants. Le simple fait de parler entre eux ne devrait pas tous les transformer en méchants.

— Tout ce que je dis, c'est que plus Clem broyait du noir, moins je pouvais communiquer avec lui. C'est comme s'il s'était éloigné dans sa tête bien avant qu'il ne se déchaîne en renversant des choses et en s'envolant comme il l'a fait.

— Peut-être s'agit-il d'une maladie, suggéra l'aubergiste. Peut-être devrais-tu soumettre le problème au magicien du lac. Quel est son nom ?

L'un des clients répondit en rafale.

— Ham ? Cram ? Cam ? Sam ?

— Peu importe son nom, personne n'a eu de contact avec lui depuis des centaines d'années. Il pourrait avoir traversé dans le camp de Risto comme Crim Cropper et Burner Stox.

— Ils n'ont jamais traversé. Ils ont toujours été mauvais, déclara un homme plus vieux et mieux vêtu assis seul dans un coin. Aucun d'entre vous ne connaît son histoire. Vous ne devez pas désespérer. Wulder enverra un défenseur. Paladin réapparaîtra et renforcera nos défenses.

— Des promesses creuses, pasteur, dit l'aubergiste. Ce dont tu parles n'est pas de l'histoire, mais une fable.

Librettowit se leva.

— Je suis d'accord avec le pasteur.

Il se tourna vers l'aubergiste.

— Précisez pour moi, Monsieur, les devoirs d'un pasteur.

L'homme fulmina, ses yeux fouillant la pièce comme s'ils cherchaient quelqu'un pour l'aider à répondre. Il renifla et posa ses mains sur ses hanches.

— Il parle beaucoup et accomplit très peu de choses.

Librettowit se redressa davantage.

— Il réfléchit beaucoup et dit peu de choses jusqu'à ce qu'il sache de quoi il parle.

Plusieurs personnes rirent de sa réplique rapide. L'aubergiste balaya la salle de son regard coléreux, et la moquerie cessa.

Librettowit profita du silence.

— Un pasteur examine les livres de Wulder. Il sépare les passages en partie et il analyse la forme, la fonction et la relation ecclésiastique entre chacune d'elles. Il ne fait pas cela en solitaire, mais sous la direction de Wulder Lui-même et sous la tutelle de Paladin. Et je vous le dis, la prospérité d'une communauté est en lien direct avec le nombre de pasteurs qui instruisent adéquatement leur population.

— Bof, répliqua l'un des hommes, un riche propriétaire terrien à en juger par son apparence. Là, tu as tort, tumanhofer. Jusqu'à récemment, Trese était à la tête de la prospérité économique du pays. Et nous avons peu de pasteurs. Celui-ci était auparavant marchand, mais quand il a transmis son entreprise à ses fils, il avait trop de temps libre.

Un sourire recourba les lèvres de Librettowit.

— Il a ralenti suffisamment pour évaluer ce qui est vraiment important. Wulder ne considère pas une société riche en raison du nombre de pièces d'argent qui changent de mains. Il mesure sa richesse par le nombre de cœurs remplis de paix, de contentement et de joie.

— Oh, je vois, déclara l'aubergiste. Tu es pasteur aussi.

Il jeta un coup d'œil sur le groupe à la table de Librettowit.

— J'aurais dû le savoir. On dirait que tu voyages avec un moine étranger et deux nobles seigneurs, un mâle et une femelle, comme dans la légende de Torse.

— Vous connaissez donc la légende de Torse ?

Le sourire de Librettowit s'élargit encore plus.

— Et pourquoi Torse a-t-il quitté son château pour parcourir la campagne ?

Plusieurs personnes dans la salle ricanèrent encore.

— Il t'a eu là, Bickket, intervint le fermier Spronder. Torse a découvert une grande vérité. Il voulait la donner à quelqu'un d'autre afin de pouvoir retourner à son château et vivre de la façon dont il était habitué. Il a amené le moine avec lui, car c'était lui qui lui avait révélé cette vérité en premier. Torse voulait installer le moine dans une autre maisonnée. Et au grand désarroi de Torse, le moine attirait sans cesse de riches jeunes gens. Mais même quand ils recevaient la vérité des mains de Torse, elle restait en sa possession. Elle se multipliait au lieu de diminuer.

Librettowit hocha la tête, l'étincelle dans ses yeux adoucissant ses vieux traits.

— C'est la vérité. Et quand Torse a-t-il trouvé la paix ?

Un jeune homme se leva de la table où il était assis avec des compagnons beaucoup plus âgés.

— Quand il a amené la vérité chez lui et lui a accordé une place d'honneur.

L'empressé jeune homme s'avança de quelques pas.

— Puis-je partir avec votre bande de camarades ?

Librettowit se dirigea vers lui à grandes enjambées, il plaça sa main sur le bras du garçon et le tourna face au pasteur.

— Va avec cet homme et apprends. Dans un proche avenir, il y aura un conflit important entre le bien et le mal. À ce moment-là, Paladin fera appel à des gens comme toi pour se joindre au combat. Tu as un corps solide. Prépare ton cœur à rester fort aussi.

— Un combat ?

La question circula autour de la pièce sur plusieurs lèvres nerveuses.

Librettowit hocha gravement la tête.

— Une guerre menée secrètement va éclater aux yeux de tous. Vous devez effectuer votre choix. Vous lever et vous battre, ou ne rien faire. Choisir le niveau le plus élevé ou demeurer dans les limbes à jamais.

39

Ardéo

Kale s'éveilla au milieu de la nuit. Elle s'enroula autour d'un oreiller plein de bosses. Une hanche lui faisait mal là où elle s'était enfoncée dans une crevasse du matelas pauvrement rembourré. Pendant un instant, elle ne reconnut pas la pièce aux poutres dégrossies et aux murs de plâtre. Toopka dormait dans un autre lit étroit. Le clair de lune jetait une pâle lueur à travers la petite chambre. Seuls les coins restaient dans l'ombre.

L'auberge.

Affaiblie par le sommeil, elle regarda une fenêtre. Des rideaux tombaient sur un unique panneau de verre.

Le rire de Dibl détourna son attention. Les trois dragons nains étaient perchés sur le dos d'une chaise en bois et la fixaient avec une expression joyeuse. Elle cligna des paupières.

Quoi ?

Elle commença à se lever, mais un poids léger sur sa hanche l'arrêta. Elle tendit le cou pour voir de quoi il s'agissait.

Une petite masse luisante se balançait sur la courbe entre sa taille et sa cuisse. Elle bougea. Kale plissa les yeux. La boule de lumière blanche se déplia et fit apparaître un cou et une tête angulaire. Des prunelles sombres et curieuses la regardèrent en papillotant. Le dragon lilliputien continua de s'étirer, montrant sa queue pointue.

La main de Kale vola jusqu'à la pochette toujours suspendue autour de son cou. Elle n'était plus arrondie par l'œuf; ses côtés plats et des craquements révélèrent les morceaux de coquille brisée à l'intérieur.

Une bouffée de joie la surprit. Elle rit. En prenant le petit bébé brillant en coupe dans sa main, elle s'assit. Ses doigts luisaient comme si elle tenait une pierre-soleil blanche. Gymn, Metta et Dibl s'envolèrent haut dans les airs, exprimant leur plaisir avec un chœur de trilles et des mouvements acrobatiques sophistiqués.

Kale observa le bébé adopter un comportement instinctif pour se lier à elle. Gymn, Metta et Dibl avaient fait la même chose. La jeune créature frotta lentement tout son corps sur la paume de l'o'rant en bourdonnant de satisfaction.

– Quel est ton nom, mon petit? murmura-t-elle.

Le dragon leva le menton du pouce de Kale et la fixa avec des yeux trop grands pour sa tête minuscule.

– Ardéo! Tu t'appelles Ardéo.

Les dragons volants fondirent autour de la tête et des épaules de Kale. Leur excitation se transmit à la jeune fille et au nouveau-né. Ardéo se roula dans sa main. La luminescence du dragon brouillait ses traits. Elle ne pouvait pas vraiment apercevoir autre chose que ses yeux foncés dans son visage. Un halo brillant entourait toute sa silhouette.

– Wow! murmura Toopka avec délice.

Kale leva le regard pour voir la fillette debout au pied du lit. Toopka rampa sur le matelas dur et s'approcha doucement du bébé dragon.

– Puis-je le prendre?

– Tu pourras le prendre demain, dit Kale.

– Il luit.

L'éclat du nouveau-né faisait rayonner la pâle fourrure de la petite doneel. Le bébé s'installa sur le dos.

– Puis-je le toucher?

– Oui.

Toopka tendit la main et caressa le ventre du dragon avec un doigt.

– Quel est son talent, d'après toi ?

Kale plissa le front.

– Je n'ai pas souvenir d'une description d'un dragon blanc qui luit dans mes livres. Je les transporte toujours, par contre. Ils sont dans les cavités de ma cape. Demain, nous lirons sur lui.

– Peut-être que son talent, c'est de luire.

Kale leva la créature jusqu'à son menton et le frotta doucement sur sa joue.

– Cela suffirait.

– Oh oui, acquiesça Toopka. Mais je ne l'ai pas vu naître.

– Moi non plus. Je me suis réveillée, et il se tenait déjà sur moi.

Toopka poussa un soupir théâtral.

– Je crois que je ne verrai jamais éclore un bébé dragon.

– J'ai encore quatre œufs, Toopka. Certainement, un jour tu te trouveras au bon endroit au bon moment.

La fillette hocha la tête, mais ne parut pas garder beaucoup d'espoir.

Kale avança rapidement sur la couche étroite.

– Allez, viens sous les couvertures avec moi. Nous devons nous rendormir. Demain matin, tu pourras prendre Ardéo.

Toopka grimpa dans le lit chaud à côté de Kale. Elle se tortilla un peu pour s'installer confortablement, puis elle posa la tête sur l'épaule de Kale. Elle regarda le petit dragon dans les mains en coupe de Kale, se reposant sur son ventre.

– Il est beau.

– Oui, il l'est. Il ressemble à la Lune, n'est-ce pas ?

Un coup à la porte réveilla les deux compagnes endormies et les quatre dragons nains. Bardon parla depuis le couloir.

– Nous partons tôt ce matin.

– D'accord, lui répondit Kale.

Les dragons s'étaient nichés par-dessus elle et les couvertures. Quand elle bougea, ils s'envolèrent en émettant de profonds grognements de gorge.

Toopka dut être poussée doucement pour être incitée à sortir du lit et à se remuer. Kale se hâta de s'habiller et de s'assurer qu'elles étaient toutes les deux prêtes à prendre la route. Les dragons rampèrent dans leur antre de poche respective avant même qu'elle ne passe la cape sur ses épaules. Après un petit déjeuner, le groupe de quête monta en voiture à temps pour voir le soleil se lever sur des champs couverts de givre.

Toopka se tenait derrière le banc de Bruit et penchée pardessus l'épaule de Bardon. Un gros cahot la poussa en avant, mais elle se retint en s'agrippant au cou du lehman. Il se dégagea d'un mouvement rapide et la déposa sur ses genoux. Elle se cala dans la chaleur de son torse.

– Nous avons une surprise, dit-elle, un sourire espiègle illuminant son minois.

Bardon lui ébouriffa les cheveux.

– De quoi s'agit-il ?

– Tu dois deviner.

Bardon jeta un coup d'œil à Kale, puis baissa les yeux sur la fillette sur ses genoux. Il lui lança un grand sourire.

– Ce n'est pas tout à fait juste, Toopka. Kale est incapable de me cacher ses secrets.

– Veux-tu faire de la télépathie avec moi ? Penses-tu que je pourrais apprendre ? Enfin, à commencer la conversation. Je peux répondre à Kale quand elle s'adresse à moi en esprit, mais je ne peux pas parler en premier.

– Après avoir vu ce nouveau bébé dragon, Toopka, je vais te parler en pensée. Mais je ne crois pas que tu puisses apprendre à pratiquer la télépathie si Wulder ne t'a pas donné le don.

Il se leva et enjamba l'arrière du perchoir du conducteur.

Kale sortit Ardéo quand Bardon s'assit près d'elle.

– Oh non ! s'écria Toopka. Il est mort !

– Non, déclara Kale, mais sa voix tremblait d'inquiétude. Il n'est pas mort. Il respire.

– Mais il est laid et il ne bouge pas.

Toopka serra le bras de Kale. Ses yeux s'emplirent de larmes.

Des taches grises marbraient la peau blanche et terne du bébé. Kale caressa le flanc d'Ardéo pendant qu'il ronflait doucement. Metta, Gymn et Dibl se tortillèrent pour sortir de leur antre de poche et se regroupèrent autour du petit dragon.

– Ils disent qu'il va bien. Il dort, simplement.

Kale rapporta les impressions reçues des dragons nains.

– Mais il est laid, pleura Toopka. Il ressemble à un tas de gruau froid.

Ardéo s'étira en bâillant jusqu'à ce que sa petite bouche s'élargisse assez pour couvrir le bout du pouce de Kale. Ses yeux s'ouvrirent en papillonnant, et il observa son public. Il se leva et s'étira de nouveau en arquant le dos. Il déploya ses ailes et se balança d'avant en arrière dans la paume de la main de Kale.

Metta entonna une chanson. Dibl exécuta une roulade depuis le coude de Kale jusqu'à son cou, sauta, culbuta, puis bondit sur sa tête et ses épaules. Gymn s'éleva dans les airs pour danser au-dessus de leurs têtes.

Ardéo roucoula et s'envola de la main de Kale pour atterrir sur son genou et revint. Puis, il s'élança sur Toopka et ensuite sur Bardon et fila vers Kale.

– Il est plutôt en bonne santé, déclara Bardon alors que Toopka applaudissait de joie.

Il se tourna vers Kale.

– *Pourquoi étais-tu inquiète ?*

Hier soir, il était splendide. Il ressemblait à un dragon fait avec des rayons de lune.

– *Eh bien, il est plus qu'ordinaire en plein jour. Que dit ton livre sur ce dragon grisâtre ?*

Je n'ai pas encore regardé.

Kale s'éloigna du centre d'agitation et tendit la main dans la cavité de sa cape. Le premier volume qu'elle en tira fut *S'exercer pour améliorer sa performance : un guide complet pour garder des dragons.* Elle le mit de côté et fouilla encore. Cette fois, elle sortit *Soins et alimentation des dragons nains.* Elle posa le livre sur ses jambes croisées et feuilleta les pages en cherchant la liste des couleurs.

– Le voici, Bardon.

Elle pointa un paragraphe presque à la fin du premier chapitre.

Bardon se déplaça pour s'asseoir près d'elle. Il s'installa sur une malle plus haute et regarda par-dessus son épaule. Dibl atterrit sur la tête de Bardon. Kale lit à voix haute.

– Le blanc tacheté est très rare. D'une couleur peu séduisante sous la forte lumière du jour, ce dragon nain produit une lueur à l'ombre et dans l'obscurité. Manifestement, son talent est d'illuminer la route.

Bardon gloussa.

– De toute évidence.

Kale regarda l'étincelle dans les yeux bleus de Bardon.

– De toute évidence, répéta-t-elle en riant.

– *Y a-t-il quoi que ce soit d'évident avec les dragons ?*

Oh oui. Je pense que presque toutes leurs actions sont logiques

– *Seulement pour une Gardienne des dragons.*

40

Une lumière sur la question

Deux jours supplémentaires de voyage leur firent parcourir de nombreuses scènes de dévastation. Les traces laissées par les dragons autrefois paisibles bordaient les routes où ils avaient déchaîné leur puissante force pour causer des ravages. Les dragons nains exprimaient leur désarroi par de longs et tristes gazouillements de reproche.

Un matin ensoleillé où les feuilles brunes et sèches tombaient des arbres sous le vent, ils atteignirent un pâturage où les attendaient quatre dragons. Kale se réjouit de voir Célisse et Merlander. Elle se demanda pourquoi l'on avait envoyé les deux autres dragons, mais elle savait que Célisse le lui expliquerait. Un était bleu et pourpre. L'autre arborait des teintes de brun et de cuivre.

Kale courut dans le champ et jeta ses bras autour du cou de Célisse. Dar la suivit et salua Merlander avec une affection plus réservée.

Kale se tourna et esquissa un signe en direction de Bardon resté assis à côté de Bruit. Il rougit, et elle l'entendit lui déclarer en pensée :

– Pas moi !

Oui, Bardon, c'est vrai. Paladin a envoyé Greer pour toi. Son cavalier est décédé lors de la récente bataille à Creemoor. Il veut servir encore. Greer aura le cœur brisé s'il ne trouve pas bientôt un nouveau cavalier.

Bardon descendit du perchoir du conducteur en s'aidant de ses mains et marcha lentement dans le champ. Des sauterelles et des coccinelles batteuses se dispersaient devant lui.

Greer arqua son cou bleu et tourna la tête vers son cavalier potentiel. Le dragon majestueux déploya ses ailes bleu cobalt loin de son corps pourpre et battit l'air d'un grand geste large et puissant. Le vent écarta les cheveux du visage de Bardon.

Kale prit une rapide respiration. À cause de ses cheveux repoussés vers l'arrière, elle vit les oreilles pointues du lehman. Elle aperçut cette singularité très clairement. Elle jeta un coup d'œil à ses compagnons et elle vérifia même avec son don pour savoir s'ils l'avaient remarquée. Personne ne semblait avoir décelé ce qui paraissait si évident pour elle.

Le dragon inclina la tête devant Bardon, maintenant qu'il se tenait proche. Ils se regardèrent dans les yeux pendant presque une minute. Elle retint son souffle.

Bardon tendit la main, paume vers le bas. Le dragon plaça son menton à côté de la main et lui donna clairement un petit coup, la faisant ainsi se retourner. Le lehman s'avança et caressa l'énorme cou de la bête. Greer posa son menton sur l'épaule du jeune homme.

Kale expira et serra le cou de Célisse.

Ça a marché. Ils se feront du bien l'un à l'autre.

Elle sentit un grondement dans la gorge de Célisse et elle rit tout haut.

Bien sûr que je n'avais jamais douté du bien-fondé de la décision de Paladin.

Toopka courut dans le champ et sauta dans les bras de Kale.

— Il y a encore un dragon. Est-il pour moi ?

— Non, Toopka.

Kale étreignit fortement la petite doneel.

— Le nom du dragon brun est Bett, et Librettowit le montera. Nous avons besoin de quatre bêtes parce que nous ne voulons pas les surcharger avec trop de passagers et de bagages.

Ils transférèrent leurs effets personnels du toit de la voiture sur le dos des dragons. Bruit retenait son cheval en regardant le groupe de quête s'envoler. Il agita son chapeau en guise de salut.

— J'aime Bruit, déclara Toopka depuis son siège devant Kale sur Célisse.

— Je l'aime aussi, répondit Kale.

Toopka se pencha en arrière et posa sa tête sur la poitrine de Kale et soupira.

— Partir en quête nous force à laisser beaucoup de gens derrière nous, n'est-ce pas ?

— Eh bien, oui. Mais cela signifie aussi rencontrer beaucoup de gens à l'avenir.

Et demain, je vais rencontrer des personnes de mon passé.

Ils volèrent jusqu'au crépuscule, puis atterrirent dans un champ dévasté. Bardon et Kale marchèrent jusqu'à une ferme des environs pour entendre les nouvelles. Une heure plus tard, ils revinrent pour dire aux autres que la destruction causée par les dragons était encore plus répandue et plus catastrophique au nord. Les fermiers de la région étaient nerveux.

Après le repas du soir, Kale s'assit sous un feuillecourbe, près du tronc. De longues branches minces tombaient jusqu'au sol tout autour d'elle, créant une tonnelle privée. Seuls le son des insectes et les appels d'une grenouille batteuse envahissaient sa solitude.

Les quatre dragons nains la suivirent dans son petit sanctuaire. Son corps crispé se détendit alors que Metta entonna une mélodie en trilles. Elle rit quand Dibl courut le long de son corps pour montrer son excitation de se trouver dans un nouveau lieu.

— Tant que je vous aurai comme amis, je n'aurai pas à craindre de me retrouver seule, n'est-ce pas ?

Ardéo était assis sur sa cuisse, sa lueur aussi brillante que celle de la lune. Kale lui caressa les flancs. Metta était installée sur l'épaule de Kale, son perchoir favori. Le petit dragon violet s'appuyait sur son cou et elle y enfouissait son nez. Elle fredonnait une chanson apaisante apparemment sans paroles. Gymn était posé sur l'autre épaule et Dibl chassait les insectes. Ardéo n'avait toujours pas montré d'intérêt pour son premier repas.

Kale se souvint des tirades de Fenworth sur le fait que les quêtes pouvaient devenir très inconfortables. Elle était d'accord. De plus, avoir une mère déplaisante apparaissant et disparaissant sans préavis pendant cette quête la rendait encore plus inconfortable. Kale avait envie de retourner au Manoir pour échapper aux complications devant elle. Sauf qu'un petit sursis en compagnie de ses dragons nains était le mieux qu'elle pouvait obtenir.

Les autres membres de la quête étaient installés autour d'un feu de camp. Kale, elle, voulait réfléchir et démêler ses sentiments. Demain, ils atterriraient à Rivière au Loin. Elle côtoierait les gens qui l'avaient élevée depuis qu'elle était bébé.

— Tu aimeras Dubby Brummer, dit-elle à Dibl alors qu'il exécutait des culbutes devant elle. Je me demande à quel point il a grandi. Quand je l'ai vu pour la dernière fois, il était encore dans ses langes.

Gymn déboula en bas de son épaule et se lança sur Dibl. Ils luttèrent pendant un moment, puis partirent à la chasse aux insectes.

— Bolley et Gronmere sont amusants à regarder aussi. Ils se battaient sur la place du village pour montrer leurs talents de combattants. Je me demande si je devrais leur offrir de se mesurer à moi pendant une ronde.

Elle gloussa.

— N'est-ce pas qu'ils seraient surpris ?

« Puis, il y a dame Meiger. Si aimable veut dire amical, alors dame Meiger n'est certainement pas aimable. Mais elle est juste.

« Et maître Meiger est occupé ; trop occupé pour être gentil ou même intéressé par les occupations d'une esclave.

Elle prit Gymn dans ses mains en coupe et le colla sous son menton.

– Pense comme leurs yeux vont sortir de leurs orbites quand ils me verront glisser en bas du cou de Célisse et marcher vers eux dans mon uniforme de leecent au lieu de mes loques d'esclaves.

Gymn gazouilla.

– Non, nous n'avons plus besoin de porter nos déguisements. Enfin, peut-être que Régidor le doit. Mais le reste d'entre nous sera exactement tels que nous sommes – les serviteurs de Paladin envoyés pour aider la population locale avec leurs terribles ennuis. J'ai l'intention d'avoir un air très officiel et impressionnant.

Elle plaça Gymn sur son genou et tira sur la pochette autour de son cou. Elle y fourra deux doigts et en sortit un morceau de coquille.

– La première chose que nous ferons, c'est de nettoyer cette pochette. Dame Meiger me l'a offerte pour porter Gymn.

Elle retourna le tissu à l'envers et des morceaux de coquilles tombèrent sur le sol jonché de feuilles. Une lueur métallique l'avertit que l'étrange pièce que lui avait donnée Mamie Noon était allée s'y échoir elle aussi. Gymn grimpa sur le corps de Kale quand elle bougea les genoux et fit courir ses doigts dans le paillis. Elle trouva le disque brillant. En le tenant dans la paume de sa main, elle examina les deux entailles en forme de pointe de tarte coupées sur les côtés.

Une brise souleva les cheveux de Kale. Elle leva les yeux et vit s'ouvrir le rideau de branches du feuillecourbe. Sa mère entra. Sa robe de velours aux teintes violettes avec une bordure dorée prenait toute la place dans la tonnelle. Elle dut se pencher, et Kale eut l'impression que cela l'agaçait énormément.

– Encore entourée par tes jolis petits animaux de compagnie, Kale ? Mets-les de côté pour le moment. J'ai des nouvelles importantes pour toi.

Les dragons nains filèrent dans l'ombre. Kale souleva Gymn de son épaule et le posa sur le sol, elle se leva brusquement et exécuta une révérence.

– Mère.

– Oui, nos amis m'ont fait quitter Creemoor en toute sécurité. Mon travail là-bas est terminé. Je n'ai pas besoin de rester à Rivière au Loin. Fenworth et Cam ont la situation bien en main. À présent, partons.

– Partir ? Pour aller où ?

– À Vendela. N'est-ce pas là où tu souhaites te retrouver ?

Une vision de beaux édifices, de rues propres et de gens heureux surgit dans sa tête. Pendant deux semaines, elle avait vécu au Manoir avec devant elle un avenir prévisible de formation et de service. Puis, elle avait suivi Dar à travers la grille d'entrée.

– Non.

Kale secoua la tête.

Sa mère arqua les sourcils.

– Non ?

– J'aimerais y retourner un jour, mais pas aujourd'hui.

– Là n'est pas la question. Nous partons.

Lyll Allerion tendit une main, attendant que Kale la prenne.

Metta revint se poser sur l'épaule de Kale. Gymn prit position sur l'autre. Dibl et Ardéo plongèrent dans la cape en rayons-de-lune, cherchant leur antre de poche. À la minute où Ardéo disparut dans les plis de la cape, l'obscurité s'abattit sur la tonnelle.

Lyll retira brusquement sa main. Elle siffla un mot que Kale ne reconnut pas, et une lumière éclaira l'endroit. L'éclat pénible fit cligner Kale des yeux, et elle les protégea avec sa main.

Sa mère prononça un autre mot et la lumière blessante s'affaiblit.

Sa mère sourit, mais elle conserva un regard dur, ce qui rendit Kale méfiante.

— Comme tu vois, dit Lyll Allerion, sa voix douce et persuasive, je n'ai aucun besoin de ces maigres créatures. Ta collection de bêtes sera inutile dans notre palais. Ordonne-leur de rester ici.

Kale sentit son cœur frissonner ; et ses mains se serrèrent pour former des poings. Le solide disque de métal lui mordit la peau. La douleur monta dans son bras. Kale relâcha son emprise sur l'étrange pièce et la laissa choir.

— Oh non.

Elle tomba à genoux pour chercher le cadeau de Mamie Noon.

— Qu'est-ce qu'il y a maintenant ? s'enquit Lyll.

— J'ai perdu la pièce que m'a offerte Mamie Noon.

— Tu n'auras pas besoin de cela non plus. Franchement, Kale, sort de ton existence lamentable. Pourquoi rester à l'entière disposition d'un groupe disparate d'inadaptés quand tu pourrais vivre dans la splendeur de la richesse et du pouvoir consenti par Wulder Lui-même à la famille Allerion ? Viens !

Lyll tendit encore une fois sa main d'albâtre, et Kale vit les bouts des ongles pointus de sa mère vernis en violet assorti à sa robe.

Elle baissa la tête et fixa le sol. La pièce gisait parmi des feuilles sèches et craquantes. Une volute de fumée s'élevait en spirale depuis le bord du disque de métal. Avec un crépitement, la fumée se propagea et se transforma en une mince langue tournoyante de feu. Les yeux de Kale s'arrondirent quand la petite flamme encercla la pièce et devint plus grande.

Gymn et Metta pépièrent d'inquiétude. Avec un bruissement d'air froid, la mère de Kale disparut. Kale tapa sur le feu avec sa botte. En quelques secondes, la tonnelle sous le feuillecourbe redevint sombre et silencieuse.

Elle redressa les épaules et combattit la peur qui lui sciait presque les jambes en deux. Dibl et Ardéo jetèrent un coup d'œil furtif hors de la cape. Ardéo émit un trille et plongea vers le sol brûlé. Il s'empara d'un insecte et le laissa tomber dans sa bouche.

Kale eut un petit rire nerveux.

– Les blattes grillées semblent être le plat préféré d'Ardéo.

Elle se pencha et ramassa prudemment le disque de métal brillant. Il ne restait aucune chaleur. Elle serra la pièce froide dans sa main et ne ressentit aucune douleur. Elle serra davantage et ne sentit toujours pas la morsure dans sa peau qui lui avait fait lâcher la pièce un peu avant.

En ouvrant la main, Kale fixa la petite pièce de métal.

– Bon, qu'est-ce que cela signifie ?

41

RETOUR À LA MAISON

Kale s'avança à l'extérieur de son abri sous le feuillecourbe et respira l'air frais et limpide. La voute céleste veloutée était piquée d'étoiles et de pointes d'épingle brillantes. Les dragons nains dansaient dans le ciel, démontrant leur humeur joyeuse.

Elle sentit la présence proche de Bardon et le chercha. Il sortit de derrière un autre feuillecourbe. Armé de son épée et de son arc, il semblait prêt à défendre le campement.

– Es-tu de garde, Bardon?

– Il est toujours bon d'être paré.

– Tu assurais ma sécurité.

Il hocha la tête.

– L'as-tu vu?

– Brièvement.

Il hésita.

– En tout cas, elle s'habille bien.

Kale rit.

Bardon observa le ballet aérien des dragons.

– Ils sont heureux. Mais cela signifie-t-il que tu l'es aussi?

– Je le suis. N'est-ce pas étrange?

– Parce que ta mère se trouve ici et que c'est une... personne dérangeante?

– Oui.

Kale regarda la campagne. Le champ dévasté ne paraissait pas si austère sous la faible lumière de la lune. Elle soupira devant la beauté toujours visible dans la pente des douces collines.

— Je réfléchissais au fait que je me sentirais supérieure aux gens que je servais auparavant. Puis, ma mère est venue et, elle, elle est réellement importante. Et je ne l'aime pas.

Dibl atterrit sur l'épaule de Bardon, puis s'envola de nouveau. La voix de Metta entonna une chanson exprimant le contentement.

Bardon posa une main sur l'épaule de Kale et la guida pour la faire asseoir sur un rocher. Il s'agenouilla près d'elle.

— Alors, pourquoi te sens-tu si bien ? demanda-t-il.

— Parce que je ne l'ai pas suivie. Je savais que je n'y étais pas obligée. Et demain, je serai contente de revoir dame Meiger. Je vais voir des amis, et non des maîtres.

Elle haleta quand une lumière apparut à travers un des feuillecourbes.

— Des kimens, murmura-t-elle.

Bardon s'assit sur le gazon et s'appuya contre le rocher. Ils observèrent d'autres minuscules créatures se glisser dans l'espace à découvert. Elles dansèrent sous les dragons nains et chantèrent avec Metta. Leurs habits luisaient dans des teintes de lavande, de jaune et de doré.

Contrairement à la première fois où Kale avait vu danser ces petites personnes, elle ne se sentit pas poussée à se joindre à elles. Au lieu de cela, elle savourait le plaisir de leur chanson simple et de leur délicieuse danse.

Bardon le ressentit lui aussi. Le puissant lien entre eux fit sortir Kale de sa rêverie. Depuis son perchoir sur le gros rocher, elle regarda Bardon assis sur le gazon. Elle s'attendait à ce que son dos ou son épaule la touche. Mais quinze centimètres le séparaient de son genou à elle. Malgré cela, une forte vibration émanait du lehman. La sensation ressemblait au ronronnement d'un chat, et elle se rendit compte qu'il était pareil, son pour son, au tremblement dans son être.

Des notes en harmonie avec la chanson de Metta ramenèrent son attention sur le présent. Librettowit, Régidor et Dar se tenaient avec des instruments à l'autre bout du champ en pièces. Le bibliothécaire jouait du hautbois, le dragon meech de la flûte et le doneel faisait courir un archet sur les cordes d'un violon. Toopka bondit dans l'espace à découvert et se joignit aux danseurs.

Une lueur grandit au centre du champ parmi les kimens. Comme les couleurs de l'arc-en-ciel, une flaque de lumière effectuait un flux et un reflux, vibrant au rythme des accords de la musique. Avec chaque pulsation, les bords s'élargissaient puis refluaient, mais la hauteur de l'image continuait de monter vers le ciel. Quand la mélodie s'arrêta, un arc-en-ciel s'élevait loin au-dessus de leurs têtes. Pendant un moment, la lumière trembla, puis l'image fila vers le haut et disparut comme une comète dans les cieux.

— Qu'est-ce que c'était ? demanda Bardon.

— Une dévotion, répondit Kale, sa voix encore un murmure émerveillé.

Bardon marcha avec elle pour retourner aux tentes. Aucun des membres du groupe de quête ne parla en allant au lit. La sérénité ayant suivi l'interlude musical planait au-dessus d'eux comme une couverture de paix.

Toopka s'installa sur sa paillasse. Mais dès que Kale tira sur elle ses propres couvertures et se cala pour dormir, la minuscule doneel bondit hors de son lit, franchit à toute vitesse l'espace entre elles et se glissa sous le drap. Kale se colla à sa petite amie, et elles s'endormirent profondément et passèrent une nuit paisible.

L'aube exposa encore une fois le givre sur le sol. Les rayons du soleil coloraient les minces bancs de nuages d'une riche teinte corail. La fumée de bois venant du feu de cuisson de Dar se mélangeait aux épices fortes qu'il avait saupoudrées dans les tasses de thé. Toopka rôdait tout près, espérant être la première à remplir son assiette de mullins frits.

Les dragons toléraient le froid, mais préféraient la température plus chaude. Ils battaient l'air avec leurs ailes tannées pour faire circuler leur sang lent. Ceux qui ne savaient pas que ce rituel les préparait à l'envol auraient pu croire qu'ils rendaient hommage au soleil levant.

Une fois le petit déjeuner avalé par les compagnons, ils levèrent le camp, et Kale enveloppa Toopka à l'intérieur de sa cape pour le voyage. Les autres camarades se vêtirent chaudement d'habits doublés de lainages épais. Quand ils furent en vol, la chaleur générée par le travail des dragons traversa les selles de cuir et réchauffa les passagers.

Ils s'envolèrent très haut au-dessus de la campagne pendant seulement une heure avant d'apercevoir la rivière Guerson. Les bêtes descendirent et atterrirent dans un champ moissonné à l'est de Rivière au Loin. Un fermier et ses deux fils sortirent pour les accueillir.

Dar mena les autres afin qu'ils s'adressent aux hommes mariones.

– Bonne journée à vous, commença-t-il. Nous venons au nom de Paladin. Il nous a mandatés pour vous aider dans vos difficultés avec les dragons. Je m'appelle sire Dar. Je suis accompagné par un meech, deux guerriers, un historien et une enfant. J'aimerais parler à vos conseillers.

Le fermier regarda ses fils pour voir leur réaction à ce discours. Les jeunes hommes hochèrent gravement la tête.

– Je suis le fermier Deel. Voici mes fils aînés, Mack et Weedom. Nous allons vous mener au maître Meiger, dit-il.

Puis, il tourna le regard vers les quatre créatures debout dans son champ.

– Vos dragons ?

– Sans danger, l'assura Dar. Mais si leur présence vous trouble, ils peuvent volontiers nous attendre ailleurs.

Le fermier hocha la tête. Il changea de position et jeta un autre coup d'œil à ses fils.

– Oui, j'ai une famille à protéger. Les temps ne sont plus ce qu'ils étaient.

– Ce n'est pas un problème, fermier Deel.

Dar retourna aux côtés de Merlander et lui parla. Sous peu, les autres dragons la suivirent dans le ciel et virèrent à l'est.

Kale les regarda partir, sachant qu'ils reviendraient rapidement si on les convoquait. Elle s'approcha des mariones. Elle avait travaillé souvent comme esclave dans leur maison.

– Bon matin, fermier Deel.

Il examina son visage, puis une étincelle de reconnaissance changea son expression.

– Kale ?

Elle acquiesça et sourit largement. Mack s'avança et la gratifia d'une chaleureuse poignée de main. Weedom le repoussa et, à son tour, lui secoua vivement la main. Ni l'un ni l'autre des jeunes hommes n'exprima son plaisir de la voir, mais elle avait l'impression que tous les os de sa main avaient été broyés. Elle massa ses doigts et sourit.

– Cela suffit, dit le fermier Deel d'un ton bourru. Nous avons une affaire à mener.

Avant de pivoter pour mener la voie vers le village, il tapota l'épaule de Kale.

– Assure-toi de rendre visite à ma bonne épouse. Elle éprouvait beaucoup d'affection pour toi et cela lui réchaufferait le cœur.

La bonne épouse Deel avait de l'affection pour moi ? Kale s'imagina la femme du fermier arrêtant ses tâches pour prendre un enfant en pleurs. La façon brusque dont la mère administrait étreinte, baiser et mot de consolation montrait son type de relation avec les autres. Peu de tendresse agrémentait sa vie.

Ils parcourent les trois kilomètres jusqu'à Rivière au Loin d'une démarche rapide. La première chose que vit Kale parmi le regroupement familier d'humbles bâtiments fut les poules et les gloménards picorant dans les cours et sur les routes. Les rues non pavées n'accueillaient que peu de circulation, à part quelques chariots tirés par des chèvres et des charrettes à bras, ainsi que l'occasionnel cavalier sur son cheval.

Les jours de marché, la poussière ou les grognements rendaient l'air lourd. La circulation soulevait la poussière après une période de sécheresse. Les fermiers ralentis par les routes détrempées crachaient leur mécontentement.

Ils tournèrent un coin pour accéder à la rue principale traversant le village où l'hôtel, l'auberge et les boutiquiers s'alignaient les uns près des autres. Sur le banc devant l'auberge, un vieil homme parlait à un arbre, lui aussi assis sur le banc.

Toopka poussa un cri de joie et courut devant pour se jeter dans les bras du magicien Cam. Elle l'étreignit et déposa un baiser bruyant sur sa joue, puis se tourna vers l'arbre.

— Réveillez-vous, magicien Fen. Nous sommes là ! Réveillez-vous et dites bonjour.

L'arbre frissonna. Des feuilles tombèrent au sol et couvrirent les racines exposées. Un oiseau jeta un coup d'œil furtif à travers les branches et, avec un regard désapprobateur à Toopka, il s'envola.

La fillette descendit des genoux de Cam et se saisit d'une des branches. Elle tira doucement dessus.

— Allons, magicien Fen. Ne voulez-vous pas nous voir ? Ne voulez-vous pas entendre parler de nos aventures ? Régidor peut cracher du feu !

Cam posa une main sur l'épaule de la petite doneel.

— Cela devient plus difficile pour lui, ma chère enfant. Laisse-lui une minute.

L'arbre gronda.

— Tu laisses croire que je deviens vieux. Je vais t'enrouler dans des herbes des marais, Cam, et te jeter dans le lac ! Un homme ne peut-il pas se reposer après avoir tué 2356 araignées creemoors ?

Fenworth se secoua de nouveau. Sa ressemblance avec le bois disparut à l'exception de quelques feuilles perdues dans ses cheveux et dans sa barbe.

Toopka applaudit et sautilla.

Fenworth la regarda avec une mine renfrognée, mais elle se contenta de rire.

– Toi, mon enfant, tu es impertinente.

– Est-ce que cela veut dire « affamée » ? Parce que j'ai très faim !

Fenworth l'ignora et se tourna avec raideur pour voir les autres s'approcher.

– Bien ! s'exclama-t-il. Voici mes apprentis. Je pensais vous avoir égarés. Et mon bibliothécaire ! Ce que je ne donnerais pas pour une chope de guimauve et un bon livre, un feu chaleureux et Thorpendipity croassant sans arrêt les nouvelles des marais.

Il secoua la tête.

– Mais vous avez amené ce doneel empoisonneur qui veut toujours nous faire faire des choses.

Il se leva et pointa un doigt sur Dar.

– Toi, reste ici.

Il pointa le même doigt sur Kale et le plia.

– Toi, viens avec moi. Ta mère n'a cessé de me harceler, comme un chien avec un vieil os. Allons la rencontrer.

42

Mère ?

Quand Kale passa le seuil de l'auberge à la suite du magicien Fenworth, la salle faiblement éclairée lui rappela des souvenirs. Fenworth s'avança davantage dans la pièce, lui laissant ainsi une vue dégagée de tout le rez-de-chaussée. Il n'y avait pas de garçons de ferme tapageurs assis aux tables en ce moment. Pas de voyageurs debout devant le bar. Il n'y avait pas d'hommes graves installés avec leur chope pour discuter des prix au marché et du temps capricieux.

Kale connaissait bien l'auberge. Une porte menait à la cuisine, un ajout construit à l'arrière du bâtiment. Un escalier montait le long d'un des murs. Au premier étage, trois chambres accueillaient les invités payants pour la nuit. Au deuxième, deux chambres à coucher et un salon composaient les appartements du maître Meiger et de sa dame. Et tout en haut, dans le grenier, une petite chambre abritait l'esclave du village. Kale avait grimpé ces marches d'innombrable fois.

Le repas du midi n'avait pas encore été servi. Des bûches pétillaient et crépitaient dans l'immense âtre. Dans un coin, près de la fresque murale, deux silhouettes étaient assises dans les seuls fauteuils rembourrés de la salle. La lampe sur la table entre elles n'avait pas été allumée. Les yeux de Kale, accoutumés au vif éclairage de l'extérieur, ne pouvaient pas déterminer leur identité.

La voix de deux femmes ponctuait l'atmosphère d'une touche de conversation légère. L'une d'elles rigola, son humour se manifestant dans son rire mélodieux et énergique. Celui de sa compagne arriva à contrecœur et semblait rouillé, comme si on ne l'utilisait pas souvent. Kale le reconnut comme celui de sa maîtresse. Le premier lui était inconnu.

Kale s'avança pour se placer à côté du magicien. Il lui tapota l'épaule et y laissa ensuite sa main d'une manière réconfortante. Elle respira profondément, sentant le vieux bois et l'huile de pin à polissage, qu'elle se rappelait avoir frotté sur le bar et la main courante. L'odeur agréable de la fumée de foyer se mêlait au léger parfum du ragoût mijotant dans la cuisine.

Les femmes cessèrent de parler.

Les yeux de Kale s'étaient ajustés à la pénombre. Elle voyait maintenant la forme plutôt carrée de sa propriétaire marione, dame Meiger. L'autre femme se leva, et Kale soupira de soulagement. Ce n'était pas sa mère. Cette femme dépassait dame Meiger de plusieurs centimètres, mais elle était tout aussi ronde. Ses cheveux bruns et gris pendaient sur une épaule en une tresse épaisse. Sa robe bleue propre et ordinaire était cousue dans une étoffe tissée maison. Un tablier blanc en couvrait le devant. La femme s'avança plus près à pas hésitants.

Autant sa mère était élégante, autant cette femme ne l'était pas. Son double menton n'était pas levé avec arrogance. Le dos de sa mère redressait son exquise silhouette. Cette femme avait le dos voûté. Les traits finement ciselés de sa mère reflétaient ses humeurs avec beauté. Les larmes de cette femme coulaient sur ses joues ridées.

Elle tendit une main.

— Tout d'abord, je veux te dire que je t'aime. Ensuite, je dois t'expliquer pourquoi c'était nécessaire de te cacher dans un endroit sécuritaire.

Le regard de Kale passa de dame Meiger au magicien Fenworth. Les deux arboraient des mines inquiètes.

La femme prit la main de Kale et la tira doucement pour la guider vers le siège qu'elle venait de laisser. Dame Meiger évacua son fauteuil confortable et quitta la pièce d'un pas affairé par la porte menant à la cuisine. Le magicien Fenworth s'installa sur une chaise de bois près de l'une des peu nombreuses fenêtres. La femme, tenant toujours la main de Kale, s'assit dans le fauteuil de dame Meiger.

— Vous êtes ma mère?

La voix de Kale s'échappa dans un murmure.

— Je suis Lyll Allerion.

— Ma mère?

Sa voix s'éleva juste un ton plus haut, mais le glapissement la fit résonner plus fortement à ses propres oreilles.

Le visage de Lyll se plissa sous sa perplexité.

— Oui, Kale, je suis ta mère. J'ai dû te laisser ici quand ton père a été capturé par Risto. Je savais que Risto essaierait de te retrouver et de t'utiliser pour contraindre ton père à suivre sa voie maléfique.

Kale hocha lentement la tête.

— Et où êtes-vous allée?

— Chercher Kemry, bien sûr.

— Kemry?

— Ton père.

— Oh.

Kale restait immobile, absorbant cette information. Elle examina la main qui tenait la sienne, puis le visage de cette femme qui prétendait être Lyll Allerion. Des rides de rire partaient du coin de ses doux yeux noisette, mais ses lèvres étaient serrées en une moue inquiète. Pourtant, même en grimaçant, cette mère paraissait aimante et accessible.

— L'avez-vous trouvé? s'enquit Kale.

Des larmes montèrent aux yeux de Lyll.

— Oui, mais je n'ai pas pu le sauver.

— Il est mort?

Lyll secoua la tête.

— Il dort ; catalepsie.

— Risto ?

Lyll acquiesça d'un signe.

— Alors, il y a encore de l'espoir.

La femme plus âgée soupira, les épaules affaissées.

Dame Meiger revint, portant une pile de linges. Elle la déposa sur une table et vint en hâte se placer à côté de la femme o'rant.

— Lyll, tu es épuisée. Tu vas au lit. Nous t'apporterons un plateau-repas à midi.

Lyll ravala un sanglot lui montant à la gorge. Elle hocha la tête en silence, combattant ses émotions pendant un moment. Elle inspira profondément et redressa les épaules.

— Oui, tu as raison, Mern.

Kale aida Lyll à se lever. Son aînée la serra dans ses bras.

— Nous parlerons plus tard, ma chère enfant.

Elle renifla et essuya une larme de son œil avec un mouchoir de poche ordinaire.

— Je sais que tu ne me connais pas et je ne peux pas te demander de m'aimer. Mais j'espère que nous pourrons remplir le vide de toutes ces années où nous avons été séparées.

— Bien sûr que vous y arriverez, dit dame Meiger en prenant le bras de Lyll pour la guider hors de la salle. Kale a toujours agi comme la meilleure des enfants. Son cœur déborde de bonté. Je ne l'ai jamais comprise. Mais j'ai toujours admiré ses manières chaleureuses et généreuses, qui me faisaient penser à toi, Lyll.

Kale observa son ancienne propriétaire aider sa « peut-être » mère à monter l'escalier, puis se laissa choir dans le fauteuil rembourré. Elle jeta un coup d'œil à Fenworth. Il s'était endormi. Seul un arbre solide occupait la chaise. Les dragons nains se glissèrent hors de leur antre. Metta grimpa sur son épaule. Dibl s'assit sur son genou. Gymn vola vers le vieux magicien et prit position, scrutant les alentours entre les branches de Fenworth. Ardéo fila vers la table pour se placer à côté de la lampe éteinte.

Les yeux de Kale se posèrent sur Dibl, et un sourire s'élargit sur ses lèvres.

– Oui, c'est plutôt bizarre. À présent j'ai deux mères, alors qu'avant, je n'en avais pas du tout.

Sur son épaule, Metta émit des trilles.

Elle répondit.

– J'aime mieux celle-ci moi aussi.

Deux jeunes filles mariones entrèrent dans la salle commune de l'auberge en provenance de la cuisine. Elles semblaient âgées respectivement de cinq et sept ans. Kale sut tout de suite qu'elles étaient venues préparer la pièce en vue de la douzaine de clients qui arriveraient bientôt pour manger leur repas du midi. Toutefois, les filles s'arrêtèrent juste après la porte et se donnèrent de légers coups de coude en pointant l'arbre dans la chaise près de la fenêtre.

Dibl sauta de joie, et Kale dut retenir un gloussement quand les deux servantes s'approchèrent à petits pas prudents de Fenworth. Elles firent le tour de cette curiosité en restant à une distance sécuritaire.

– C'est un arbre, Cakkue, dit la plus petite.

– Qu'est-ce que c'est, dans les branches ?

Les deux fillettes fixaient Gymn, qui les observait à son tour sans cligner des paupières.

– Est-il réel ? demanda la plus jeune.

– Je crois que rien de ceci n'est réel, Yonny.

– Je pense que c'est un lézard.

Dibl roula en bas du genou et de la jambe de Kale et continua ses culbutes une fois au sol.

Gymn déploya ses ailes et vola jusqu'à Kale. Les deux filles poussèrent un cri aigu.

– C'est une chauve-souris ! s'écria Cakkue, et les deux plongèrent sous l'une des grandes tables de planches de bois pour se mettre à l'abri.

Entre deux rires, Kale essaya de les rassurer.

– Non, non. Gymn est un dragon nain.

Yonny hurla et enroula ses bras solidement autour du cou de Cakkue.

— Il y en a trois autres près de cette fille. Ils sont partout!

Dibl cessa ses roulades et demeura parfaitement immobile. Kale sentit sa détresse en recevant son appel à l'aide dans sa tête.

— Oh, s'il vous plaît.

Elle se leva et se hâta vers la table où les fillettes étaient accroupies pour les implorer.

— Vous bouleversez Dibl. Il adore s'amuser, mais il pense qu'il vous a effrayées, et cela le trouble énormément. S'il vous plaît, sortez.

— Non, n'y va pas, hurla Yonny quand la plus âgée esquissa un geste.

Cakkue se recroquevilla et secoua la tête.

Kale leur sourit.

— Les dragons sont gentils. Venez, et je vais vous présenter.

Les deux filles refusèrent d'un signe. Avec leur visage l'un contre l'autre, elle pouvait voir qu'il s'agissait de deux sœurs.

Des sœurs très sottes!

Elle tenta de cacher son exaspération.

— Vous savez que vous devez sortir. Si vous n'accomplissez pas votre travail, dame Meiger sera très mécontente.

Metta entonna une chanson. Yonny et Cakkue échangèrent un regard. Kale était certaine d'avoir fait des progrès avec son avertissement à propos de leur maîtresse, et le chant de Metta apaisait leurs craintes.

Les deux émergèrent lentement, toujours collées l'une à l'autre.

— Tu les empêcheras de nous mordre? demanda la plus âgée.

— Ils ne mordent pas! s'exclama Kale. Même pas pendant une bataille.

— Ils se battent? s'écria Yonny.

— Seulement si je suis en danger.

Yonny se pencha en avant pour jeter un coup d'œil furtif autour de sa grande sœur.

— Et l'arbre ?

— C'est un ami à moi, un magicien. Il fait une sieste.

Les deux jeunes esclaves continuèrent d'observer Fenworth avec des moues sceptiques.

— Venez, dit Kale, je vais vous aider avec vos tâches. Vous êtes en retard à présent.

Cakkue la regarda avec une mine maussade.

— Comment sais-tu ce que nous devons faire ?

Elle rit.

— Je suis Kale. J'étais autrefois l'esclave de ce village.

Après cette déclaration, les deux filles se détendirent.

— Alors, j'aimerais ton aide, dit la plus vieille.

Elle se déplaça pour sortir de l'argenterie d'un tiroir.

— C'est parce que tu es partie que nous sommes devenues esclaves de village. Au début, ils ne voulaient pas nous prendre parce que nous sommes deux et ils disaient que le village était juste assez pro-spè-re — elle prit grand soin de prononcer chaque syllabe très clairement — pour subvenir au besoin d'une seule esclave.

Yonny acquiesça.

— Tout le monde est au courant pour toi. Tu as trouvé un œuf de dragon. Tu es célèbre. J'aime mieux être ici qu'être célèbre.

— Vous *désiriez* devenir des esclaves ici ? leur demanda Kale.

Yonny hocha de nouveau la tête.

— Nous avons une maison. Tu n'as pas de maison, n'est-ce pas ?

Avant que Kale ne puisse répondre, la plus âgée des sœurs lui expliqua.

— Oui, nous voulons vivre ici, dit Cakkue. C'est beaucoup mieux que de mourir de faim à la ferme. Notre maman et notre papa sont morts, et il ne nous restait qu'un grand frère pour s'occuper de nous. Dès qu'il nous a vues installées ici, il est parti travailler ailleurs. Il sait beaucoup de choses, mais pas suffisamment pour diriger une ferme par lui-même. Nous n'arrivions pas à payer le loyer.

Cakkue donna l'argenterie et les serviettes de table à sa petite sœur. Yonny enveloppa une fourchette et une cuillère dans chaque carré d'une main experte.

Cakkue se rendit au vaisselier derrière le bar et déposa des assiettes et des bols sur le comptoir. Kale sortit des tasses et des chopes.

— Donc, vous aimez cela ici ? s'enquit-elle.

— Bien sûr, répondit Yonny. Nous mangeons.

— Et, ajouta Cakkue, nous apprenons à faire les choses par nous-mêmes. Maman est morte avant d'avoir pu nous enseigner les tâches ménagères. Quand je me marierai, je ne ferai pas honte à ma famille.

Kale observa les filles effectuer les tâches qu'elle avait accomplies tant de fois. Elle aida lorsque possible, mais les corvées simples ne nécessitaient pas trois personnes.

Yonny nettoya le verre de la fenêtre pendant que Cakkue ajoutait une bûche dans l'âtre. Les deux passaient à côté de l'arbre et des dragons nains sur le bout des pieds.

— Je serai libre de me marier, dit Cakkue, dès que j'aurai seize ans.

Elle frotta les paumes de ses mains sur son tablier pour enlever la saleté recueillie sur la bûche. Kale remarqua que du vieux tissu rapiéçait l'étoffe usée de son tablier.

Une ombre obscurcit la salle. Kale se tourna pour voir ce qui bloquait la lumière du jour. Régidor se tenait dans le cadre de la porte et lui faisait signe. Dans sa robe de moine, il ressemblait à un sombre spectre à cause du soleil ardent derrière lui. Yonny haleta et se précipita à côté de sa grande sœur.

Les dragons filèrent à toute vitesse dans les airs pour le saluer.

— Il est inoffensif lui aussi, déclara Kale en traversant la pièce pour suivre Régidor.

Avant de sortir, elle entendit le murmure bruyant de Cakkue.

— Les étrangers ! Ces derniers temps, nous sommes envahis par les étrangers !

Yonny répliqua :

— Ce ne serait pas si mal s'ils n'étaient pas des étrangers aussi étranges.

Dibl exécuta une culbute et atterrit sur l'épaule de Régidor. Les deux dragons, le meech et le nain, s'esclaffèrent devant la réaction de Yonny envers eux.

Kale rattrapa Régidor et ajusta son pas à ses grandes enjambées.

— As-tu rencontré ta mère, Kale ? lui demanda-t-il.

— Oui, je crois que oui.

— Que voulait dire cette fille par le fait qu'elle serait libre de se marier ?

— On garde les esclaves jusqu'à l'âge de seize ans. À ce moment-là, on juge qu'ils ont été formés pour mener leur vie sans le soutien du village.

— Lorsque tu parlais de ta vie d'esclave, tu n'as jamais mentionné cela.

— Eh bien, l'idée, c'est qu'une esclave se mariera. Je n'ai jamais pensé qu'un des jeunes mariones s'intéresserait à moi.

— Tu aurais pu aller en ville.

Kale haussa les épaules.

— J'imagine.

— Donc, si tu étais restée esclave de village, quand tu aurais atteint tes seize ans l'an prochain, tu aurais été affranchie. À présent, tu es un serviteur de Paladin et l'an prochain, tu seras encore un serviteur de Paladin, toujours envoyée en quête.

— Je peux choisir de faire autre chose, Régidor. Paladin me l'a expliqué.

– Mais tu seras encore un serviteur de Paladin ?

– Oui, toujours. Une fois que tu as fait le serment de le suivre, tu es son serviteur, peu importe ce que tu fais dans la vie.

– C'est un concept intéressant. Anticipes-tu cet avenir avec plaisir ?

Kale songea aux jours passés avec Fenworth, aux amis qu'elle s'était faits depuis son départ de Rivière au Loin et du sentiment qu'elle éprouvait d'avoir un destin, plutôt qu'une vie soumise au hasard.

– Oui, Régidor, absolument.

43

Bonne nuit

— J'ai des invités dans chaque chambre, déclara dame Meiger. Tu en partageras une avec ta mère, ma chère. On doit prendre soin d'elle, et qui de mieux si elle se sent mal ?

— Elle a été malade ? demanda Kale.

— Pas précisément malade, mais épuisée. Je ne saisis pas tout. Depuis peu, des tas de choses sont arrivées sans que je les comprenne. Par contre, je sais que ta mère t'aime et je suis extrêmement contente moi-même de te voir ici en visite. À présent, va et amène ces créatures avec toi. Elles sont jolies, mais je n'en ai pas l'habitude.

Kale monta les marches sans la bougie de rigueur. Ardéo était assis dans sa main et illuminait la voie. Elle désirait la compagnie des dragons nains ce soir. Elle n'avait pas hâte de partager sa nuit avec une étrangère.

Dibl martela son épaule avec ses pattes de derrière, et elle gloussa.

— Tu as raison, Dibl, cette mère n'est pas aussi bizarre que l'autre.

Elle frappa doucement à la porte et l'ouvrit quand son occupante lui répondit :

— Entrez.

Soutenue par ses oreillers, la femme o'rant qui se prétendait sa mère s'assit dans le plus grand des lits. Coincé entre une commode et le mur, un autre lit, plus petit et plus dur, attendait Kale. Elle traversa la pièce et déposa son paquet. Les dragons nains volèrent dans la chambre, cherchant une place pour se percher. Ardéo atterrit sur l'applique murale. Metta décrivit des cercles, puis revint sur l'épaule de son amie. Dibl s'assit sur les oreillers du lit de Kale. Gymn se posa sur le genou de la femme plus âgée. Il inclina la tête comme s'il l'examinait, puis il grimpa sur le devant de sa robe pour s'enrouler juste sous son double menton.

Lyll tapota Gymn timidement.

— Eh bien, je ne peux pas prétendre que je possède beaucoup d'expérience avec les dragons nains.

— Vous avez besoin de soins, dit Kale. Gymn est un dragon guérisseur.

Lyll caressa les flancs du petit dragon vert. Il se tourna bientôt pour se faire flatter le ventre. Kale sourit largement, sachant que Gymn aimait l'attention. Son sourire disparut avec sa réflexion suivante.

Si je m'étends avec eux pour fermer le cercle, la guérison sera plus rapide et plus complète.

Elle se détourna rapidement et suspendit sa cape en rayons-de-lune à un crochet. Elle plongea la main dans une cavité pour trouver le morceau de savon rose acheté à Prushing. Elle se l'était procuré parce que Toopka aimait le savon rose. Ce soir, Kale songea que le savon rose semblait une merveilleuse façon de se laver de ses soucis.

Comme si la couleur d'un savon pouvait nettoyer ce gâchis dans mon esprit. Je pourrais sûrement utiliser des lunettes magiques pour voir plus nettement. Ou une ouïe magique pour démêler la vérité et ne pas entendre des voix mensongères. Et ne serait-ce pas agréable si Wulder pouvait m'écrire un mot et le laisser sur mon oreiller ? Ou encore mieux ; Paladin pourrait se trouver dans le couloir, prêt à m'expliquer tout à propos des mères et des dragons rebelles. J'ai presque oublié les dragons en rébellion. C'est pourtant à leur propos que je suis censée m'inquiéter. La quête consiste à localiser et libérer un dragon piégé dans les machinations de Risto. Je semble être plus douée pour débusquer des mères.

— Je vais prendre un bain, dit-elle par-dessus son épaule.

— C'est bien, Kale.

La voix de la femme paraissait plus ferme.

Dibl ne laissait jamais passer une occasion de jouer dans l'eau. Il vola jusque sur sa tête. Mais elle dut appeler Ardéo afin qu'il éclaire le couloir jusqu'à l'escalier à l'arrière. Gymn et Metta restèrent avec la femme dans le lit, ce qui n'étonna pas Kale. Elle savait que les dragons se sentiraient détendus et sereins après avoir aidé quelqu'un. Kale ressentait cette même satisfaction après avoir participé à un cercle de guérison.

Elle marcha bruyamment dans le passage sombre, décidée à prendre un bain, à tremper longtemps dans l'eau chaude et agréable.

Dans la cuisine, il y avait des bouilloires d'eau chaude sur la cuisinière. Derrière un rideau dissimulant une alcôve rudimentaire, une grande baignoire en bois servait à tous les habitants de l'auberge.

Kale remplit le contenant avec un mélange d'eau froide et d'eau chaude. Elle utilisa le savon rose et une guenille rude. Allongée dans la cuve, les cheveux propres et la peau rosie par le nettoyage vigoureux, elle écoutait les bruits de l'auberge.

Les esclaves avaient été envoyées au lit depuis longtemps. Une servante engagée transportait quelques articles de la cuisine à la salle commune, mais l'heure du dîner était passée depuis belle lurette, et la plupart des clients buvaient du cidre et se racontaient des histoires. Aucun ménestrel n'offrait son spectacle ce soir. En de rares occasions, un artiste itinérant restait pour la nuit et payait son séjour avec des chansons et des récits. Les vendredis et les samedis soir, plusieurs fermiers locaux apportaient leurs violons et en jouaient.

Ce soir, cependant, tout était calme, trop calme. Kale s'était à moitié attendue à ce que Dar — et peut-être même Régidor —

joue pour les habitants de la région. Toutefois, elle ne les avait plus aperçus depuis qu'ils avaient mangé ensemble, plusieurs heures plus tôt.

– C'est *trop* calme ! siffla Kale.

Elle se redressa brusquement, faisant déborder l'eau de la baignoire en sortant.

– S'ils ne chantent pas une chanson pour empêcher mon cerveau idiot de se poser toujours les mêmes questions, alors je chanterai moi-même.

Elle attrapa un grand morceau d'une vieille couverture et frotta la chair de poule sur sa peau. Dibl volait autour de sa tête et lui nuisait. Elle ouvrit à peine la bouche et chanta entre ses dents serrées.

– *Le général du jour*
marchait parmi ses hommes.
Il les appela à gauche,
il les appela à droite,
il les appela encore à gauche.

Frissonnante, elle passa sa tête à travers une chemise de nuit et enveloppa sa frêle silhouette dans une chaude couverture. Dibl attira Ardéo afin qu'il exécute avec lui sa danse ridicule au-dessus de la tête de Kale.

– *Le roi vint voir,*
les hommes qu'il envoyait en mer.
Il les appela par-ci,
il les appela par-là,
il les rappela à moi.

Elle s'assit sur un tabouret branlant pour enfiler un bas épais. Dibl quitta la place derrière le rideau pour se rendre dans l'espace moins confiné de la cuisine. Ardéo le suivit, la laissant dans la semi-obscurité.

— *La cuisinière avait un canard.*
Elle le laissa tomber dans le chaudron.
Elle le poussa sous l'eau,
elle le tira de l'eau,
chaque fois qu'il cancanait.

Où se cachent-ils tous quand on a besoin de distraction ? Toopka, qui bavarde dans mon oreille. Librettowit, qui se plaint d'être un bibliothécaire en quête. Dar, qui siffle ou qui joue un petit air sur un faiseur de bruit sophistiqué. Bardon, qui ressemble à une statue, mais qui dégage des émotions comme un volcan. Fenworth, qui croule sous les insectes.

Kale s'appuya contre un mur et enfonça son pied nu entre le plancher et le dessous de la baignoire. Une fissure à l'endroit où la cloison s'élevait du sol laissait passer un vent froid venant de l'extérieur. Elle trouva avec ses orteils le bouchon dans le joint de la baignoire, puis elle le frappa de façon experte avec le côté de son talon pour le faire sortir. L'eau du bain ruissela par le trou et s'écoula hors du bâtiment. Elle essuya son pied et enfila le second bas. Elle saisit ensuite la cordelette en cuir de la pochette à œuf presque vide et se hâta de quitter la minuscule pièce froide.

— Allez, Dibl, Ardéo.

Kale courut dans l'escalier du fond et le long du couloir, s'arrêtant devant la porte de bois. Elle pouvait entendre Metta fredonner. Kale passa la corde de cuir autour de son cou, rangea la pochette sous sa chemise de nuit, puis frappa.

— Entrez.

Kale se glissa silencieusement à l'intérieur et ferma la porte derrière elle. Elle rangea ses effets et sortit sa brosse à cheveux.

— Viens t'asseoir sur le lit, Kale. Je vais brosser ta chevelure.

— Vous êtes trop fatiguée, protesta-t-elle.

— Non ; j'ai dormi presque toute la journée, et tes petits dragons ont soigné mes souffrances et mes douleurs. Viens.

Le doux ton de voix amadoua Kale, et elle obéit.

Elle s'installa sur le grand lit, le dos raide. L'ancienne esclave aurait préféré brosser ses cheveux elle-même. Elle prenait très bien soin d'elle-même. D'ailleurs, ses cheveux s'emmêlaient facilement et les boucles mouillées pouvaient se révéler rebelles. Mais la femme fit doucement glisser la brosse dans les mèches bouclées. Les poils tiraient délicatement les cheveux à longueur d'épaule de Kale. Elle se détendit davantage avec chaque tendre caresse de la brosse.

— À présent, parle-moi de Dar et de Toopka.

La demande de sa mère la surprit.

— Comment êtes-vous au courant pour eux?

— Gymn et Metta.

— Vous pouvez pratiquer la télépathie avec eux?

— Kale, je *suis* une magicienne.

— Oh o-oui, bégaya-t-elle. J-j'avais oublié, je crois. Vous ne ressemblez pas aux autres magiciens de ma connaissance.

— Fen et Cam? Non, dit-elle en gloussant. Je ne ressemble pas à ces vieillards.

Le son bon enfant de son rire mit Kale encore plus à l'aise. *Au moins, c'est facile de parler de Toopka et de Dar. J'imagine que cela ne peut pas faire de mal.*

Quand elle eut terminé de raconter les histoires des deux doneels, elle parla de deux des émerlindians qu'elle avait rencontrées, Leetu Bends et Mamie Noon. Puis, elle s'étendit sur Brunstetter et Lee Ark. Prudemment, elle évita de mentionner où se trouvaient ces gens en ce moment. Et elle n'expliqua pas non plus le travail qu'ils effectuaient pour Paladin.

La femme caressait d'une main les cheveux de Kale.

— Voilà. Tes cheveux sont maintenant suffisamment secs pour dormir dessus.

— Merci.

Kale prit la brosse de sa main et la posa sur la table de nuit.

— Vas-tu me parler de cette autre femme qui prétend être moi?

Elle pivota brusquement pour regarder dans les yeux aimables de la femme plus âgée. Elle soupira.

— Les dragons vous l'ont dit.

Lyll sourit.

— Oui.

— Elle ne vous ressemble pas du tout. Et je ne l'aime pas beaucoup.

— Tout cela, Gymn et Metta me l'ont appris. Ils ont également déclaré qu'elle est élégante, raffinée et belle.

Kale hocha la tête et baissa les yeux sur ses genoux.

— Souhaites-tu être élégante, raffinée et belle, Kale ?

Elle se mordit les lèvres.

— Oui, répondit-elle après seulement un instant.

— Mais ?

— Je ne veux pas être comme elle : dure et froide et...

— Il y a certaines choses qui se transmettent d'une génération à l'autre. Tu as la carrure de ton père, forte et svelte. Tu as aussi mes yeux noisette et mes cheveux bouclés. Si cette autre femme était ta véritable mère, tu découvrirais peut-être que vous avez une forme de main semblable, le même arc de sourcils ou une fossette identique sur la joue. Cependant, cela ne signifierait pas nécessairement que tu serais dure et froide.

— Si vous êtes ma vraie mère, qui est-elle ?

— J'ai mon idée là-dessus, mais d'abord, j'aimerais que tu sois convaincue que je *suis* ta véritable maman.

Elle écarta ses mains dans un geste d'impuissance et haussa les épaules.

— Sauf que je n'ai aucune façon d'y arriver.

— Paladin le saurait.

— Oui, il le saurait.

Lyll bâilla en se couvrant la bouche d'une main solide.

— Wulder le sait.

— Oui, et avec le temps, Il éclaircira la chose pour toi.

Lyll s'allongea et s'enfonça dans les couvertures en posant sa tête sur son oreiller.

– Veux-tu dormir dans ce grand lit douillet avec moi ? Il y a amplement de place.

– Non, ça va. Je suis habituée de dormir sur une paillasse. Je serai bien ici.

Kale quitta la chaleur du matelas de plumes et des édredons épais. Elle éteignit les deux bougies dans la chambre et marcha à pas de loup dans ses pieds chaussés de bas jusqu'au coin sombre. En se pelotonnant dans le plus petit lit, elle appela les dragons à elle.

– Oh mon doux, dit sa mère.

– Puis-je vous apporter quelque chose ? demanda Kale.

– Non, ce n'est pas cela, enfin, est-ce qu'Ardéo luit toute la nuit ?

Dibl hoqueta de rire depuis sa place près de la tête de Kale. Elle gloussa.

– Oui. Il n'y a aucune façon de l'éteindre, comme on ferait pour une lanterne. Il peut se glisser sous mes couvertures si la lumière vous dérange.

– Je croyais que ce pourrait être le cas, mais c'est plutôt rassurant, non ? Je pense que j'aimerai sa présence brillante dans la chambre.

Kale acquiesça. Gymn se leva, tourna en rond, puis se réinstalla sur son épaule. Elle savait pourquoi il était agité.

– Madame ?

– Oui ?

– Aimeriez-vous que Gymn dorme avec vous ? Vous vous sentirez mieux demain matin s'il le fait.

La femme soupira.

– Oui, Kale. J'aimerais cela.

44

Surprises matinales

– Un, deux. Un, deux, trois, quatre. Un, deux. Un, deux, trois, quatre.

Le chant s'infiltra dans l'esprit endormi de Kale et la sortit d'un merveilleux rêve où elle visitait un palais à Wittoom où Dar était le dirigeant en chef. Si elle se laissait réveiller, elle manquerait le banquet.

– Un, deux. Un, deux, trois, quatre. Un, deux. Un, deux, trois, quatre.

Kale ouvrit un œil pour regarder le lit de sa mère. La lumière du soleil dessinait une tache sur les draps froissés. De la poussière flottait dans l'air au-dessus. Metta était assise à l'extrémité la plus éloignée et fredonnait une mélodie harmonisée au rythme du comptage inexpliqué. Gymn était recroquevillé confortablement en boule sur l'un des oreillers. Mais aucune femme n'était allongée sur le matelas de plumes.

Les deux yeux ouverts, son corps léthargique appuyé sur un coude, Kale observa deux pieds apparaître et disparaître de l'autre côté du plus grand lit.

– Un, deux.

Un pied droit bondit, les orteils pointés vers le plafond. Il s'abaissa hors de vue, et le pied gauche le remplaça.

– Un, deux, trois, quatre.

Les deux pieds remuèrent rapidement au-dessus de l'horizon du matelas avec une extrême agitation.

— Un, deux.

La représentation du pied droit suivi du pied gauche se répéta.

Kale s'assit sur son lit, délogeant Ardéo qui ronflait. De l'air froid souffla sur son cou et ses épaules. Elle frissonna et tira les couvertures jusqu'à son menton.

— Madame ?

— T'ai-je réveillée, Kale ? Je suis désolée, mais c'est un beau matin et je me sens tellement mieux.

« Un, deux, trois, quatre.

Tout cela est ridicule !

Kale repoussa les couvertures et attrapa ses vêtements. Elle tira sur son pantalon et changea sa chemise de nuit pour un chandail. En poussant un pied dans une botte, elle entendit un grognement. Les bras de sa mère étaient allongés sur le bord de son lit. L'instant d'après, elle se hissa à genoux et resta dans cette position, observant Kale en haletant.

Kale sentit ses sourcils s'arquer en regardant, bouche bée, le spectacle de cette vieille o'rant. Ou plutôt celui de la femme qui aurait dû être vieille.

— Vous êtes plus jeune ! s'exclama Kale.

— Pas autant qu'avant, répliqua Lyll en se débattant pour se lever.

Elle commença à courir sur place dès qu'elle fut sur pied.

— Rien de mieux qu'une bonne nuit de sommeil pour régénérer ses vieux os. Donne-moi cinq ou dix minutes, et nous verrons ce que peut accomplir un peu d'exercice.

Kale s'effondra sur son lit avec un bruit sourd. Elle portait une botte au pied et l'autre dans sa main. Sous ses yeux, la femme o'rant compta jusqu'à cent, caracolant légèrement dans l'espace entre son lit et la fenêtre. Puis, elle posa ses mains sur ses hanches et plia les genoux. Son corps s'abaissa, pour se relever l'instant suivant. Elle répéta ce geste vingt-cinq fois. Ensuite, les mains serrées sur la nuque, elle tourna son torse. Puis, Lyll étendit les bras directement au-dessus de sa tête et se courba à la taille en décrivant un arc avec ses bras. Le haut de son corps disparut d'un bond derrière le lit et surgit de nouveau en se redressant. L'épaisse tresse pendue sur une épaule se balançait comme un pendule.

Kale observa avec fascination Lyll Allerion qui rajeunissait et s'amincissait avec chaque série de mouvements de bas en haut.

— Voilà, déclara Lyll en s'immobilisant enfin en prenant une profonde respiration. Me remettre en forme exige de plus en plus d'efforts à mesure que je vieillis.

Elle se dirigea à grandes enjambées vers la robe suspendue à un crochet. Elle s'arrêta devant le vêtement et sembla examiner le tissu.

— Un peu souillé, dit-elle.

La robe commença à se secouer légèrement sur son crochet. Lyll la laissa tournoyer et traversa la pièce pour atteindre un sac noir. Elle en tira une brosse. Assise sur le rebord de la fenêtre, elle défit sa longue tresse brune et passa les dix minutes suivantes à brosser et à tresser de nouveau ses splendides mèches sombres et bouclées. Metta et Dibl la regardèrent, complètement captivés. Gymn s'étira sur l'oreiller, se tourna de côté et enroula sa queue autour de lui sans jamais se réveiller. Ardéo grimpa sur les genoux de Kale, mais elle vit que lui aussi fixait l'adorable magicienne avec émerveillement.

La robe cessa sa danse solitaire sur le crochet. Lyll acheva de nouer un ruban à l'extrémité de sa tresse, sauta en bas de son perchoir, lança la brosse dans le sac ouvert et retourna examiner le vêtement.

— Quelle couleur aujourd'hui ?

Elle tapota son menton avec un doigt fuselé.

— Je voyage toujours léger, Kale. Une robe pour la journée et, bien sûr, une chemise de nuit.

Alors qu'elle parlait, la teinte bleue de la robe pâlit et devint blanche, puis se mua en rose en commençant par rosir à l'ourlet avant de poursuivre son chemin sur le tissu jusqu'à ce que les épaules et les manches aient pris la couleur joyeuse. Pendant que la couleur changeait, la texture de l'étoffe se modifiait aussi. Un brocart à motifs remplaça le coton tissé à la main. De la dentelle moussait autour de l'encolure.

— Voilà qui est joli, dit Lyll en décrochant la robe.

Un tablier blanc sans fioriture pendait en dessous. Lyll le prit aussi.

— Je n'en aurai pas besoin.

Le tablier se transforma en un châle de soie d'un rose riche.

Kale cligna des paupières et vit que sa mère était habillée, la chemise de nuit sur le crochet, et la robe et le châle sur la femme. Dibl roula si rapidement dans son excitation qu'il manqua presque un virage au bord du matelas. Il dévia sa course juste à temps et refit le tour du lit, cette fois en roulant directement par-dessus Gymn. Le petit dragon vert poussa un cri de protestation et se rendormit aussitôt.

— Eh bien, je suis affamée, Kale ! déclara Lyll. Descendons prendre notre petit déjeuner, d'accord ? J'ai aussi hâte d'apprendre ce que Fen et Cam ont décidé à propos de ce problème de dragon.

— Alors, nous restons ici et nous attendons, dit le magicien Cam en s'adossant confortablement sur sa chaise devant la table du petit déjeuner.

Ses cheveux mouillés donnaient l'impression qu'on venait de les laver, mais Kale savait que Cam paraissait presque toujours humide. Sous peu, il y aurait une flaque sous son siège et, s'il demeurait assis au même endroit assez longtemps, une rivière commencerait à couler en suivant n'importe quelle pente.

On avait servi uniquement du jus et du thé jusqu'à présent, car Dar et Bardon n'avaient pas rejoint le groupe.

— Le chariot suspect devrait atteindre ce village aujourd'hui, annonça le magicien du lac.

— Oh, merveilleux, déclara Toopka, une moue sur les lèvres. Cela signifie qu'ils n'arriveront que la semaine prochaine.

Assis à côté d'elle, Régidor inclina la tête. Il portait encore sa robe de religieux puisque la population de Rivière au Loin avait réussi à accepter un tumanhofer, deux doneels et trois magiciens, mais éprouvait toujours de la difficulté avec un dragon meech qui parlait et marchait.

— Quel genre de logique est-ce que cela ?

Toopka se leva sur sa chaise et plaça ses mains sur ses hanches.

— Une logique acquise après avoir vu comment les choses se passent. Les événements que tu attends prennent immanquablement beaucoup de temps à se produire.

Elle pointa un petit doigt devant le visage du dragon meech et l'agita.

— Tu lis peut-être des livres et tu sais beaucoup de choses, mais je vis depuis plus longtemps que toi.

Les lèvres de Régidor tressaillirent quand il réprima un sourire.

Toopka martela le sol avec un pied minuscule.

— Tu deviendras possiblement le plus intelligent de tout Amara, mais tu ne seras jamais plus vieux que moi. C'est comme ça, et tu devras l'accepter !

Fenworth, qui se reposait dans la chaise à la place d'honneur, remua légèrement en faisant vibrer ses branches.

Cam s'éclaircit la gorge.

— Pas besoin de te montrer si pugnace, Toopka. Nous avons tous connaissance de l'importance de l'ancienneté.

Toopka lança un regard perplexe en direction de Kale.

La jeune o'rant tapota le dos de la petite doneel et la guida afin qu'elle se rassoie sur la boîte en bois placée sur sa chaise.

— Il veut dire de ne pas être si bagarreuse et, oui, nous savons tous que tu es plus âgée que Régidor et, oui, c'est important.

Toopka hocha la tête triomphalement en regardant son ami meech.

Kale jeta un coup d'œil dans la salle de l'auberge. À l'époque où elle aidait à servir le petit déjeuner, un certain nombre de clients réguliers occupaient les mêmes tables chaque matin, sauf le samedi et le dimanche. Ce matin, seuls ses compagnons et elle attendaient le repas.

C'est à cause de nous, j'imagine. Les habitants de Rivière au Loin n'aiment pas se mêler aux étrangers.

Dame Meiger entra dans la pièce depuis la cuisine. Elle portait une théière. Yonny et Cakkue suivaient avec un panier de muffins et un plateau d'œufs brouillés et de saucisses.

L'ancienne propriétaire de Kale déposa son fardeau et ramassa un pichet de jus de parmes frais. Elle remplit les verres vides devant ses invités. Quand elle arriva à Kale, elle demanda :

— Comment se porte ta maman aujourd'hui, Kale ?

La jeune fille regarda brièvement sa mère. Une étincelle d'espièglerie dans les yeux, Lyll répondit :

— Mern, je suis ici et je me sens davantage moi-même ce matin.

Dame Meiger écarquilla les yeux.

— Et moi qui pensais que ces bourlingueurs avaient amené une autre de ces étranges personnes pendant la nuit.

Oh mon doux ! C'était impoli. Dame Meiger ne qualifie de bourlingueurs *que les invités qu'elle juge peu recommandables.*

Cependant, Lyll Allerion ne s'en offusqua pas.

— Enfin, Mern, tu me connaissais en tant que voyageuse régulière il y a des années et tu aimais nos visites à ton auberge. Ne fais pas toutes ces histoires pour quelques surprises.

Le teint de dame Meiger prit une teinte rosée.

— Je n'aurais jamais cru que toi et ton cher mari étiez des leurs. En fait, tu nous as trompés, Lyll Allerion. Je pensais que tu étais marione. Tu as déguisé ta vraie nature.

— Ah, oui, dit Lyll, son visage devenant sérieux. Je voulais devenir ton amie, Mern, et tu ne me l'aurais pas permis. Tu n'aimes pas les choses étrangères à ta vie quotidienne. Il y a des choses plus étranges qui arriveront sous peu à Rivière au Loin. Bientôt, tu devras accepter le fait que Wulder est réel et compte sur ta loyauté.

— Wulder s'en vient ici ?

Lyll soupira.

— Il est déjà ici.

L'aubergiste jeta un coup d'œil par-dessus son épaule comme si elle s'attendait à voir le croque-mitaine. Cakkue et Yonny se rapprochèrent des jupes de leur maîtresse. Elles aussi scrutaient les coins sombres.

Lyll tendit la main et tapota celle de sa vieille amie.

— Si tu prenais le temps de Le connaître, tu ne serais pas effrayée par la perspective de Sa présence.

L'aubergiste donna une légère tape sur l'épaule de ses deux petites esclaves et leur fit signe de partir.

— Retournez à vos tâches, dit-elle d'un ton bourru.

Elle les observa jusqu'à ce que la porte de la cuisine se referme derrière elles.

— Tu parles de choses qu'on devrait taire, Lyll. Il y a des choses que l'on ferait mieux de ne pas réveiller. Discuter du Bien Tout-Puissant et du Mal Tout-Puissant nous apportera des ennuis à tous.

— Et qui, crois-tu, se montre le plus heureux de cette absence de discussion ?

Les yeux fixes, dame Meiger secoua la tête.

— Je sais, dit Toopka. Pretender.

Lyll reporta son attention sur l'enfant doneel et sourit.

— C'est exact. Et peux-tu nous dire pourquoi ?

Toopka grimaça sous l'effort.

— Parce que... parce que Pretender aime bondir et nous surprendre. Si on parle de lui et qu'il est aux environs, on a moins de chance d'être surpris. Alors, on reste détendu, confiant et rassuré pendant les périodes de noirceur.

Toopka étudia le visage de Régidor pendant un instant, puis hocha la tête.

Le bruit des sabots de chevaux clopinant dans la rue interrompit la conversation. Les cavaliers s'arrêtèrent à l'auberge. Un moment plus tard, Dar et Bardon apparurent dans le cadre de la porte.

Dar souleva son chapeau et s'inclina devant les personnes présentes.

— Notre gibier approche. Bardon et moi sommes sortis tôt ce matin pour voir si nous pouvions localiser la bande de vendeurs de potions. Leur chariot se trouve à quelques kilomètres à l'est de Rivière au Loin. Notre attente ne devrait pas s'éterniser.

45

PETIT DÉJEUNER

Le maître Meiger entra à grands pas dans la salle commune de l'auberge avec trois gentlemen distingués du comté sur les talons.

— Nous ne tolérerons plus l'entrée de racaille venue déranger nos habitudes de vie à Rivière au Loin. Le conseil s'est réuni, et nous avons décidé que vous et vos compagnons devez quitter notre paisible hameau immédiatement. Aujourd'hui !

Les trois hommes derrière lui hochèrent la tête.

Les camarades autour de la table du petit déjeuner cessèrent de manger et regardèrent les représentants officiels du village et de la communauté environnante.

Kale les reconnut tous. Elle avait travaillé dans leurs maisons. *Je me demande s'ils me considèrent comme une « racaille ».*

Les quatre mariones s'étaient préparés pour cette confrontation en revêtant leurs plus beaux habits. Ils n'avaient pas l'air d'avoir veillé toute la nuit pour discuter de la meilleure stratégie. Toutefois, Kale savait qu'il s'agissait de la procédure normale pour accomplir quoi que ce soit à travers le conseil. Ils adoraient se réunir et débattre des sujets pendant des heures interminables.

La voix de Lyll s'infiltra dans l'esprit de sa fille.

— Ne te montre pas sévère, Kale. Ces hommes sont inquiets pour leurs familles. Et ils ignorent ce qui est en jeu. Souviens-toi, ils t'ont bien traitée. Remets-leur cette gentillesse au centuple.

Kale examina le visage serein et doux de sa mère. En elle-même, elle admit qu'on ne l'avait jamais utilisé durement. *Les mariones m'ont traitée équitablement. Leurs propres enfants n'ont pas eu droit à des éloges chaleureux, donc moi non plus.*

Elle examina maître Meiger et ses amis, essayant d'être plus objective. Les hommes n'étaient pas riches, mais ils avaient revêtu leurs plus beaux atours pour s'acquitter de cette importante mission. Bien qu'ils dégageaient toujours un air rustre, Kale découvrit que leur détermination la rendait fière. Cela l'étonna.

Mais cela ne devrait pas m'étonner. Ces familles m'ont donné une maison et m'ont enseigné à me suffire à moi-même. Ils ont fait de leur mieux pour moi, même si je suis une o'rant, et non une marione.

L'arbre à la tête de la table renifla, se secoua avec vigueur et se leva. Une fois debout, Fenworth avait recouvré un semblant d'apparence humaine.

— Vous voyez !

La voix de Meiger résonna dans l'espace ouvert de l'auberge presque désertée.

— C'est exactement le genre de choses que nous ne voulons pas ici.

Le magicien Fenworth tourna autour de la table au pas. Sa canne frappait le plancher de bois avec des coups retentissants. Il ne ressemblait certainement pas à un vieil homme appuyé sur son bâton de marche. Il avait davantage l'allure d'un guerrier s'approchant de la ligne de feu.

Le conseiller en chef Meiger recula, mais d'un pas seulement. Il redressa les épaules et maîtrisa visiblement sa vive inquiétude. Kale réprima son envie de s'adresser à son ancien maître en pensée. Elle voulait lui dire « excellente performance ! », mais elle savait que sa voix dans sa tête le déconcerterait complètement.

Fenworth surplombait les hommes mariones, et Kale pensa qu'il avait délibérément ajouté quelques centimètres à son corps. Son chapeau, dont la pointe n'était jamais entièrement relevée, frôlait les chevrons.

— Vous osez vous opposer à moi. Savez-vous qui je suis ? Je suis Fenworth, le magicien des marais. Croyez-vous chasser mon groupe et moi de votre humble établissement ?

Le visage du conseiller Meiger se durcit.

— Oui, nous ne nous laisserons pas intimider, que vous soyez magicien des marais ou roi.

Fenworth grogna, et cette fois, Kale fut convaincue qu'il jetait un sort, car son chapeau se colla contre les poutres noircies du plafond. Les mariones penchèrent leurs têtes vers l'arrière pour regarder le magicien enragé. Mais aucun d'eux ne faiblit. Ils avaient plutôt l'air plus têtus et de mauvaise humeur qu'avant.

Fenworth grogna de nouveau, et du brouillard s'échappa sous l'ourlet de sa robe. Il roula sur le sol, couvrant les planches de bois usé.

— Et qui, parmi vous, croit pouvoir contraindre un grand et ancien magicien et six puissants guerriers à partir ? Ha ! Vos mots sont vides de sens.

Meiger se raidit.

— Vous pouvez m'abattre, mais il y en aura trois derrière moi ; et hors de votre vue, il y a des travailleurs de champ, forts de leurs bras et de leur cause. Vous n'occuperez pas cette terre sans un combat.

Un sifflement résonna dans la salle, Fen rétrécit à sa grandeur normale, et le brouillard se dissipa par la porte ouverte de la cuisine.

Fenworth sourit aux mariones en colère et hocha la tête avec sagesse.

— Exactement ce que je voulais entendre, mes bons hommes. Vous ferez l'affaire.

Il posa son bras autour des épaules du prudent conseiller en chef et appela Dar.

– Sire Dar, incluez ces bons gentlemen dans notre cercle de confidents. Nous aurons besoin d'hommes comme eux dans les jours difficiles à venir.

La tête penchée vers Meiger, le magicien s'adressa à lui du coin de la bouche dans un murmure assez fort pour être entendu dans les rues.

– Dar est un ambassadeur de Wittoom. Un grand général lee, en fait. Mais voyageant incognito.

Dar s'avança et s'inclina devant les hommes.

– C'est avec plaisir que je m'assure votre concours. Votre connaissance du territoire et de ses ressources s'avérera un atout précieux.

Il marqua une pause pour fixer chacun dans les yeux.

– Et si nous allions discuter de stratégies de défense contre l'invasion imminente, Messieurs ?

– Une minute !

Le conseiller en chef Meiger regarda ses associés avec incertitude.

– Cela ne fera pas de mal de l'écouter, déclara l'un.

– Nous pourrions en débattre, dit un second.

Les quatre hommes acquiescèrent.

Le chef Meiger mena Dar et les conseillers hors de la pièce.

Fenworth frappa ses mains ensemble. Des feuilles bruissèrent quand il revint à la table.

– Bon, voilà qui est réglé. Première tâche de la journée rayée sur la liste.

Il hocha la tête en direction de Librettowit.

– Prends note de cela, Wit. Numéro un – recruter une armée. Réglé.

– Pourquoi avons-nous besoin d'une armée ? s'enquit Toopka.

Fenworth lui tapota le crâne. Elle grimaça et s'esquiva. Le magicien ne parut pas s'en apercevoir, mais il se déplaça autour de la table.

— Une fois que nous aurons dissuadé les dragons d'aider Risto, dit-il, Risto sera un peu contrarié.

Fenworth s'assit et passa en revue les restes de nourriture dans les assiettes de petit déjeuner de ses compagnons.

— Cela me paraît une façon un peu négligée de servir un repas. Mais peu importe. Je suis affamé. Il me semble ne pas avoir mangé depuis des jours. Je pensais avoir entendu une coccinelle batteuse. Il s'avère qu'il s'agissait de mon estomac. Passez-moi les muffins. Passez-moi le jus. J'ai soif aussi. Je pourrais boire un lac. Sans offense, Cam. Mon cousin Cam est magicien du lac, vous savez. Passez-moi les œufs. Est-ce que c'est de la saucisse?

Il mordit dans son muffin.

— Quelle est la prochaine tâche sur notre liste de choses à faire? Ah! Je me souviens. Confronter le chargement de polissons et démasquer le vilain meech. Cela me donne une faim de loup juste d'y penser.

Lyll lui passa le beurre, et en le prenant, il la regarda attentivement.

— Je te connais, n'est-ce pas, chère fille? Non, ne me le dis pas. Je suis très fort pour me rappeler les visages. Les noms s'avèrent un peu plus difficiles. Mais je vais y arriver. Oui, oui.

Il enduisit son pain d'une généreuse couche de beurre, mangea une bouchée et déforma son visage avec une expression songeuse.

— J'y suis presque, annonça Fenworth en piquant sa fourchette dans une saucisse.

Il tenait le morceau à distance et balançait son ustensile en réfléchissant.

— Je l'ai! Lyll des montagnes. Mariée à Kemry Allerion des collines. Certains disent qu'elle s'est mariée sous son rang, mais bien sûr, ce ne sont que des bêtises.

Il termina le reste de sa saucisse.

— Kemry est un brave magicien. Un excellent Gardien de dragons. Je n'ai pas beaucoup entendu parler de lui récemment.

— Risto l'a capturé, lâcha Kale.

Le magicien Fenworth cessa de mâcher et regarda directement son apprentie d'un œil sérieux. Il pointa sa fourchette vide sur elle et l'utilisa comme s'il agitait un doigt.

— Tut tut, Kale. Risto croit peut-être l'avoir capturé, mais j'ose dire que ce n'est pas le cas.

Elle fut étonnée de voir Lyll hocher la tête en signe d'acquiescement.

Fenworth offrit une miette à un oiseau atterri sur son épaule.

— À présent, parlez-moi de cette expédition à Creemoor, où nous découvrirons qui lâche ces horribles araignées sur les villes.

Librettowit se racla la gorge.

— Nous l'avons déjà accomplie celle-là, Fen.

— Vraiment ? L'as-tu rayée de notre liste de choses à faire ?

— Non.

— Alors, ce n'est pas étonnant que je ne m'en souvienne pas. Mais je me rappelle à présent. Nous avons libéré l'adorable Lyll. Mais pardonne-moi, très chère, tu étais loin d'avoir aussi fière allure que maintenant. Je ne t'ai presque pas reconnue.

— Monsieur ? l'interrompit Bardon. Pouvons-nous entendre ce qui s'est passé à Creemoor ? Qui était responsable, et l'avez-vous capturé ?

— Mais bien sûr.

Bardon et ses camarades attendirent impatiemment. Fenworth beurra un autre muffin, avala une grosse gorgée de jus de parme dans une grande chope et fit claquer ses lèvres.

Devrais-je lui rappeler la question de Bardon ? L'ennui avec Fenworth, c'est qu'on ne sait jamais si ses pensées vont en droite ligne.

Juste avant que Kale n'ouvre la bouche pour pousser le vieillard, il parla.

— Crim Cropper et non.

Lyll rigola. Fenworth la regarda d'une mine renfrognée, mais elle se contenta de lui sourire en retour, puis elle se tourna vers les plus jeunes membres de leur groupe.

— Si nous allions nous promener, les enfants?

Elle éloigna sa chaise de la table.

— Il n'a fallu que deux heures à Dar et à Bardon pour revenir à dos de cheval de l'endroit où ils ont localisé les traîtres. Un lourd chariot prendra beaucoup plus de temps à parcourir la distance jusqu'ici.

Elle regarda Bardon.

— Je pense que je peux te dire ce que tu souhaites savoir.

Bardon se leva brusquement, présenta des excuses polies pour son départ avant que les autres n'aient terminé leur repas et suivit Lyll Allerion à l'extérieur du bâtiment.

— Eh bien, qu'est-ce que nous attendons? demanda Toopka en attrapant la main de Régidor et celle de Kale. Elle a dit « les enfants ». Je parie que cela s'adresse à toute personne âgée de moins de deux cents ans. Allons-y.

46

Un paisible intermède

— Kale, n'y a-t-il pas un pittoresque petit étang près d'ici?

Lyll pointa vers le nord.

— Dans cette direction, je crois.

— L'étang de Baltzentor, répondit Kale. Il est alimenté par une source d'eau froide.

— Ah oui, exactement comme dans mes souvenirs.

Lyll partit dans la rue.

— Je ne peux pas rester sédentaire trop longtemps. Je me remets à vieillir.

Elle souriait aux mariones qu'elle croisait. Elle s'arrêta pour caresser un chien amical. Les dragons nains volaient devant, en droite ligne vers l'eau.

Pendant qu'elle et ses compagnons marchaient dans la rue principale, Kale remarqua que certains citoyens détournaient leur regard à la vue de la respectable dame o'rant, de l'étrange moine et de la minuscule doneel. À présent que Kale avait voyagé, elle constatait la présence de préjugés dans le village où elle avait grandi.

Dans cette région du pays, seuls les kimens et les mariones se mêlaient les uns aux autres. En raison du nombre restreint de membres des autres races supérieures, les mariones les considéraient comme des êtres bizarres. La plupart de ses amis villageois tiraient leur information sur les habitants des régions lointaines d'Amara de fables et de récits inventés. Certains ne croyaient même pas que les autres races supérieures existaient réellement.

Leur méfiance envers les étrangers découlait de l'histoire ancienne sans attaches évidentes avec la réalité des temps modernes. Kale tenta de se souvenir des raisons exactes pour lesquelles les autres races devaient être évitées, sans y parvenir.

Elle savait par contre que les mariones cultivaient bien leurs terres et se battaient bien. Pendant quatorze ans, ses propriétaires avaient inculqué l'importance de ces qualités dans l'esprit de Kale. Elle admirait encore ses amis pour leur assiduité et leur courage et elle connaissait maintenant d'autres qualités.

Tout de même, Lyll Allerion réussit à provoquer des sourires de certains villageois. Kale songea tout de suite au charisme de Dar. Le doneel pouvait charmer les gens les plus inattendus. Toopka possédait un peu de cette même qualité dans sa personnalité.

Et ils semblent plus heureux que moi. J'aimerais savoir ce qui les rend différents. Cela ne peut pas se réduire aux sourires.

Ils atteignirent l'étang de Baltzentor. L'étendue d'eau couvrait presque un hectare. Un petit ruisseau s'écoulait à une extrémité et la surface se ridait continuellement sous l'influence de la source dessous.

Les hommes du village avaient construit plusieurs bancs de bois autour de la berge. Plusieurs les utilisaient pour la pêche, et certains des sièges plus élégants servaient à se courtiser. Des feuillecourbes bordaient l'étang et des buissons d'ernst à floraison tardive égayaient la vue avec leurs minuscules fleurs jaune pâle ressemblant à des étoiles. Leur parfum de cannelle se mêlait à l'odeur des feuilles automnales bruissant sous les pieds de ses compagnons pendant qu'ils marchaient.

Kale songea que le paysage s'avérait aussi paisible que dans sa mémoire, mais l'eau semblait plus sombre. Elle leva les yeux vers le ciel pour voir si un nuage jetait une ombre sur l'étang, mais il était dégagé.

Lyll s'assit sur l'un des bancs sculptés et attira Toopka sur la place à côté d'elle. Bardon et Régidor restèrent debout, mais Kale s'installa au pied de sa mère.

Lyll sourit aux hommes.

– Sans aucun doute, vous souhaitez tout entendre sur les combats. Pour les détails, vous devrez interroger Cam. Bien sûr, Brunstetter et Lee Ark se joindront à nous à un moment donné et ils apporteront des renseignements plus précis. Je peux vous dire que les trois forces ont convergé vers le repaire favori des araignées creemoors et qu'elles en ont éliminé autant que possible avant que les créatures ne disparaissent dans les profondeurs des cavernes de Dormanscz.

« Aussi, en raison de mon travail dans la région de Creemoor – remarquez, je ne vivais pas dans les montagnes, mais parmi la population –, je sais que Crim Cropper est déterminé à développer des moyens de contrôle sur toutes les bêtes. Il a découvert comment rassembler les araignées sans blesser ceux qui les transportent ni les bêtes elles-mêmes. Il les a élevées en captivité, produisant plus de bébés que la nature ne l'aurait permis. Voyez-vous, dès que les petites araignées sortent de leur sac d'œufs, les parents les dévorent. Seulement un tiers échappe au festin et file se cacher pour grandir.

« À sa grande déception, Cropper n'a pas pu les maîtriser. Il voulait qu'elles marchent comme une armée sous sa direction. Il s'est lassé de l'expérience et il a décidé de se débarrasser d'elles. Mais au lieu de les relâcher dans leur milieu naturel ou de les tuer, il a pensé que ce serait plus amusant de les laisser tomber sur une ville. Puis, la nouvelle est venue que Kale demeurait au Manoir. Il a choisi Vendela, car il ne voulait pas que la Gardienne des dragons contrecarre ses plans de corrompre les dragons.

Régidor repoussa son capuchon.

– Donc, il s'agissait d'une attaque contre Kale.

Lyll acquiesça.

– Essentiellement, oui.

Pendant un instant, Kale fut incapable de respirer. Elle fit jouer les muscles de la main qui avait été empoisonnée par une araignée creemoor. Son estomac se retourna.

Son plan a presque réussi.

Elle se tourna vers Bardon et vit son expression inquiète. Elle ravala péniblement sa salive, sans pour autant être capable de parler.

Bardon…

Il détourna brusquement le regard.

– Pouvons-nous vous demander en quoi consistait votre mission, Lyll Allerion ?

Kale prit délibérément une grande respiration. La question de Bardon avait relâché l'étreinte de la peur accablante qui lui comprimait les poumons.

– Je rassemblais des informations que j'envoyais à Paladin et j'encourageais les quelques pauvres âmes qui lui restent fidèles dans cette région. Évidemment, j'étais emprisonnée tout au long de mon service.

Kale haleta.

– Emprisonnée ?

– Oui, un lieu dangereux. Toutefois, c'était le plus merveilleux des endroits pour nuire aux plans de Cropper et, bien sûr, de Risto.

– Je ne comprends pas, dit Régidor. Si vous viviez en prison sans pouvoir vous déplacer dans le pays, comment pouviez-vous être utile ?

– Toute l'information venait à moi. Juste sous le nez de Cropper. Aucun de nos espions n'avait à découvrir où je me trouvais. J'étais toujours au même endroit. Les soldats de Cropper gardant la prison constituaient aussi une source de renseignements. N'oubliez pas que je pratique la télépathie.

– Ne réalisaient-ils pas que vous êtes une magicienne ? s'enquit Toopka.

Lyll rit.

— Je leur ai dit que j'étais Lyll Allerion, une grande et puissante magicienne, mais quand ils m'ont demandé d'accomplir quelque chose pour le prouver je... eh bien, je ne l'ai jamais fait. Alors, ils pensaient que j'étais un peu folle. Pour eux, j'étais une vieille femme qui fourrait son nez partout et qui aimait visiter tous les autres prisonniers.

— Mais pourquoi deviez-vous rester là-bas ?

La compassion déformait le visage de Toopka.

— Parce que, autant l'armée de Paladin est remarquable, autant elle est terriblement inadéquate en matière de communication. Cependant, les forces de Risto éprouvent le même problème.

— Pourquoi en êtes-vous sortie ? demanda Toopka.

— Parce que Crim Cropper est brillant, mais pas très déterminé. Sa femme, Burner Stox, n'est pas aussi intelligente, mais elle est plus pragmatique. La dernière fois qu'elle a visité le château du sud, elle m'a remarquée. C'était la fin de mon utilité.

— Et l'ultime travail que vous deviez accomplir avant d'être libérée ?

Régidor inclina la tête.

— M'organiser pour que ma remplaçante soit acceptée par mon réseau de contacts.

Une pensée envahit l'esprit de Kale, et elle tenta de la chasser. Elle fixa sa mère et s'aperçut que la femme l'observait attentivement.

— Leetu Bends ? murmura Kale.

Lyll hocha la tête.

Kale frissonna. Elle se leva et resserra sa cape en rayons-de-lune autour de son corps.

— Pouah ! s'écria Toopka.

Elle pointa les roseaux poussant sur la rive.

— J'ai vu quelque chose de laid là-dedans.

Tout le monde se tourna pour regarder. L'eau sur le bord de l'étang avait des reflets noirs comme une feuille d'ébène ondulée. L'eau bleue sur l'autre rive chatoyait sous les rayons de soleil.

Tout l'étang était sombre auparavant, mais pas aussi noir qu'ici.

Metta, depuis le feuillecourbe le plus proche, émit un trille d'avertissement. Gymn répéta l'alarme.

Lyll se leva de son siège.

– Des mordakleeps.

Régidor enleva sa bure et tira son épée. Kale et Bardon sortirent également leur arme de leur fourreau. Lyll s'avança de deux pas tout en tourbillonnant. Sa robe se transforma en leggings ajustés, en tunique et en chandail. Étrangement, ces habits adaptés au combat étaient encore rose rouge.

Kale fixa sa mère. Lyll tendait le bras comme si elle s'apprêtait à manier l'épée, mais sa main était vide.

Trois créatures surgirent de l'eau. Noires, énormes et menaçantes, elles parcourent les quelques mètres de rive herbeuse d'un bond.

– Tranchez-leur la queue, hurla Toopka en plongeant derrière un banc.

Régidor et Lyll combattaient chacun un monstre. Le troisième se précipita sur Bardon. Kale et le lehman tombèrent en mode d'attaque synchronisée. Bardon attira l'attention du mordakleep et le fit se tourner afin que sa compagne puisse assener un coup violent pour couper sa queue. L'immense corps se dissolut en une flaque et disparut dans le sol.

Un autre monstre sortit de l'étang. Kale courut pour l'affronter. Cette fois, elle réussit à manœuvrer la créature pour que Bardon puisse frapper nettement sa queue.

Régidor dansait autour de son adversaire. Il exécuta une culbute dans les airs, atterrit derrière le monstre et lui trancha la queue. Le mordakleep fondit.

En prenant la position d'une escrimeuse, Lyll approcha un mordakleep déterminé à voir mourir la femme o'rant. L'absence d'épée diminuait sa crédibilité de guerrière. Kale se crispa, prête à courir à la rescousse de sa mère.

Lyll bondit en avant et agita son bras. Une entaille apparut sur la main du mordakleep. Sa bouche s'ouvrit dans un rugissement silencieux. Lyll recula d'un bond et le contourna sur sa gauche. Elle enfonça l'épée invisible dans le flanc du monstre, puis se retira et le contourna à gauche encore une fois. La créature de cauchemar tourna avec elle, maintenant sa queue loin de la lame rapide et mortelle masquée à ses yeux. Lyll tournoya à droite à une vitesse foudroyante. Son bras plongea vers le bas par-dessus la queue à l'image du serpent. Elle tomba du corps du mordakleep. La créature meurtrière et sa queue tranchée suintèrent dans la terre.

Deux autres mordakleeps déferlèrent sur eux depuis les roseaux trempés.

Kale et Bardon se chargèrent de l'un et, avec la même méthode de distraction, le tuèrent. Lyll et Régidor éliminèrent le second. Les quatre guerriers se regroupèrent. Pendant un moment, ils se tinrent en alerte, prêts à l'attaque.

Toopka jeta un coup d'œil furtif depuis sa cachette.

— Sont-ils partis ?

Lyll répondit.

— Pour l'instant.

Elle sortit un bout de tissu d'un petit sac attaché à sa ceinture et fit le geste d'essuyer une lame. Elle sembla ranger l'épée avec précaution le long de son torse, serrée près de son bras. Elle tournoya. Quand la masse indistincte redevint nette, elle portait la robe qu'elle avait revêtue ce matin.

Régidor pivota pour regarder Lyll directement et il s'inclina devant elle avec la même élégance si souvent déployée par Dar.

— J'admets que j'avais quelques doutes sur les capacités de Lyll Allerion. Je vous demande pardon.

Elle hocha la tête de bonne grâce.

Il marcha lentement jusqu'au bord de l'étang et scruta les roseaux. Le fond sablonneux se voyait sous l'eau qui était à présent claire et brillante.

– Bien que nous sachions que l'ennemi empiète maintenant sur ce territoire, sans corps, il nous sera difficile de convaincre nos hôtes de l'imminence du danger.

47

DES BOURLINGUEURS

Les camarades revinrent à l'auberge. Fenworth et Cam avaient envahi la cuisine, où ils créaient toutes sortes de délices culinaires sophistiqués. Dame Meiger grommelait qu'elle ne pensait pas que ses clients aimeraient des plats si élaborés, mais elle était assise à la table et goûtait à tout ce qui apparaissait. Toopka se joignit à elle, puisque la nourriture retenait toujours son intérêt.

Kale guida Bardon, Régidor et Lyll vers un bosquet d'arbres près de la route. Elle pointa un champ désert à côté du dernier bâtiment, la maison de la veuve Ord, à l'extrémité du village.

— La plupart des chariots s'arrêtent là, et les gens entrent à pied dans le village. C'est à cet endroit que se tient le marché, une fois par mois. Nous ne pouvons pas l'apercevoir d'ici, mais il y a une pancarte face au chemin.

Vingt minutes plus tard, un chariot coloré roula vers le village de Rivière au Loin. Exactement comme Kale l'avait prévu, le conducteur amena sa maison portative sur le gazon et stoppa. Elle avait déjà vu ces étranges véhicules auparavant, mais ils la fascinaient encore.

Posée sur le dessus du plateau rectangulaire d'un chariot ordinaire, une maison construite comme un baril déposé sur le côté offrait un abri aux colporteurs. Des roues rouges transportaient la boîte bleue. Des étoiles jaunes et des bandes bleues décoraient les roues arrière. Des fioritures vertes ornaient la boîte bleue et le perchoir du conducteur.

Le haut de la maison était troué de fenêtres, et des tourbillons élaborés et des étoiles bleues et violettes occupaient chaque centimètre carré. Des rideaux jaunes voletaient hors des fenêtres ouvertes. À l'arrière, une porte rouge donnait accès à l'étrange habitation. Une boîte à chaudrons était suspendue sous elle. Kale savait qu'elle se dépliait pour former une marche, mais qu'elle contenait également les outils du cuisinier pour préparer les repas à ciel ouvert.

Le conducteur de la caravane passa les rênes au jeune homme assis à côté de lui. Il se leva et s'étira avant de sauter sur le sol. Il caressa la croupe du cheval le plus près de lui et se rendit à sa tête.

— Le conducteur n'est assurément pas un meech, fit remarquer Bardon depuis leur cachette derrière d'épais buissons d'ernst.

— Ni le jeune. On dirait le père et le fils, non ?

— Quelqu'un a-t-il pu s'infiltrer dans leur esprit ? demanda Régidor. J'ai essayé, sans succès. Cela ressemble beaucoup au bouclier autour du cœur du bateau visité par Dar.

— Je n'y arrive pas non plus, annonça Kale. Mais j'ai découvert que Toopka cherche à s'approcher de nous discrètement.

Kale se tourna et indiqua d'un signe à la fillette d'abandonner sa cachette.

— Fenworth a dit que je pouvais venir, expliqua-t-elle dès qu'elle se laissa choir à côté de Kale.

— Tu l'as trompé par la ruse, alors, décida Kale.

Régidor lança un regard en coin à Toopka pour signifier sa désapprobation.

— Tu l'as ennuyé jusqu'à ce qu'il te crie de partir ?

Elle hocha la tête gravement, puis sourit. Elle se faufila entre Régidor et lady Allerion afin de voir entre les buissons.

— Où est le meech ?

— Nous ne l'avons pas encore aperçu, répondit Kale.

– La porte s'ouvre, annonça Bardon.

Le plus vieil homme quitta les chevaux et alla à l'arrière du chariot. Il abaissa les marches perfectionnées, et une femme plus âgée portant une écharpe colorée enroulée autour de sa tête descendit. Elle scruta le champ à découvert d'un œil critique et parla. Le vieil homme fronça les sourcils et esquissa un signe vers Rivière au Loin.

– Que disent-ils ? demanda Toopka.

– Je ne sais pas, répondit Kale.

– Une minute, intervint lady Allerion. Je crois que je peux arranger cela.

Une expression déterminée apparut dans ses yeux.

Les efforts de Kale pour pénétrer le bouclier étaient si grands que, lorsque sa mère brisa son pouvoir, un flot d'impressions éclata bruyamment dans l'esprit de Kale. Elle tomba à la renverse et atterrit sur le dos. Bardon rit sous cape et Régidor s'esclaffa tout haut.

– Chut ! siffla Lyll Allerion.

Elle regarda Kale par-dessus son épaule.

– Je suis désolée de ne pas t'avoir prévenue, Kale.

Elle lança un regard désapprobateur à Régidor et à Bardon, qui riaient encore.

– Nous devrons simplement supposer que certains d'entre nous n'étaient pas aussi décidés à faire leur travail et n'avaient pas besoin d'avertissement.

Kale sourit largement en apercevant l'air chagriné de Bardon et les lèvres serrées de Régidor quand elle reprit sa place.

– Où est le meech ? redemanda Toopka, sa tête encore enfoncée dans les buissons. Je ne vois pas le meech.

– Je pense que notre meech sort du chariot à l'instant, dit Lyll.

Les cinq se turent. Kale ramena ses lèvres entre ses dents et retint son souffle. Une grande femme vêtue d'une robe pourpre descendit les marches. Sa tête était couverte par un chapeau rond à large bord. Une écharpe bleu nuit drapée sur le chapeau lui recouvrait entièrement la tête et les épaules. Elle portait des gants et un petit réticule orné de perles.

– Alors, dit Toopka. Où est le meech ?

Régidor répondit dans un murmure :

– C'est *cela*, le meech.

– Il est un meech fille ?

Toopka tourna des yeux incrédules et interrogateurs vers ses aînés.

– Comment peut-il être une fille ?

– Peut-être qu'il s'agit d'un déguisement, suggéra Bardon.

– Non, déclara Régidor. Il est une elle.

Lady Allerion regarda ses compagnons.

– Rassemblons des informations avant qu'ils ne s'aperçoivent que leur cercle d'endiguement a été percé. Kale, tu te charges de la femme. Bardon, des deux hommes. Régidor et moi allons nous concentrer sur la meech. N'oubliez pas de protéger votre esprit avant de plonger dans le leur.

Kale demanda la protection de Wulder et se réclama de son statut de servante à la recherche de la vérité. La colère de la femme frappa Kale de plein fouet, et elle dut reculer mentalement et s'approcher de nouveau plus prudemment.

– *Depuis quand cet homme a-t-il cessé de m'obéir ? S'il m'avait écouté, nous ne serions pas mêlés à ce gâchis. Ne traite pas avec un magicien louche. N'accueille pas cette créature anormale. Avons-nous vendu des potions ? À peine ! Pas suffisamment pour couvrir nos frais. Pourtant, il croit que nous croulerons sous l'argent et que nous vivrons dans un château quand nous terminerons ce « travail ». Quel travail ?* La *traîner dans tout le pays ?*

Le plus jeune des deux hommes avait dételé les chevaux. Il tournait continuellement les yeux vers la meech, mais continuait de s'acquitter de ses tâches. Le plus âgé sortit une chaise rembourrée du chariot et la plaça à l'ombre. La femme prit des aliments d'un placard dissimulé sous la maison baril.

– *Regardez-moi ces hommes. Tel père, tel fils. Les fous ! Obéissant à des ordres qu'elle ne prononce même pas.*

Kale jeta un coup d'œil à la meech assise immobile à l'ombre. Une brise agita le l'écharpe-voile. La tentation de savoir à quoi réfléchissait la mystérieuse silhouette donna envie à Kale d'abandonner la femme furieuse et d'explorer les pensées de la meech.

Toopka soupira.

– Est-ce que nous allons *faire* quelque chose ?

– Oui, répondit Lyll.

Les oreilles de Toopka se redressèrent.

Lyll se détourna de la scène du chariot et de son lot de coquins.

– Nous retournons à l'auberge pour transmettre notre rapport au magicien Cam et à Dar.

Les épaules de Toopka s'affaissèrent. Kale réprima un gloussement quand elle vit celles de Régidor réagir de la même façon.

Lyll à leur tête, les compagnons sortirent discrètement de la région boisée et contournèrent le village pour entrer par l'autre côté. Ils découvrirent Dar et les deux magiciens assis sur des bancs devant l'auberge.

Intriguée, Kale plissa le front. Connaissant les conseillers de Rivière au Loin, elle n'arrivait pas à croire que Dar les avait amenés à se décider aussi rapidement. Le doneel leva une main pour les saluer quand ils approchèrent.

– Non, Kale, dit-il. Ils ne sont pas convaincus, mais Librettowit a pris ma relève pour l'instant. Il leur relate l'historique du problème.

Kale planta ses poings sur ses hanches et se tourna vers Lyll.

– Lit-il dans mon esprit ?

Lyll rit, d'un rire retentissant différent du tintement musical de son autre mère.

– Je ne peux pas répondre à cela. Je dirai que les doneels ne sont *pas* connus pour être des télépathes, mais ils *sont* reconnus pour leurs talents diplomatiques. J'imagine que leur succès en diplomatie vient d'un discernement aigu du caractère d'autrui.

Le magicien Cam posa une main sur son collègue endormi à côté de lui.

— Fen, réveille-toi, mon vieux. Nous avons des nouvelles des coupables. Tu ne voudrais pas manquer ça.

— Qui appelles-tu mon vieux ?

La voix gronda à travers les feuilles, mais Fenworth ne reprit pas sa forme humaine.

— Toi, répondit Cam. Allons, Fen. Nous avons du travail devant nous.

Kale observa le magicien ouvrir les yeux. Ses autres traits faciaux émergèrent de l'écorce ; la mousse devint cheveux, les solides branches des bras et des jambes. Le feuillage se changea en tissu et en chapeau pointu.

Pas étonnant que les mariones de Rivière au Loin aient la frousse d'avoir des magiciens dans leur environnement. Cam laisse une flaque d'eau de lac chaque fois qu'il s'arrête plus de cinq minutes. Fenworth se transforme en arbre. Et il a toujours de petites créatures qui filent autour de lui et qui grimpent dans ses cheveux et ses vêtements, et certaines s'envolent dans les moments les plus inattendus. Je crois qu'il y a un an, j'aurai tremblé devant lui.

— Exactement ! dit Fenworth en la regardant droit dans les yeux. Je suis une personne presque aussi excentrique que toi. Tut tut. Comme nous sommes bornés dans notre façon de penser. Tut tut, oh zut.

— Le rapport ? insista gentiment Dar. Les dames d'abord.

Il se leva et fit signe à lady Allerion de prendre sa place.

Quand elle fut installée, elle saisit la main de Fenworth en parlant. Elle ne lui adressa pas directement ses paroles, mais elle serrait sa main d'une manière amicale. Le vieil homme la regardait avec un visage épanoui, et Kale se rappela que Fenworth lui avait dit que Lyll avait déjà été son apprentie.

— Nous avons trouvé les coupables. Il y a deux hommes mariones et deux dames. L'une des femmes est également marione. L'autre est notre meech. Elle a une personnalité incroyablement forte. Elle croit en ce qu'elle fait. Sa détermination à réussir est renforcée par son insatiable désir de gagner l'approbation de Risto.

Lyll se tourna vers Kale.

— Kale ?

— La femme marione est amère et en colère. Elle est indignée par le dévouement que son fils et son mari montrent à la meech.

Kale se tourna vers Bardon.

— Les deux hommes réagissent différemment à la meech.

Bardon leva la main et tira sur une mèche de cheveux sombres. Il la lissa sur son oreille, un geste que Kale l'avait vu faire de nombreuses fois. À présent, elle réalisait que cette habitude inconsciente avait une signification que même Bardon ne comprenait pas.

Je suis contente que Grand Ebeck l'ait envoyé avec nous. Bardon a des secrets, et je pense qu'il ira mieux une fois qu'il s'en sera débarrassé. J'en ai aussi. Sauf qu'ils me sont cachés à moi aussi.

Elle regarda la femme qui prétendait être sa mère.

Voilà un mystère.

— Le père, poursuivit Bardon, est motivé par l'appât du gain. Le fils adore la meech avec une ardeur anormale.

Régidor desserra son poing et frotta la paume de sa main sur l'étoffe rude de sa robe de religieux.

— Elle s'appelle Gilda. Elle est fière, vaniteuse et victime d'illusions. Elle croit que Risto est le sauveur du peuple d'Amara. Elle tire satisfaction de son pouvoir sur les hommes et les dragons. Elle aime donner des ordres de destruction.

L'esprit de Kale s'était attardé sur un problème, et elle devait poser la question.

— Comment influence-t-elle les dragons en tant que diseuse de bonne aventure ?

— Elle piège les fermiers en les incitant à se méfier de leurs dragons. Elle prédit leur défection. Elle les prévient que leurs manières traîtresses remontent à la surface. Puis, un soir, elle visite les dragons et plante les graines de l'insatisfaction. Elle a une langue de vipère.

Il grimaça.

– Ensuite, elle emmêle leurs pensées afin que ses victimes ne se souviennent pas clairement où elles ont acquis ces idées perverses.

Régidor remua ses pieds et prit une profonde inspiration.

– Ce que je trouve le plus troublant, c'est le sourire sur son visage quand elle contemple le mal.

– Tu pouvais voir son visage ? demanda Toopka.

– Non, je ressentais son euphorie dans son corps physique pendant qu'elle conjurait des visions de destruction.

– Pas une gentille dame, déclara Toopka.

– Mais une femme que Paladin veut que nous sauvions, ajouta Bardon.

Régidor resserra son poing.

– Ce serait plus facile de la détruire que de la faire changer d'avis.

– Et bien, alors, dit Fenworth en se levant, allons-y. Cela me paraît comme un joyeux défi avant le repas du soir. Cela nous stimulera l'appétit ou nous le fera perdre. Intéressant dans les deux cas.

48

L'AFFRONTEMENT

Quand les camarades atteignirent le champ du marché, ils découvrirent qu'on avait monté deux tentes : l'une pour la vente de potions, l'autre, avec une marquise sophistiquée aux rayures vertes et violettes par-dessus des côtés jaunes, portait l'inscription *Diseuse de bonne aventure.*

– Elle se trouve dans la tente de la diseuse de bonne aventure, déclara Régidor.

– Je suggère, dit Dar, que Régidor et Kale entrent pour se faire prédire l'avenir.

Lyll arqua un sourcil dans leur direction.

– Je suppose que vous ne croyez pas ce genre de bêtise.

Régidor et Kale secouèrent tous les deux la tête.

– Bien!

Dar leva les yeux vers ses deux guerriers.

– Je vous envoie, car vous avez le plus de chances d'influencer Gilda. Régidor, de toute évidence parce que tu es un meech. Kale, parce que tu es la Gardienne des dragons. Amène les dragons nains avec toi.

Lady Allerion posa une main sur l'épaule de Kale.

– Gilda est intelligente et elle découvrira sûrement votre véritable identité rapidement. Traite-la avec honnêteté, et elle ne pourra pas te nuire. Toute tromperie lui donnera l'avantage.

Pendant que les magiciens, Bardon et Dar se rendaient à la tente des potions, Régidor et Kale s'approchèrent de la diseuse de bonne aventure.

Régidor s'arrêta à l'entrée, retint le rabat et céda galamment le passage à son amie.

– Après toi, dit-il avec une étincelle dans le regard.

– Merci, répondit Kale en s'avançant dans l'intérieur sombre.

Avec soulagement, elle sentit que Régidor la suivait. Sa présence imposante derrière elle l'encouragea.

La forme voilée assise à l'arrière de la tente ne bougea pas. Une lanterne était posée devant elle au milieu d'une table noire. Le vacillement de la flamme se reflétait sur la surface grandement polie et donnait l'impression que le feu dansait sous le meuble.

– Ainsi, tu es la puissante Gardienne des dragons.

La voix sensuelle du meech flotta dans la pièce.

– Je suis déçue.

Kale s'avança de deux pas. Malgré le fait qu'elle savait que Régidor ne l'avait pas suivie plus avant dans la tente, elle parla avec audace.

– Paladin nous a envoyés à ta recherche. Il ne veut pas que tu sois le serf de Risto.

– Oh, je vois. Il veut que je le serve, lui. Comme c'est gentil.

– Si tu choisis de te libérer de Risto, Paladin t'offre la liberté. Il ne propose pas une nouvelle forme d'esclavage.

– Étrange ; tes mots sont attirants.

Elle resta immobile pendant un moment, suffisamment longtemps pour que Kale se demande si oui ou non elle devait dire quelque chose pour remplir le silence.

Mais Gilda parla de nouveau.

– Peut-être que cette attirance inexplicable est l'appât qui fait de toi la Gardienne des dragons. Cependant, *je* ne suis pas submergée par ton influence.

Les ombres dans la pièce vibraient sous ses mots. Bien que la lanterne n'ait pas faibli, l'obscurité s'épaissit. Kale retint son souffle quand le dragon poursuivit.

– J'ai perçu que tu parlais en te basant sur une véritable croyance. Peut-être que c'est *cela*, la force derrière tes paroles persuasives.

La femelle meech se retrancha encore une fois dans le silence.

Brusquement, elle reprit la parole.

– Quel dommage que ta croyance soit mal fondée. Tu es esclave de Paladin, que tu en aies conscience ou non.

L'atmosphère dans la pièce s'alourdit comme si le brouillard s'était infiltré dans la tente. Kale baissa les yeux vers ses bras, s'attendant à voir de la rosée perler sur sa peau. La chair de poule envahit son corps alors que les poils de son cou se redressaient.

Elle tenta de garder la voix calme.

– C'est un peu morne ici, non?

Elle avait envie que Régidor s'avance et prenne la relève. Puisqu'il semblait déterminé à rester en arrière-plan, elle ferait appel aux dragons nains pour lui soutenir le moral. Elle tira sa cape – qui pendait dans son dos – sur ses épaules.

– J'ai amené d'autres dragons afin que tu les rencontres.

Gymn et Metta sortirent et se perchèrent sur ses épaules. Dibl prit position sur sa tête. Ardéo, dégageant une lueur rassurante, se blottit dans le creux de son bras. Tout l'intérieur de la tente s'éclaircit.

– Alors, dit Gilda après un moment, est-ce que la Gardienne des dragons a des animaux de compagnie ou des esclaves?

– Ni l'un ni l'autre, répliqua-t-elle sèchement. Ces dragons sont mes amis.

Elle leva le menton.

– Et je ne suis pas l'esclave de Paladin. Mais je ne m'attends pas à ce que tu puisses comprendre cela.

Elle entendit Régidor l'encourager dans son esprit.

— *Wulder ou Pretender ? Le Créateur ou le Destructeur ?*

Kale hocha légèrement la tête et parla plus doucement.

— Je suis fidèle à Wulder, qui a créé le monde. Tu es dévouée à Pretender, celui qui cherche à détruire la création de Wulder.

La femelle meech se raidit.

— Je ne suis fidèle qu'à Risto.

— Et Risto est fidèle à Pretender.

— Tu as tort. Risto est notre chef.

Régidor esquissa un pas.

— Eh bien, voilà une légère confusion.

Il retira son capuchon afin de présenter ses traits distinctifs de meech. Kale entendit la femelle inspirer brusquement.

— Ce que tu as, expliqua Régidor, c'est un usurpateur dont le serviteur a l'intention d'usurper la place. Pretender tente de s'emparer de l'autorité de Wulder, et Risto essaie de se glisser dans la position de Pretender. Ce sera une affaire plutôt vilaine.

Il inclina la tête d'un geste bien connu de Kale et il parla avec encore plus de gravité.

— Et où est-ce que tu te situes dans tout cela, Gilda ? Tu es un pion.

Il contourna la table en s'approchant de l'autre meech.

— Toutefois, Kale formulait une remarque avant que nous nous écartions du sujet.

Il s'agenouilla devant le dragon.

— Tu peux choisir, Gilda, la personne que tu serviras. Le Créateur ou le Destructeur.

Régidor baissa les yeux vers les mains qu'elle gardait si immobiles sur ses genoux.

— Pose ta main sur la table, et je vais te montrer la différence.

Kale s'attendait à son refus, mais après un moment d'hésitation, Gilda plaça sa main gantée sur la surface noire luisante.

— Enlèverais-tu ton gant ?

Encore une hésitation. À nouveau, elle obéit.

Alors qu'ils centraient leur attention sur la main du meech avec sa peau écailleuse et ses ongles qui s'apparentaient à des griffes, une image se forma dans la paume. Une petite plante se déplia. Une tige s'éleva, surmontée d'un bourgeon. Il s'ouvrit, et de pâles pétales roses se déployèrent autour d'un centre doré. Une ombre tomba sur la belle fleur, et elle se flétrit, puis se changea en chaume noir. La vision disparut.

— Le Créateur ou le Destructeur ? murmura Régidor. Tu peux choisir, Gilda.

Gilda serra les doigts pour former un poing.

— Tu es un idiot, dragon meech.

Elle retira brusquement sa main de la table et la tint contre son cœur.

— Tu dois défricher le champ avant de pouvoir labourer la terre. Tu dois retourner la terre avant de planter la graine. La destruction fait partie du processus.

Régidor se redressa en soupirant.

— On ne creuse pas des sillons dans le champ de maïs pour planter des mauvaises herbes, Gilda. Ouvre les yeux et vois.

Gilda se leva. Le haut de son chapeau rejoignait le menton de Régidor. Les épaules droites, elle semblait sur le point d'attaquer. Kale sentit l'énergie se canaliser dans le corps de la femelle meech. Elle se tendit, prête à bondir si la femme frappait Régidor.

Il parla avec insistance.

— Pourquoi portes-tu un voile, Gilda ?

Il marqua une pause pour attendre la réponse, mais elle ne vint pas.

— Risto t'a dit que les gens frémiraient d'horreur à la vue de ton visage, n'est-ce pas ? Il a détruit ta confiance en toi en quelques mots. Il t'a enchaînée à sa cause avec des mensonges.

— Tu portes un capuchon.

Les mots de Gilda résonnèrent dans la tente comme des coups de marteau.

– J'ai des amis dans chacune des races supérieures. Mon apparence ne les effraie pas.

Kale sentit le petit pied de Dibl lui marteler la tête et elle gloussa.

– Je peux te dire qu'enfant, Régidor était plutôt mignon, et maintenant, je crois qu'il est assez séduisant – pour un homme chauve.

Régidor se détendit, lui décocha un grand sourire et remua la ride sans poils qui faisait office de sourcils.

– Je ne savais pas que tu étais devenu mon amie à cause de mon apparence époustouflante.

– C'est le charme de ton sourire, répondit-elle.

– Partez !

Le mot explosa dans la bouche de Gilda.

– Je ne souhaite pas votre présence. Je ne crois pas à cette prétendue camaraderie, dragon meech.

– Mon nom est Régidor, et je suis à ton service.

D'un mouvement preste, Régidor leva le poing serré de Gilda à ses lèvres et y déposa un baiser.

– Ouvre les yeux, ma gente dame. Ne sois pas effrayée par ce que tu verras.

Elle retira sa main et tourna le dos aux intrus. Régidor donna l'impression pendant un instant qu'il allait poser sa main sur son épaule. Au lieu de cela, il haussa les siennes et marcha d'un bon pas hors de la tente. Kale le suivit.

Les trois magiciens, Bardon et Dar se joignirent à eux quand ils s'éloignèrent à grandes enjambées des tentes pour se diriger vers le village.

– Qu'avez-vous appris ? demanda Dar.

– Ce sont des fabricants de potions de second ordre, au mieux, répondit Fenworth.

– Mais aucun de leurs produits n'est vraiment nocif, ajouta Cam.

– Ils *sont* excessivement chers, dit Bardon.

Lyll sourit.

— La pauvre mère a raison de se plaindre de la bêtise de son mari et de son fils.

Dar hocha la tête.

— Ces menues informations sont intéressantes, mais notre objectif principal visait à assurer la sécurité de Kale et de Régidor pendant leur visite à la diseuse de bonne aventure.

Régidor se retourna pour regarder les deux hommes se tenant à présent debout à côté du chariot très orné.

— Vous les avez empêchés d'attaquer ?

— Non, nous avons parlé à Wulder, en Lui demandant que Sa protection soit invoquée en votre nom.

Dar se tourna vers sa compagne o'rant.

— Kale, qu'as-tu appris de la meech ?

— Rien, mis à part que je ne suis pas bonne diplomate.

Dar lui toucha le bras.

— Souvent, le résultat de nos affrontements ne se concrétise pas immédiatement. Tu as suscité son intérêt de manière plus qu'adéquate pendant que notre ami meech faisait de son mieux pour nous. Régidor ?

— Risto a rassemblé une armée de bisonbecks et de grawligs à l'ouest du lac Bartal Springs. Plus de cinq cents dragons ont rejoint ses forces. Il a l'intention de fondre sur le sud d'ici trois jours. Son but est d'anéantir quiconque se met en travers de son chemin.

Kale stoppa net, saisit le bras de Régidor et le força à la regarder en face.

— Quand et où as-tu obtenu tous ces renseignements ?

Régidor sourit.

— Directement dans le mignon petit cerveau de Gilda la première fois où tu lui as parlé. Elle avait peine à contenir sa joie, sachant que ton agaçante petite personne et ton babillage insensé seraient éliminés à jamais. Elle a un cœur de pierre, celle-là.

— Hum ! J'étais incapable de traverser le bouclier qu'elle avait levé devant son esprit, admit Kale. Tu as pris la relève avec un discours vachement agréable pour quelqu'un qui connaissait ses pensées.

Régidor haussa les épaules.

– Eh bien, Paladin s'attend à ce que nous la persuadions de quitter Risto.

Fenworth prit la parole.

– Et comment évaluerais-tu le taux de réussite de ta tentative, mon garçon ?

– Presque nul.

Ils reprirent le chemin de l'auberge. Les dragons nains volaient autour de la tête de Kale en essayant d'attirer son attention. Elle les ignora.

Cela signifie un combat.

– Donc, après un délicieux repas, dit Fenworth en faisant claquer ses lèvres, et une période de détente animée, par la musique, je pense…

Quel type de forces avons-nous pour affronter une telle armée ?

– … et peut-être quelques bonnes histoires et une bonne nuit de sommeil…

Fenworth a dit que les mariones pourraient former une armée pour défendre leurs terres.

– ... que suggérez-vous que nous fassions, chers camarades, avec ce renseignement étonnant ?

Cam caressa sa barbe humide.

– Oh, il me semble que nous devrions aller arrêter l'armée de Risto, non ?

L'arrêter ? Seulement nous ? Qu'advient-il de l'armée marione ? Et de Paladin ? Où sont Brunstetter et Lee Ark ?

– Tout à fait, acquiesça Fenworth. Il n'y a rien comme une mission pour sauver le monde pour égayer les vacances.

– Nous ne sommes pas en vacances, Fen, dit Cam.

En vacances ! Ha ! Et ce n'est pas exactement une quête non plus. Dans une quête, on trouve quelque chose et, avec un peu de chance, on le ramène.

– Non ; ça, c'était la semaine dernière, non ? Ou peut-être la semaine précédente ?

– Au siècle dernier, probablement.

– Était-ce avant ou après cette vague de froid désagréable, Cam ? Je dois avouer que ma mémoire se détériore.

– Se pourrait-il que tu vieillisses, Fen ?

Séniles ! Tous les deux !

– Jamais.

49

La suite des plans

— Le problème, déclara lady Allerion au groupe assemblé dans la salle du conseil de Rivière au Loin, est qu'une fois que nous avons construit un portail, il n'y a aucune façon de le fermer hermétiquement. Et la grandeur de celui que nous proposons... eh bien, le cacher va poser un défi.

— Et qu'en est-il de ces colporteurs ? intervint maître Meiger. Nous ne voulons pas d'eux ici, à causer davantage d'ennuis. Nous devons mettre tous nos efforts sur notre défense. Comme les colporteurs et la diseuse de bonne aventure se trouvent parmi nous, nous devons garder un œil sur eux.

Régidor hocha la tête.

— Nous devrions amener Gilda et ses comparses avec nous sur le champ de bataille.

Kale était assise à la tête de la table, observant ses anciens voisins en silence. L'assemblée était principalement composée d'hommes et des plus vieux garçons, mais quelques femmes s'étaient présentées pour entendre maître Meiger décrire la menace et recommander de suivre la direction de l'ambassadeur Dar.

En raison de leur propension aux longs débats, Kale craignait que les mariones parlent pendant des jours sans en venir au but avant que les forces des envahisseurs ne se présentent à leur porte. Cependant, les gens l'avaient étonnée. Une fois convaincus du danger, ils passèrent à l'action. Les garçons acceptèrent la tâche de parcourir le pays à cheval afin de sonner l'alerte et d'informer les volontaires de l'endroit où l'armée devait se rassembler. La cuisine et les bagages occupaient les femmes non présentes à la réunion. Les vieillards, qui n'iraient pas au front, promirent de prendre soin des femmes et des enfants ainsi que des propriétés et des animaux de ceux qui défendraient leurs terres.

Un fermier se leva à l'arrière de la salle et agita son chapeau pour attirer l'attention de lady Allerion.

– Oui, Monsieur ? dit Lyll en hochant la tête dans sa direction pour lui accorder le droit de parole.

– Je possède une petite terre marécageuse le long de la rivière. Une propriété sans valeur où personne ne va. Pourrait-on l'utiliser pour le portail géant dont vous parlez ?

– Tut tut. La terre marécageuse n'a pas de valeur, dit-il ? Pas un type très intelligent, j'en suis sûr.

– Chut, Fenworth, répliqua Lyll. Ce n'est pas tout le monde qui comprend votre attrait pour les marais.

Un autre fermier s'adressa à eux.

– Je vous garantis que le site est inaccessible. Alors, comment réussirons-nous à faire passer des hommes, du matériel et vos dragons à travers le marais pour atteindre le portail si nous choisissons délibérément un endroit où personne ne peut se rendre ?

– Nous sommes accompagnés d'un magicien des marais, Monsieur, répondit Dar. Y a-t-il d'autres suggestions pour l'emplacement du portail ?

Personne ne souffla mot.

– Bien, conclut Dar. C'est réglé. Passons à un autre problème. Nous avons besoin de quatre volontaires pour accompagner Lehman Bardon, Régidor et Leecent Kale afin de capturer les colporteurs.

Quatre jeunes hommes s'avancèrent : Bolley, Gronmere, Mack et Weedom.

Dar hocha la tête en signe d'approbation.

— Parfait. Rapportez-vous à Lehman Bardon quand la réunion sera levée. À présent, les garçons ayant accepté la charge de sonner l'alarme et d'annoncer les ordres de mission, allez rencontrer le magicien Cam pour recevoir vos instructions. Le portail sera fonctionnel dans trois heures. Ceux d'entre vous qui se battront, rassemblez-vous au marais. Des questions ?

Dar attendit un instant en survolant du regard la pièce remplie de mariones, fixant plusieurs d'entre eux dans les yeux.

— Cette réunion est ajournée.

Les fermiers et les marchands mariones quittèrent leurs sièges et sortirent dignement du bâtiment. Sous peu, ils partiraient au combat, d'un genre qu'aucun d'eux ne pouvait imaginer. Maître Meiger avait présenté l'appel aux armes. Dar et Librettowit avaient accompli un bon travail en préparant les hommes avec de courts discours bien sentis. Cependant, l'idée de se battre contre des bisonbecks et des grawligs ressemblait à un cauchemar, un mauvais rêve qu'ils ne souhaitaient pas voir se concrétiser dans leurs propres champs.

Kale se fraya un chemin parmi les garçons se regroupant autour de Cam et se hâta dehors. Un imposant armagot déployait ses branches dénudées par-dessus une extrémité de la route menant au nord de Rivière au Loin. Kale marcha à grandes enjambées pour s'appuyer contre son large tronc.

Les dragons nains sortirent de leurs antres de poche. Gymn s'assit sur son épaule et il enfouit sa tête sous son menton.

— Tu as raison, dit-elle en lui caressant le ventre avec un doigt. Je me sens malade. Mais je ne crois pas qu'il s'agisse de quelque chose que tu puisses guérir.

À la recherche d'insectes, Dibl et Ardéo fourrageaient dans le tapis de feuilles tombées au pied de l'arbre. Metta, elle, abandonna la chasse et vola jusqu'à l'épaule de Kale.

— Nous parlons de nous précipiter dans la bataille, et j'ai peur.

Elle jeta un coup d'œil sur les mariones se dispersant pour s'acquitter des tâches à accomplir et elle ravala la boule dans sa gorge.

— Penses-tu qu'ils savent, Metta, à quel point ce sera affreux ? J'ai seulement participé à des escarmouches. Je ne m'imagine pas une bataille en bonne et due forme. Je ne veux pas.

— Te souviens-tu comment j'ai mérité ma médaille, Kale ?

Elle sursauta au son de la voix de Dar près de son coude.

— Ta médaille ? Pour avoir combattu les araignées creemoors au Manoir ?

— Oui.

— Je me souviens.

— Te souviens-tu que j'ai dit que j'avais reçu une médaille alors que j'essayais simplement de rester en vie ?

Elle acquiesça.

— Oui.

— C'est comme ça dans les grands combats. Tu t'es déjà battue. Tu ne penses pas à ta peur. Tu essaies simplement de rester en vie. Et,si tu vois une occasion de secourir un camarade, tu la saisis.

Elle hocha de nouveau la tête, mais sa gorge s'était resserrée autour de sa boule encore une fois, et elle était incapable de parler.

Dibl vint se percher sur sa tête, ses petites griffes enfoncées dans ses cheveux. Dar lui tapota le bras.

— Ne t'inquiète pas. Wulder t'a donné ce dont tu as besoin pour cette rencontre et Il t'a donné un endroit où aller si tu n'y survis pas.

Dibl tira doucement sur un cheveu enroulé autour de ses orteils. Kale leva les yeux au ciel en regardant Dar et elle permit à un petit sourire de soulever les coins de sa bouche.

— Merci pour tes paroles réconfortantes, Dar.

— Quand tu veux.

Il lui décocha un clin d'œil.

— Viens, Kale, lui cria Bardon.

Lui, Régidor et les quatre mariones se tenaient de l'autre côté de la rue, prêts à marcher vers le champ du marché.

Elle repoussa son corps de l'arbre. *Je vais me faufiler juste au milieu de ce groupe de soldats et les laisser me protéger.*

— En voilà un plan, Kale !

Dar la regardait d'une mine épanouie.

— Ton intelligence constitue une meilleure arme que tes muscles.

Elle compara ses bras maigres aux muscles se gonflant dans le dos et les avant-bras des mariones.

— Quels muscles ?

— Précisément ! s'exclama Dar en la saluant avant de se diriger vers la salle du conseil.

Elle avança de quelques pas vers Bardon, s'arrêta brusquement et pivota. Dar marchait sans se presser.

Viens-tu de lire dans mon esprit ?

Il ne se retourna pas.

— *Kale, tu as des choses plus importantes auxquelles penser.*

L'as-tu fait ?

— *Bien sûr que non. Bardon attend.*

— Ne sauront-ils pas que nous approchons ? demanda Bolley. La femelle meech sait à quoi vous pensez, n'est-ce pas ?

Kale répondit avec plaisir.

— Régidor peut bloquer sa capacité à connaître nos plans.

Bardon mena les hommes à la tente des potions. Sans attendre de voir cet affrontement, Kale et Régidor entrèrent dans la tente de la diseuse de bonne aventure avec les dragons nains volant près d'eux à leur service.

Gilda resta assise sans bouger.

Régidor se tint à la porte. Les dragons planèrent autour de la pièce, inspectant tous les coins sombres. Gilda les ignora tous.

Une vague d'impatience envahit Kale. La femme s'enveloppait dans des vêtements épais, bougeait seulement quand on l'y forçait, répandait le mécontentement parmi des gens qui ne lui avaient fait aucun mal et agissait comme si elle était reine.

Cependant, Paladin a dit que le dragon meech doit être traité avec miséricorde. Elle est née dans cette situation et doit être sauvée. Régidor a tenté le coup lors de notre dernière visite. J'imagine qu'avant de neutraliser son pouvoir, de l'attacher et de la traîner avec nous, je devrais essayer la gentillesse moi aussi.

Kale contourna la table noire et se tint à côté de la forme immobile de Gilda.

— J'aimerais voir ton visage.

Gilda ne broncha pas.

— Vraiment, dit Kale. Je pense que si je pouvais regarder dans tes yeux, je serais en mesure de commencer à te comprendre.

Gilda ne répliqua toujours pas. La jeune o'rant posa une main sur l'épaule de la meech, et les habits s'effondrèrent sous elle.

Dibl exécuta des culbutes dans les airs et Metta cria de surprise.

— Très intelligent, dit Régidor.

— Où se trouve-t-elle ? demanda Kale.

Régidor inclina la tête et survola la pièce du regard. Après avoir décrit un cercle complet, il répondit.

— Elle est dans la pièce, mais pas dans sa forme personnelle. Regardons autour et cherchons où elle pourrait se cacher.

— Elle s'est transformée en quelque chose d'autre ?

— Je ne sais pas si elle possède le talent de le faire elle-même ou s'il s'agit de l'œuvre de Risto. Ramasse cette pile d'habits et secoue-la. Vois si quelque chose tombe sur le plancher.

Kale se plia à la suggestion de Régidor. Le chapeau s'échappa de sous le voile. Elle retira une blouse de l'intérieur du veston pourpre. Des jupons glissèrent de sous la jupe violette. Les bottes courtes contenaient des bas. Elle soupira de déception.

Dibl abandonna sa joyeuse danse aérienne pour se mettre au travail. Il rampa sur le plancher, grignotant des insectes en cherchant des indices. Metta s'assit sur le dossier de la chaise de Gilda. Kale la prit. Le petit dragon frissonnait de désarroi en raison de la disparition du meech.

— Nous la trouverons, Metta. Il ne semble pas qu'on lui ait fait du mal.

Kale continua de caresser Metta en parcourant la pièce.

— Que cherchons-nous ? demanda-t-elle à Régidor.

Il parla par-dessus son épaule en examinant un coussin.

— Eh bien, je cherche ce miroitement de lumière que je vois parfois autour des gens. Le sien affichait un motif particulièrement désordonné.

— Je n'ai jamais vu de lumières.

— Alors, je suppose que tu devrais rechercher une chose qui n'est pas à sa place ou qui se trouve ici alors qu'elle n'y était pas auparavant.

— Ne serait-ce pas plus logique pour elle de se transformer en être vivant, comme un chat ou un chien, un oiseau ou une souris ?

— Ce serait la transformation la plus simple, mais Risto ne se contente pas de simplicité.

— Quand même, je serais plus heureuse si Dibl cessait de manger ces insectes. Dibl, arrête. Tu pourrais avaler Gilda.

Dibl roula sur le sol et se cogna sur une patte de table. Il resta allongé là, ses flancs frétillant sous son rire.

— Ce n'est pas drôle !

Elle serra les lèvres et essaya de ne pas rire de ses singeries.

— Je ne crois vraiment pas qu'elle est un insecte, Kale.

Régidor arpentait la pièce en regardant dans des boîtes et des malles et sous des coussins.

— Non, j'imagine que tu as raison. Elle n'a pas la personnalité pour se permettre de devenir un insecte.

Ardéo et Gymn fouillèrent tous les coins. La lumière d'Ardéo illuminait chaque recoin sombre. Gymn émit des trilles excités.

Elle se dirigea en hâte à l'endroit où les dragons nains dansaient autour d'un objet quelconque.

— Ils ont trouvé quelque chose.

Une pièce gisait sur le plancher de toile de la tente à côté de coussins ayant dû servir de chaise longue à Gilda. Régidor ramassa le large disque et l'examina pendant que Gymn et Ardéo voltigeaient autour de ses épaules.

— Non, je ne crois pas, décida Régidor.

Il le fit tournoyer dans les airs et le lança sur la table.

— Et ceci ?

Kale pointa une petite glace sur pied posé sur une malle placée à la verticale.

— Cela me semble déplacé ici. Pourquoi Gilda voudrait-elle une glace ?

Régidor s'apprêta à traverser la pièce.

— Laisse tomber, dit Kale. Metta affirme qu'elle était ici avant.

Elle posa les mains sur ses hanches et observa l'intérieur de la tente.

— C'est sans espoir, Régidor. Qu'est-ce qui te fait croire qu'elle se trouve encore ici ?

— Je le sais. Je ressens une sorte de vibration dans l'air, que j'avais déjà remarquée quand nous sommes venus dans la tente la première fois. J'ai pensé qu'elle émanait d'elle.

Il secoua la tête et grimaça.

— J'avais peut-être tort.

Elle gloussa presque. *J'en doute ! Il doit simplement se concentrer.*

— Arrête-toi et reste immobile, Régidor. Essaie de voir si l'impression devient plus forte dans une partie de la tente.

Régidor s'immobilisa pendant un moment, les yeux fermés. Kale l'observa inspirer et expirer. Il lui vint à l'esprit que dans son état d'immobilité presque complète, il lui rappelait la présence contenue de Gilda.

Régidor se rendit à la table noire polie. Une flamme jaune et vacillante brûlait dans la lanterne. Un gant de lin blanc gisait sur la table où Gilda s'était assise.

Il souleva une cruche en terre cuite avec un bouchon de liège. Il la pencha doucement d'un côté, puis de l'autre. De l'eau clapotait à l'intérieur.

– Une simple cruche d'eau, dit-il, ses dents blanches étincelant sous la lumière de la lanterne combinée à celle d'Ardéo. Ou l'essence d'un dragon meech.

Kale sourit.

– Tu l'as trouvée.

– Oui et, à moins que nous la renversions, ce sera facile de ne pas la perdre.

Dibl poussa un petit sifflement. Gymn atterrit sur l'épaule de Kale et battit des ailes.

– Je pense qu'elle a fait cela elle-même, Régidor, déclara la jeune fille en regardant la jolie forme de la bouteille en terre cuite. Si Risto était venu ici et l'avait transformée, ne l'aurait-il pas emportée ?

– C'est une idée, Kale. Par contre, s'il voulait plutôt qu'elle voyage avec nous pour nous laisser croire qu'elle est dans un état inoffensif ?

Elle réfléchit à cette possibilité.

– Donc, nous ferions mieux de nous méfier.

– Il vaut toujours mieux se méfier.

50

Construire le portail

Un large chemin construit par-dessus une digue s'étirait dans le marais depuis la route principale. Ni le chemin ni la digue n'existaient quelques heures plus tôt. Des hommes, prêts à combattre pour leur foyer, se rassemblaient sur la route principale. Des femmes et des enfants se tenaient à côté d'eux, attendant de leur adresser leurs adieux.

Kale aperçut maître Meiger et, pour le moment, personne n'exigeait son attention.

— Vous avez prononcé un excellent discours aujourd'hui, Maître Meiger.

Il rougit et détourna son regard.

— Pas aussi éloquent que d'autres; mais j'ai communiqué la vérité telle que je la connais.

— Vous avez dit exactement la bonne chose, et ces gens vous ont cru.

— Ils m'ont connu toute ma vie.

Elle voulait lui exprimer davantage sa pensée, mais les mots ne lui venaient pas à l'esprit, et il semblait mal à l'aise devant ses compliments. Elle pensa à un autre sujet à aborder.

— Les magiciens ne vous ont pas appelés dans le marais?

— Non, ils nous ont demandé d'attendre ici jusqu'à ce que le portail soit construit. De toute évidence, il s'agit d'une affaire complexe et cela exigera leur concours à tous les trois. Ce magicien, Fenworth, il a bâti cette route à lui tout seul. Formidable à regarder.

Elle hocha la tête.

— Je vais y aller et voir s'ils achèvent.

— Le devrais-tu ? s'enquit maître Meiger. Je veux dire, les interrompre ?

— Je ne les dérangerai pas.

Kale esquissa un pas vers le chemin, puis se retourna.

— Maître Meiger, ce pourrait être une bonne idée de prévenir ces gens contre les mordakleeps. Rappelez-leur qu'ils doivent leur couper la queue pour les tuer.

Le vieux marione parut étonné.

— Oui. Oui, évidemment.

Elle fit un geste à Régidor et à Bardon.

— Je vais au marais. Voulez-vous m'accompagner ?

Les deux hommes échangèrent des coups d'œil. Régidor sourit largement.

— Tu as décidé que tu ne souhaitais pas affronter seule des créatures des marais, hein ?

Elle lui sourit à son tour.

— Exact. Dar m'a conseillé d'user de mon intelligence.

— Nous venons, annonça Bardon. Je suis curieux, moi aussi.

Ils dépassèrent plusieurs groupes d'hommes et quelques familles avant de poser le pied sur le nouveau chemin. La route flexible semblait construite avec des rondins de différents diamètres tressés ensemble avec des vignes solides. Les dragons nains volaient autour d'eux. Une abondance d'insectes grouillait au-dessus de l'eau trouble du marais.

— Où est Gilda ? demanda Kale.

— Dans ma poche, répondit Régidor.

Kale regarda les pans lisses de sa bure.

— C'est une cavité, lui expliqua Régidor avant qu'elle ne posât la question. Comment as-tu réussi à te dérober à Toopka ?

— Elle donnait un coup de main à Cakkue et à Yonny. Elle n'a même pas paru particulièrement outrée que nous n'ayons pas l'intention de l'amener avec nous.

— Cela me semble suspect, dit Bardon en riant.

— Oui, acquiesça Régidor.

Kale secoua la tête, à moitié d'accord avec ses amis, tout en croyant ses propres yeux.

— Elle changeait la literie sur des lits au premier étage quand je suis partie. Dame Meiger se sent juste un peu nerveuse avec Toopka parce qu'elle n'a jamais rencontré de doneels. Toopka fait toutefois de son mieux pour l'impressionner. Il est vrai que je me demande ce qui se passe dans sa petite tête duveteuse.

— Eh bien, elle peut se montrer une bonne travailleuse, dit Régidor, mais elle est également trop sournoise et curieuse pour son propre bien.

— Et que dirait-elle de toi ? voulut savoir Kale.

Régidor rit.

— Que je suis autoritaire et têtu !

Bardon lui assena une claque sur l'épaule.

— Elle aurait raison, alors.

Un tapageur poussa son cri distinctif en signe de protestation contre l'invasion de son territoire. Kale étira le cou pour tenter d'apercevoir l'oiseau blanc et bleu. Le petit volatile rapide était perché sur une branche couverte de mousse tombant en cascade. Kale l'observa voltiger de rameau en rameau.

Des feuilles mortes crissaient, toujours accrochées dans les vignes drapées autour de l'arbre malgré l'hiver. En prenant une profonde respiration, Kale reconnut les odeurs d'humidité semblable à celles du marais de Bedderman.

Mais ici, aucun cynœud ne se liait avec un autre pour se transformer en bordage. Les arbres étaient grandement espacés. Des bouts d'écorce grise pendaient mollement aux troncs, comme si l'arbre muait.

Peut-être que les hivers dans la région sont trop rudes pour des cynœuds. Je ne crois pas qu'il neige aussi loin au sud que Les Marais.

L'absence de cynœuds signifiait également qu'aucune racine ne formait de marche naturelle où poser les pieds. Loin de la route flottante du magicien Fenworth, l'eau de quinze centimètres de profondeur était envahie par les roseaux. Une fois qu'ils auraient terminé et que le chemin serait détruit, il serait difficile de marcher dans le marais.

Pour l'instant, cependant, Kale avait l'impression de faire une agréable promenade d'après-midi. Une brise chatouillait les vignes sur les arbres, et le ciel présentait une voûte bleue. Le chemin sous leurs pieds craquait et oscillait paisiblement.

Cela paraît beaucoup trop agréable pour mener à la guerre.

– Voilà le portail, annonça Kale en pointant les trois magiciens, Librettowit et Dar rassemblés à l'extrémité du chemin temporaire. On dirait qu'ils ont terminé.

– Non, répliqua Régidor, le plus petit seulement, car le plus grand a un bord qui doit être tressé plus serré. Pourquoi y a-t-il deux portails ? Je n'ai pas eu connaissance de plans pour un deuxième.

Librettowit et Dar discutaient gravement pendant que Fen et Cam étaient assis sur des troncs ressemblant à des chaises grossièrement taillées. Lyll faisait les cent pas devant le portail inachevé.

Les ombres de l'après-midi s'étiraient longuement sur la route de fortune. En se rappelant qu'ils avaient récemment été attaqués près d'un étang paisible, Kale frissonna et garda un œil prudent sur les taches sombres.

Dar accueillit Kale et ses compagnons.

– Nous sommes sur le point d'envoyer le magicien Fenworth et Librettowit convoquer Brunstetter et Lee Ark. Cet épisode fera partie des livres d'histoire. Si cela fonctionne comme prévu, Librettowit et Fen ramèneront des troupes par ce portail central depuis différents endroits, ce qui les mènera tous au combat. Le temps est restreint.

— Et Paladin ? demanda Kale.

— Il viendra peut-être, répondit Dar.

— Nous ne pouvons pas le convoquer ?

Dar secoua la tête.

— Wulder l'enverra si sa présence s'avère nécessaire. Nous n'exerçons aucune autorité sur Wulder et Paladin. Nous ne pouvons pas leur ordonner d'apparaître.

Les yeux expressifs de Dar s'illuminèrent.

— Mais ils ne nous abandonneront pas, cela je peux te l'assurer.

— Viens-tu ? lança Librettowit à Fenworth. Je peux y aller sans toi si tu es trop fatigué.

— Fatigué ? Hum ! Je n'ai réalisé que le tiers du travail pour construire ces portails et j'aurais pu m'en charger seul. Évidemment que je ne suis pas fatigué.

Fenworth se leva avec raideur. Des souris, des lézards et des insectes sortirent précipitamment de ses cheveux et de sa barbe. Il ne fit pas attention à leur départ, mais il sourit chaleureusement à un grand oiseau noir volant à travers les arbres grandement espacés. Il atterrit sur l'épaule du magicien des marais.

— Te voilà, Thorpendipity.

Fenworth leva une main tremblante pour caresser les plumes noires luisantes de son ami.

— Je commençais à croire que tu t'étais installé chez un autre magicien. Je vais avoir besoin de toi. Je suis content que tu sois venu.

Fenworth se dirigea sans se presser vers le plus petit des portails scintillants et le traversa, discutant toujours avec l'oiseau.

Librettowit s'adressa à Cam et à Lyll.

— Je vais essayer de le garder à l'écart, mais vous savez qu'il est impossible de le faire changer d'avis une fois qu'il a décidé de faire quelque chose.

Cam serra la mâchoire avant de parler.

— Nous devons espérer qu'il ne se mette pas en tête de commander les forces sur le champ de bataille.

Lyll se tordit les mains.

— Essaie de lui rappeler l'importance de rassembler des renforts. Il est trop fragile pour les rigueurs du combat.

Elle pressa les lèvres et cligna rapidement des yeux.

Librettowit porta la main à son chapeau et l'inclina légèrement.

— Je ferai de mon mieux, ma dame.

Il entra dans le portail et disparut dans la lumière étincelante.

Le magicien Cam pivota vers le grand portail inachevé.

— Qu'en penses-tu, Lyll ? Pouvons-nous le terminer ?

— Je crois qu'il nous faut de l'aide.

Cam et Lyll se tournèrent pour regarder Kale, Bardon et Régidor.

— Venez, dit Lyll, nous avons besoin de vous, mes trois apprentis.

Régidor et Kale avancèrent vite d'un pas, mais Bardon resta en arrière.

— Pardonnez-moi, ma lady, mais je ne suis pas un des apprentis de Fenworth.

— Quoi qu'il en soit, répliqua Cam, approche, mon ami. Tu pourras observer.

Kale tourna vivement la tête pour voir la réaction de Bardon. Le magicien Cam avait utilisé presque les mêmes mots que Fenworth la fois où il avait voulu que Bardon participe à une leçon de magie.

L'expression de Bardon était indéchiffrable, et quand elle tendit l'esprit, elle constata qu'il avait élevé une barrière qui aurait dû porter une affiche disant « Va-t'en, Kale ! »

Elle lui fit la moue, et, évidemment, il ne réagit pas.

Lyll toucha le bras de Kale.

— Tiens-toi à côté de moi. Régidor, va près de Cam, et Bardon, prends la position du milieu.

Elle n'attendit qu'un instant qu'ils suivent ses ordres.

— À présent, observez le côté droit de ce mur. Voyez-vous les fils qui n'ont pas encore été tressés ensemble?

Kale regarda, la bouche ouverte, en acquiesçant. Auparavant, elle avait concentré son attention sur le centre du portail, où l'air semblait onduler, déformant l'image sous son regard. Elle remarquait maintenant de longues fibres épaisses presque transparentes et pendantes, comme celles sur le bord d'un tissu effiloché.

Elle sentit l'excitation de Bardon monter en flèche et elle sut qu'il apercevait les fils. Sa réaction prit le pas sur sa détermination à ne pas partager cette expérience avec elle, et il abaissa sa garde.

— Regardez attentivement, mes enfants, pendant que Cam et moi tressons les cordes. Vous pouvez vous joindre à nous dès que vous avez saisi le motif.

Régidor les aida en premier, suivi de Kale. Elle sut que Bardon avait vu le motif peu après. Mais il hésita, parce qu'il ne croyait pas encore tout à fait pouvoir y arriver.

C'est comme les battements de tambour derrière la musique, Bardon. Contente-toi de réagir à la mesure.

Il ne répondit pas, mais elle ressentit bientôt son énergie circuler au même rythme que celle du groupe. Quand Lyll attacha la dernière fibre, les cinq laissèrent échapper un soupir. Le sentiment de travailler en équipe se dissipa, mais Kale éprouva de la satisfaction. Elle pivota pour voir si son émotion était partagée par Bardon.

Son visage affichait cette expression de froideur qu'elle détestait. Elle passa à deux doigts de lui crier : « Ne peux-tu pas prendre plaisir à quelque chose ? » La question tenta de s'échapper de sa bouche, mais elle lui barra la route en serrant les lèvres.

— Comment est-ce possible? demanda-t-il. Comment puis-je prendre part à quelque chose de semblable?

— Ce n'est pas un si grand mystère, répondit le magicien Cam.

Il se détourna de Bardon pour poser une question à Kale.

– Possèdes-tu le don de guérir ?

– Non, c'est Gymn.

– Pourtant, tu l'assistes quand il a besoin de ton aide. Ta présence accroît son talent naturel.

– Oui, je crois que c'est ainsi que cela fonctionne.

– Et tu partages la joie, la satisfaction, une fois le travail accompli, même si ce n'est pas ton don qui est à la source de la guérison ?

– Oui, et je me sens très près de Wulder.

Cam hocha la tête et reporta de nouveau son attention sur le lehman raide comme un piquet.

– Bardon, tu agis sur Kale de la même façon qu'elle sur Gymn. Tu soutiens son aptitude. En fait, pendant ce travail, tu nous as tous soutenus. Et nourrir le talent est tout aussi précieux que le don lui-même. Quand toi et Kale combattez ensemble, c'est elle qui stabilise, et même qui multiplie ton adresse et ton aptitude.

Le lehman lança un regard sceptique vers Kale. Dibl choisit cet instant pour décrire des cercles autour de sa tête, volant sans cesse près de Bardon comme une abeille songeant à atterrir sur une fleur. Kale fit un grand sourire.

Le regard de Bardon se durcit, mais Dibl se laissa choir sur sa tête.

Le lehman soupira, et ses épaules raides se détendirent. Kale entendit sa voix dans son esprit.

– *C'est difficile de rester digne avec un dragon jaune dans les cheveux.*

Peut-être que la dignité n'est pas toujours essentielle.

Un sourire fendit l'expression sévère de Bardon.

Dar fit signe à Kale, Bardon et Régidor de le suivre.

– Je retourne là-bas pour parler au maître Meiger et à ses amis. Cam et Lyll continueront de renforcer ce portail afin que des dragons puissent passer en toute sécurité. Je veux que vous traversiez avant nous. Parcourez le pays en éclaireur, voyez comment il est configuré, où se trouvent les camps ennemis et l'ampleur de leurs forces. Puis, revenez. Après votre rapport, nous devrions être prêts à commencer le transport des guerriers. Si je ne suis pas ici à vous attendre, Kale, envoie un de tes dragons à ma recherche.

– Oui, Monsieur. Dar ?

– Oui ?

– Es-tu réellement un grand général lee comme Fenworth l'a dit ?

Dar rit et secoua la tête.

– Non, il pensait à mon père.

– Es-tu ambassadeur ?

– Nous sommes tous des ambassadeurs, Kale. Nous représentons quelque chose pour quelqu'un tous les jours de notre vie.

– Allons, Kale.

Régidor tira sur son bras.

– Nous avons une mission. Partons voir où campe l'ennemi.

51

EN TERRITOIRE ENNEMI

– C'était différent, comme sensation, non ? dit Kale dès qu'elle eut traversé le portail pour se retrouver en face de Régidor et Bardon.

Ils se tenaient dans une région boisée, près d'une élévation rocheuse.

Régidor hocha la tête.

– Oui. Je n'ai pas eu l'impression que l'air se comprimait dans mes poumons.

– J'ai pensé que peut-être je m'habituais à me frayer un chemin dans le portail, ajouta Baron. Je n'ai pas ressenti le poids et la consistance poisseuse de la lumière comme auparavant.

Régidor inclina la tête et examina le portail sculpté dans le roc.

– J'imagine que cela a quelque chose à voir avec sa dimension.

Kale saisit la manche du dragon meech.

– Non, Régidor ! Nous ne nous arrêterons pas pour étudier le portail.

Bardon rigola.

– Elle a raison, tu sais. Nous devons accomplir notre mission.

Kale amadoua les dragons afin qu'ils sortent de sa cape.

– Allez, vous pouvez nous aider. Assurez-vous simplement de ne pas être vus.

Dibl émit des trilles.

– Très drôle; mais je ne crois pas que cela fonctionnera.

– Quoi? s'enquit Régidor.

– Il va faire semblant d'être un oiseau si un bisonbeck le repère.

– Il s'agit d'une affaire sérieuse.

Bardon parla avec fermeté au dragon jaune pendant qu'il filait à toute allure à travers la petite clairière.

– Cela ne sert à rien de le réprimander, dit Kale en le regardant avec colère. Il sait que la situation est dangereuse.

– Je ne veux pas le voir compromettre notre mission.

– Lui crier après ne changera pas son tempérament.

– Ça suffit, les interrompit Régidor. Le fait de vous chamailler n'aidera pas notre tentative de reconnaissance non plus.

Kale et Bardon serrèrent tous les deux la mâchoire et répondirent «oui». Devant leur réponse à l'unisson, ils se fixèrent avec des yeux ronds.

Dibl exécuta deux culbutes arrière, puis bourdonna autour de la tête de Bardon. Le lehman ne se donna même pas la peine de le chasser de la main. Il regarda l'horizon à l'ouest.

– Il nous reste environ une heure avant le coucher du soleil. Devrions-nous nous séparer et nous retrouver ici plus tard?

– D'accord, répondit Régidor. Je m'occupe de la région montagneuse, puisque c'est moi qui ai le pied le plus sûr.

Kale redressa les épaules. Elle ne voulait pas que ses compagnons sachent à quel point elle détestait l'idée de partir seule.

– Je vais aller au nord.

– Et moi, à l'est, dit Bardon. Nous marcherons jusqu'au coucher du soleil, puis nous reviendrons sur nos pas. La lune devrait briller ce soir, suffisamment pour guider notre route.

Kale, remarque à quel endroit la lune se lèvera et utilise-la comme point de repère à ton retour.

— Je sais cela.

Elle fit signe aux dragons de la suivre et pénétra dans les bois avant de révéler sans le vouloir ses peurs à Bardon.

– *Sois prudente.*

La voix de Régidor lui procura un peu de réconfort.

– *Ne fais rien de stupide.*

La voix de Bardon la fit souffrir, car elle serra sa mâchoire avec force en l'entendant.

Elle protégea ses pensées avec soin en partant comme une furie.

Pourquoi se montre-t-il si autoritaire, tout à coup ? Il devrait savoir, à présent, que je suis à tout le moins compétente.

Afin de concentrer son esprit sur la tâche à accomplir, Kale planifia ses prochains déplacements. Elle envoya les dragons devant elle en leur demandant de détecter les bisonbecks, les grawligs et les dragons rebelles. Gymn revint en premier avec un rapport qu'elle eut de la peine à croire.

Elle tourna à gauche et le suivit. Elle sentit l'odeur de la fumée de bois avant qu'ils n'atteignent la crête où Gymn lui enjoignit la prudence. Couchée sur le ventre, elle avança centimètre par centimètre pour se placer de manière à jeter un œil par-dessus le haut de la crête. Son estomac se noua en regardant la vaste vallée en contrebas. Des feux de camp étaient éparpillés dans le paysage du crépuscule. Des milliers de soldats bisonbecks encombraient le côté est, nettement organisés en unités militaires. Une rivière faisait office de division. Sur la rive ouest jusqu'aux collines au pied de la chaîne de montagnes Morchain, des grawligs campaient à leur manière désordonnée. Kale observa la scène chaotique et remarqua des groupes de ropmas et de schoergs ici et là parmi les campements des grawligs.

Gymn émit un grondement venu de tout au fond de sa gorge.

– Oui, je les vois, répondit Kale.

À l'extrémité de la vallée, des dragons erraient dans le paysage vallonné.

Elle ravala péniblement.

– Combien y a-t-il de soldats ? Combien de dragons ? Comment pouvons-nous découvrir où se trouvent les chefs ?

Metta atterrit sur son épaule. Elle était tombée sur le même spectacle et avait voyagé le long du sommet de la crête pour rejoindre Kale. Sous peu, Dibl et Ardéo rasèrent les rochers et les buissons pour se poser près d'elle eux aussi.

À l'ouest, le soleil glissait sous les cimes de la chaîne Morchain. Une bande de nuages rouge sang annonçaient la fin du jour. Un chant de grawlig s'éleva sur la vallée, donnant la chair de poule à Kale. Même si elle ne pouvait pas entendre clairement les paroles, le rythme du mantra dissonant ressemblait à un cri de guerre.

– Eh bien, nous avons quelque chose à raconter. Nous ferions aussi bien de partir.

La jeune fille repoussa son corps loin de la crête et se laissa glisser sur la pente. Debout, elle épousseta les saletés sur sa cape et son pantalon.

C'est tellement plus important que je me l'étais imaginé. Comment une petite armée de fermiers sans formation peut-elle refouler cette armée gigantesque ? J'espère que Librettowit et Fenworth localiseront Brunstetter et Lee Ark.

Elle retrouva ses pas vers la forêt. Ardéo volait juste devant, illuminant la route. Metta, Gymn et Dibl étaient assis sur Kale. Dibl lui-même ne trouvait rien d'amusant dans la situation.

Kale songeait à la façon dont elle exprimerait l'énormité de ce qu'elle avait aperçu.

Je suis certaine que Bardon et Régidor ont vu la même chose depuis leurs postes. Je me demande s'ils se sont davantage approchés de l'ennemi.

Elle trébucha sur un rondin pourri à moitié enterré. Pendant qu'elle chancelait sur quelques mètres, des broussailles s'accrochèrent à ses jambes.

– Je ne me souviens pas que la forêt ait été si touffue.

Elle leva les yeux, mais ne vit pas le ciel.

– Eh bien, cela élimine la possibilité d'utiliser la lune comme guide.

Kale tendit l'esprit pour localiser Régidor ou Bardon, mais elle découvrit que ses émotions et la proximité de si nombreux ennemis nuisaient à son don.

Ou bien Risto est au courant de notre présence et il a fait quelque chose. Les dragons nains m'ont trouvée facilement. Peut-être me guideront-ils jusqu'à Régidor et Bardon.

Kale émit la suggestion, et chacun des dragons tomba d'accord pour dire qu'ils pouvaient retrouver Régidor. Quand ils partirent dans une direction sud-ouest, Kale reçut l'impression de l'endroit où se dissimulait le dragon meech et elle lâcha un soupir de soulagement. Elle ne voulait pas passer la nuit seule et perdue dans la forêt, particulièrement si Risto savait qu'elle et les autres s'étaient infiltrés dans son territoire.

– Non!

Elle gloussa parce que les dragons nains la bombardèrent de leurs protestations.

– Bien sûr que je sais que je ne suis jamais seule quand vous êtes là. Et, rappelez-vous, Mamie Noon a dit que Wulder était toujours présent aussi.

Elle marcha avec confiance dans le boisé, mais essaya quand même de rester aussi silencieuse que possible, demandant à Metta de se taire lorsqu'elle fredonna une chanson de marche. L'idée de tomber par hasard sur une patrouille ennemie la poussait à la prudence.

Elle entendit Régidor parler avant de l'apercevoir. Elle pressa les dragons de revenir près d'elle, et ensemble, ils approchèrent discrètement, ne sachant pas à qui le dragon meech pouvait s'adresser.

Elle se cacha derrière un rocher et jeta un coup d'œil vers Régidor.

Il était assis sur le sol avec la bouteille de terre cuite entre les genoux. Planant au-dessus de lui, Gilda avait une silhouette translucide, semblable à un nuage. Elle portait une robe blanche vaporeuse et flottante. On apercevait de profil son nez plutôt carré et sa mâchoire ressemblant à celle de Régidor. Cependant, tous ses traits de meech étaient plus doux que ceux du dragon mâle. Kale songea qu'elle était d'une beauté saisissante.

– Tu dis que je suis née dans une mauvaise situation, Régidor.

La voix de Gilda était douce comme le miel.

– Comment sais-tu que ce n'est pas toi qui es trompé ? Toi et moi sommes des dragons meech. Nous ne devrions pas nous battre l'un contre l'autre. Nous avons une âme sœur. Je peux être ta véritable amie. Je peux mieux te comprendre que tous les autres. Leur camaraderie est artificielle.

– Une fois de plus, tu as tort. Et tu as mis le doigt sur ce qui rend cette « camaraderie » unique. Cela n'a rien à voir avec le fait de partager une lignée. La qualité des relations dans ce groupe est la clé, Gilda. On me fait confiance, on me respecte, et je suis même chéri par ceux avec qui je m'associe.

– Risto m'accorde sa confiance.

– Ah oui ?

Régidor secoua la tête.

– Il te fait tellement confiance qu'il t'a lancé un sortilège. Si tu chancelles dans ta loyauté envers lui, tu deviens de la vapeur dans une cruche. Cela ne ressemble pas à de la confiance en ce qui me concerne.

– Le sort est pour me protéger de gens comme toi.

– Et quel genre d'horribles choses suis-je censé te faire ?

– Me détruire.

– Et bien, si tu veux savoir la vérité, j'ai trouvé comment me débarrasser de toi sous cette forme, mais je n'en ai pas l'intention.

– Tu déformes les choses, dragon meech. Viens avec moi rencontrer Risto.

Elle haussa une épaule et baissa des yeux dédaigneux vers Régidor.

– Tu n'oses pas le voir face à face n'est-ce pas ? Tu sais qu'il pourrait prouver que tu as tort.

– Je sais qu'il est mauvais et très intelligent. J'aimerais mieux ne pas avoir affaire à lui du tout.

– Ah ! Ah ! Tu as peur.

– Je suis intelligent, Gilda. Seul un idiot se jetterait entre les griffes de Risto.

– Je n'ai plus de temps pour cette conversation ridicule. Et puisque tu connais ma faiblesse, j'admets que je commence à me dissiper. Je dois retourner dans ma bouteille.

Régidor retira le bouchon. Gilda dériva vers l'ouverture.

– Pense à ce que j'ai dit, Régidor. Toi et moi pourrions former une équipe invincible sous Risto. Tes amis ne t'offrent rien d'autre qu'un avenir rempli d'épreuves.

Elle interrompit sa descente pour s'enrouler autour de son homologue mâle. Sa brume se drapa sur ses épaules et glissa vers la bouteille. La sensualité dans sa voix s'accentua.

– Peut-être que si nous joignons nos forces sous Risto, nous pourrions même le surpasser un jour. Il s'agit probablement de la seule façon pour toi de le vaincre. Avec moi, Régidor. Avec une personne de ta race.

Son image ressemblant à un nuage se condensa et tourbillonna en entrant dans la bouteille. Régidor enfonça fermement le bouchon dans le trou.

– Tu peux sortir à présent, Kale, dit-il.

Elle se releva et contourna le rocher.

– Salut.

– Salut.

Elle attendit, mal à l'aise, pendant que Régidor se levait et rangeait la bouteille dans sa bure.

— Tu penses que je ne devrais pas discuter avec elle, déclara-t-il.

— Je ne savais pas que tu pouvais lui parler, alors je ne m'étais pas formé une opinion sur la sagesse de l'action.

— En as-tu une maintenant ?

— Je crois que c'est dangereux, pour les mêmes raisons que tu te montres réticent à l'idée de rendre une visite informelle à Risto.

Les lèvres de Régidor se retroussèrent.

— Donc, tu me donnes mon propre conseil — reste loin du mal.

— Cela me paraît en effet comme un bon plan.

Régidor haussa les épaules.

— Allons rejoindre Bardon.

— Certainement.

Kale emboîta le pas au dragon agile sur le terrain cahoteux. Les pierres rugueuses offraient une bonne traction sous leurs bottes. Ils glissaient en raison des pierres qui s'effritaient, pas à cause de la surface lisse. Ils atteignirent un sol plus égal, et elle se permit de réfléchir à ce qu'elle venait juste de voir. Régidor pourrait être tenté de suivre Gilda jusqu'à Risto simplement pour lui prouver qu'elle avait tort. Il ne succomberait jamais au raisonnement alambiqué de Risto, mais il pourrait être attiré par les charmes de Gilda et baisser sa garde. Régidor n'avait pas paru particulièrement hostile au laquais de Risto pendant le bout de conversation que Kale avait surprise entre les deux dragons. Elle s'inquiétait de le voir se prendre dans un piège attirant.

Deux des dragons nains lancèrent un cri d'alarme au même moment. Les deux autres lui firent écho. Kale tourna brusquement la tête pour découvrir ce qui avait entraîné leurs hurlements. Elle détecta d'abord l'odeur écœurante de pourriture d'un grawlig.

Elle sortit son épée.

Régidor rugit.

— Derrière toi, Kale.

Elle entendit un bruissement. Quelque chose la frappa au-dessus de la nuque, secouant son corps et lui sciant les genoux. Le sol devant elle devint noir avec de petits éclairs de lumières tournoyant de façon désordonnée. Une main rude l'attrapa par les cheveux. Elle ferma les yeux et réussit à crier « Au secours ! » avant que l'obscurité se referme sur elle et emporte la douleur.

52

L'AMOUR D'UNE MÈRE

Une main tendre baignait l'arrière douloureux du crâne de Kale avec de l'eau fraîche. Elle était allongée sur le flanc dans un lit douillet. Les draps sentaient bon. Un oreiller mœlleux soutenait sa tête.

– Est-elle réveillée maintenant ?

La voix dure aiguillonna sa mémoire.

– Je crois qu'elle reprend connaissance, ma lady.

Kale savait qu'elle n'avait jamais entendu ce ton doux auparavant.

– Alors, bouge, idiote.

La première voix émit un claquement métallique dans son cerveau.

Qui est-ce ?

Un bruissement d'étoffe et une brise indiquèrent à la jeune fille que les deux femmes avaient changé de place. Des doigts frais lui touchèrent le front.

– Kale, ma chérie.

Elle reconnut la voix, à présent que sa propriétaire enrobait ses mots de miel. *Mère numéro un.*

Elle garda les yeux fermés.

– Kale, ma chérie, est-ce que ça va ? Nous t'avons sauvé d'une bande de grawligs.

Régidor s'est-il échappé ? Oh non ! Elle va écouter mes pensées. Barrage. Barrage. Le barrage de Wulder. Sous Ton autorité. Je cherche la vérité. Wulder me protège. Mes pensées m'appartiennent, ainsi qu'à Wulder. Voilà, c'est cela. Mes pensées m'appartiennent, ainsi qu'à Wulder.

– Tu te réveilles, n'est-ce pas, ma chérie ? N'aie pas peur. Je vais prendre soin de toi.

Kale ouvrit les paupières et admira la beauté du visage parfait si près du sien. Mère numéro un éclipsait Mère numéro deux avec son élégance exquise. Kale regarda dans les yeux gris froids et tourna la tête.

– Souffres-tu, ma chère Kale ? Le médicament que j'ai mis dans l'eau aurait dû soulager toutes tes douleurs.

– Où est Gymn ?

– Il prend un merveilleux repas. Les autres également. Ils sont dans la tente du cuisinier. Peux-tu t'asseoir, ma chérie ?

Kale s'efforça de se lever sur un coude.

– Ma cape ?

– Vraiment, Kale. Je ne l'ai pas volée. Tu étais sale quand les hommes t'ont ramenée à moi. Tu portes une robe fraîche et tu es propre. Tu pourrais dire merci.

– Merci.

La cape ne serait pas souillée. Et à l'Auberge de l'oie et du jars, le juge Hyd a affirmé qu'on ne peut pas dérober une cape en rayons-de-lune. Où est-elle ?

– Où est-elle ?

– Bon, je sais que tu ne vas pas bien. Te tracasser pour un détail aussi insignifiant. La cape se trouve sous les couvertures avec toi.

– Pourquoi ?

L'impressionnante et autocratique Lyll Allerion se leva brusquement.

– Pourquoi ?

Sa voix était stridente.

– Parce que la méchante chose brûle tous ceux qui tentent de la toucher.

Elle se tourna vers la porte, ses jupes bruissant à cause de son mouvement rapide.

– J'ai du travail. Tayla, appelle-moi quand ma fille redeviendra de meilleure humeur.

Kale s'assit et observa la servante. La tumanhofer paraissait assez âgée pour avoir des enfants, mais pas assez pour être grand-mère. Toutefois, c'était difficile de déterminer l'âge d'une tumanhofer.

– Pourriez-vous m'amener mes dragons ? demanda Kale.

– Pas si je désire vivre jusqu'à demain, Mademoiselle Kale.

– Je veux m'habiller. Où sont mes vêtements ?

– Brûlés. Ma lady ne les aimait pas. Elle aurait pris la cape aussi, mais comme elle l'a dit, nous n'avons pas pu nous en emparer.

– Mes bottes ?

– Brûlées aussi.

Donc, je suis sans vêtements et sans chaussures. Elle replia ses genoux sous son menton et examina sa prison très joliment meublée. Elle ne vit pas d'échappatoire évidente. Derrière le rabat de la tente, deux jambes solides montaient la garde. Elles appartenaient certainement à un gardien. *Et mes muscles sont comme des nouilles. Je me demande si on m'a droguée pour m'empêcher de causer des ennuis. Je ne pense pas que Tayla peut m'aider sans risquer sa vie. Et je ne veux pas cela.*

– Tayla n'est sûrement pas ton nom. Je n'ai jamais connu une tumanhofer avec un prénom court.

– C'est bien vrai, mais ma lady n'aime pas le prononcer tout au long.

– Quel est-il ?

– Taylaminkadot.

– Merci, Taylaminkadot, de me soigner.

La femme sursauta et fixa Kale.

– Et bien, c'est gentil, et je vous en prie. Êtes-vous certaine d'être la fille de ma lady ?

Kale gloussa et posa le front sur ses genoux.

– Je préfère penser que je ne le suis pas.

– Je ne vous le reproche pas.

Tayla semblait nerveuse.

– Je pourrai vous donner de la nourriture. Aimeriez-vous cela ?

– Mes dragons se trouvent-ils vraiment dans la tente du cuisinier ?

– Si, ils y sont, mais je ne peux pas vous les apporter.

– Je comprends, Taylaminkadot. Et oui, je souhaiterais manger quelque chose.

Tayla s'apprêta à sortir, mais elle se retourna pour prévenir Kale.

– Il y a un méchant garde bisonbeck à la porte, murmura-t-elle. N'essayez pas d'aller quelque part.

Kale acquiesça même si elle entendit à peine les mots. Elle se concentrait sur l'esprit de la servante. Elle avait déjà utilisé ce truc auparavant. Elle pouvait recevoir les images que la femme voyait. Pendant que Taylaminkadot quittait l'abri de toile, puis marchait dans le labyrinthe du camp jusqu'à la tente du cuisinier, elle suivait sa progression. Quand la tumanhofer revint avec un bol de soupe et du pain, Kale avait une bonne idée de l'endroit où celle-ci se situait. Elle savait aussi que ses dragons étaient en santé, mais emprisonnés dans des cages.

– À présent, dit Tayla de nouveau nerveuse, comme si la présence de Kale était une chose dangereuse, si vous vous sentez bien et n'avez besoin de rien, je vais aller m'occuper de mes autres tâches.

– C'est parfait, Taylaminkadot.

La femme exécuta une révérence, lui lança un regard de pitié et sortit en hâte de la tente.

– Enfin, il était temps.

Toopka rampa hors de la cape en rayons-de-lune.

– Toopka !

– Chut ! N'a-t-elle pas dit qu'il y avait un garde juste à la sortie ?

– Comment es-tu arrivé ici ?

– J'étais avec toi tout le temps. Dans la cavité. Dans la cape. Vraiment, Kale. Arrête de me fixer.

– Tu es là-dedans depuis des heures !

Toopka se dirigea vers la petite table et prit la cuillère. Après avoir bruyamment avalé une gorgée de soupe, elle décocha un grand sourire à Kale.

– Pourquoi pas ? C'est un peu étouffant, et on se cogne sur des objets, mais à part l'obscurité, ce n'est pas si mal. On n'entend pas très bien là-dedans, par contre, alors j'ai dû sortir discrètement la tête à maintes reprises pour savoir ce qui se passait. Tu ne nous as pas mis dans une bonne situation, Kale.

Elle rompit le pain et en lança un petit bout dans sa bouche.

– Enfin, je ne l'ai pas fait exprès.

– Et je n'aime pas cette femme qui s'appelle « ma lady ». Pour qui se prend-elle, hein ?

– Elle pense qu'elle est ma mère.

– Nan ; choisis la magicienne qui passe son temps avec Cam et Fenworth. Elle est beaucoup mieux.

– Je pense que c'est ce que je ferai, *si* je peux la rejoindre.

Kale étira ses muscles endoloris. La fatigue l'enveloppa, et elle découvrit que chaque mouvement était ardu. Si seulement elle se sentait pleinement réveillée. Si seulement chaque petite parcelle de son corps n'était pas si épuisée.

Toopka mangea une autre cuillère de soupe en claquant des lèvres.

– Dès que j'aurai terminé ceci, j'irai chercher les dragons.

– Et comment as-tu l'intention de t'y prendre ?

– Je vais t'emprunter ta cape en rayons-de-lune. Personne ne me remarquera, car je suis très sournoise et minuscule. Ce sera peut-être difficile de localiser les dragons, par contre. Nous sommes dans un grand campement.

Kale sourit.

– Je sais exactement où ils se trouvent.

53

On se regroupe

Kale surveilla l'avancée de Toopka. L'enfant doneel se glissa d'une cachette à l'autre sans jamais éveiller les soupçons des nombreux soldats se promenant dans le camp. Parfois, elle n'avançait que d'un pas à la fois, utilisant la capacité de camouflage de la cape pour se dissimuler au regard de gens à quelques mètres d'elle. Kale retint son souffle et s'émerveilla devant Toopka, qui ne tremblait pas comme une feuille.

Je suis suffisamment nerveuse pour nous deux, Toopka.

– Ne sois pas idiote, Kale. Aucune de ces brutes n'est pire qu'Henricutt Tellowmatterden.

Oh, je crois que si. Je pense que ce sont tous des tueurs, jusqu'au dernier. Sois prudente.

Quelque chose fit sursauter Toopka, et elle esquissa un pas de côté pour se placer entre deux piles de caisses en bois. Kale entendit quelqu'un jurer.

Toopka ?

– Je vais bien. Un balourd de bisonbeck s'est cogné contre moi dans mon dos. Je ne l'ai pas vu venir. Son ami dit qu'il a trébuché sur son ombre. Ils ne peuvent pas me voir. Je vais bien.

Kale perçut une toute petite trace de tremblement dans la voix de la minuscule doneel.

Toopka, tu peux revenir quand tu veux. Nous trouverons une autre façon de sortir.

– Je vais bien. Vraiment.

Kale se mordit la lèvre inférieure et tenta d'insuffler du courage à Toopka en utilisant son don, mais elle ne se sentait pas très brave elle-même.

Tu y es presque. Tourne à droite. L'autre droite, Toopka. Ça, c'est ta gauche ! Bien, maintenant...

– *Je peux la sentir, Kale. Je l'ai trouvée.*

Les cages se trouvent à côté de la porte d'entrée.

– *Tu me l'as déjà dit.*

Je suis désolée.

– *Juste une minute. Je vais entrer à la suite de ces trois soldats.*

Sois prudente.

– Cela, *tu me l'as dit des centaines de fois déjà.*

Kale vit apparaître l'intérieur de la tente quand Toopka se glissa par la porte. Elle choisit de se cacher dans un coin.

– *C'est impossible !* se plaignit Toopka. *Les dragons sont comme une attraction dans un cirque. Les cages sont placées là où tout le monde peut venir pour les regarder la bouche grande ouverte.*

Il me vient une idée, Toopka. Je vais demander aux dragons de faire beaucoup de bruit, puis je vais dire au cuisinier de les couvrir pour les calmer. Tu dois découvrir qui est le chef. Peux-tu y arriver ?

– *Bien sûr. Attends une minute.*

Kale observa pendant que Toopka fouillait la pièce des yeux, examinant chacun des travailleurs sous la tente.

– *Lui.*

Kale ordonna aux dragons de faire du grabuge. Les quatre sifflèrent, hurlèrent, émirent des trilles et des cris perçants. Ils battirent des ailes comme s'ils pouvaient briser les barreaux de leurs cages.

– Qu'est-ce que c'est que cela ?

À travers l'esprit de Toopka, la jeune fille entendit le rugissement du cuisinier.

– Qu'est-ce qui leur prend ?

– Couvre-les comme on le ferait avec des poules. Cela va les calmer.

Une voix donna au cuisinier le conseil que l'o'rant avait eu l'intention de planter dans son cerveau.

Kale et Toopka observèrent avec satisfaction l'homme sortir une grande toile et la draper sur les quatre cages. En quelques instants, la doneel se glissa furtivement sous le bord et commença à crocheter les serrures des portes. Elle libéra les dragons à tour de rôle. Chacun grimpa dans son antre de poche dans la cape. La fillette entreprit enfin le périlleux voyage de retour vers la tente où l'attendait son amie.

Toopka rampa sous l'arrière de la tente et ouvrit la cape pour permettre aux dragons de voler jusqu'à Kale. Gymn, Metta, Dibl et Ardéo ne se rendirent pas sur leur perchoir habituel. Tous les quatre se réfugièrent dans les bras de Kale.

– À présent, murmura Toopka, comment sortons-nous d'ici?

– Je l'ignore.

Kale câlina ses dragons nains. Elle regarda l'ouverture à l'avant de la tente où le garde était de faction, puis examina la petite brèche à la base de l'abri de toile.

Pourrions-nous agrandir cette déchirure ? Ils m'ont confisqué mon épée, mais j'ai un couteau de poche dans l'une des cavités. Nous pourrions aussi simplement passer la porte. Le pourrions-nous ? Avec la cape ? Si seulement je n'étais pas si fatiguée.

Kale tapota le matelas à côté d'elle.

– Viens t'asseoir avec nous. Tu as vécu une soirée difficile.

Toopka leva les yeux au ciel et sauta sur le lit. Elle dénoua la cape et la déposa à l'envers près d'elle.

– J'ai apporté d'autre nourriture.

Elle tendit la main dans une cavité et en tira des miches de pain et de gros morceaux de fromage. Elle sourit à Kale.

– J'ai pensé que nous pourrions avoir faim.

– Quand t'es-tu procuré cela? Je ne t'ai pas vue prendre quoi que ce soit.

– Je t'ai dit que j'étais sournoise.

Le sourire de Toopka s'élargit sur son visage.

Un bruit à l'extérieur de la tente attira l'attention de Kale. Elle entendit Tayla parler au garde.

La jeune fille souleva la cape et la tourna afin que les poches soient placées en dessous.

— Cachez-vous tous là-dessous et ne bougez pas !

— Je suis venue voir si vous aviez besoin d'autre chose pour la nuit, dit Tayla en repoussant le rabat de la toile pour entrer.

Ses yeux se posèrent immédiatement sur les miches de pain et le fromage. La servante tumanhofer regarda la nourriture partiellement mangée sur le lit, le bol vide sur le plateau et ensuite le visage de Kale.

— Non, Mademoiselle Kale, je ne connais rien sur les collines autour d'ici. Mon père était un pêcheur. Pour moi, la seule façon de voyager, c'est en bateau.

L'o'rant fixa la femme pendant un moment, puis cligna des paupières.

Me dit-elle comment m'enfuir ? Si c'est le cas, elle risque sa vie ! J'espère que le gardien croit que j'ai parlé en premier et qu'elle a ensuite répondu. Je peux arranger cela ! Kale envoya une pensée au garde. Maintenant, il se rappellerait vaguement avoir entendu Kale dire quelque chose qu'il n'avait pas bien saisi quand la tumanhofer était entrée dans la tente.

— J'ai bien peur que vous ne soyez pas capable de dormir pendant encore environ une heure, continua la servante, mais après cela, votre mère insiste pour que cette partie du campement soit silencieuse. Elle tient à son repos, c'est certain. Elle est très stricte et ne veux pas que l'on rôde autour d'ici. Vous profiterez de la paix et du silence à ce moment-là.

Elle nous aide. Oh, Wulder protège-la.

— Merci, Taylaminkadot.

Kale garda un ton calme. *Le garde ne doit pas soupçonner que quelque chose cloche.*

— Je n'ai besoin de rien d'autre ce soir.

Tayla exécuta une révérence, ramassa le plateau et sortit.

– Que s'est-il passé, là ? demanda Toopka dans un murmure en pointant le nez hors de la cape.

– La rivière ne se trouve qu'à quelques mètres d'ici, non ?

– Oui, répondit Toopka.

– Quand tout le monde sera endormi pour la nuit, nous irons en bateau.

Un sourire illumina le visage de Toopka.

– À présent, cachons cette nourriture, dit Kale. Ma mère viendra peut-être me border.

Kale ne regretta pas que sa mère ne soit pas venue lui souhaiter une bonne nuit. Elle croyait qu'on lui avait administré une drogue, car, maintenant qu'elle avait tenu Gymn pendant quelques heures, la léthargie paralysante l'avait quittée. Elle se sentait forte et capable de tenter une fuite.

Quand les seuls sons qu'elles purent entendre provinrent de tentes éloignées, Kale coupa la petite déchirure pour la transformer en un beau grand trou par lequel on pouvait passer. Les dragons en place dans leurs antres de poche, Kale prit Toopka dans ses bras et enroula la cape autour d'elles, puis elle avança, pieds nus et à pas de loup, vers le bruit de la rivière. Elle dépassa quelques tentes et sentinelles, mais l'obscurité et la cape protégeaient son groupe.

Parvenus à la rivière, ils virent un certain nombre de bateaux attachés à des quais à cent mètres de la berge. Kale marcha le long de l'eau sur la pointe des pieds en ouvrant l'œil pour apercevoir d'éventuels soldats. Elle s'apprêtait à monter sur le premier bateau qu'ils rencontrèrent quand une main sur son bras l'arrêta.

– Pas celui-là, Mademoiselle Kale.

– Taylaminkadot ?

– Suivez-moi.

– Tu m'as fait peur.

– Suivez-moi.

La tumanhofer courut jusqu'à un plus grand bateau à l'extrémité de l'un des quais.

– Montez.

Tayla fit signe à Kale pendant qu'elle s'agenouillait sur le quai pour stabiliser l'embarcation.

Kale s'exécuta. Tayla grimpa à bord après elle, les amarres dans la main. Elle donna une poussée.

– Tu viens avec nous ?

– Oui.

– Pourquoi ?

– Je serais tenue responsable de votre disparition demain matin, que je vous aie aidés ou non. Avez-vous déjà ramé, Mademoiselle Kale ?

– Non.

– Alors, c'est une autre bonne raison pour moi de vous accompagner, non ?

– Oui, ce l'est.

Kale s'assit sur le banc de bois s'étirant à la poupe du petit navire.

– Vers où va cette rivière, Taylaminkadot ?

– Vers le lac.

Tayla s'installa sur le siège du milieu et commença à manier les avirons.

– Est-ce un endroit sécuritaire ?

– Si nous y arrivons avant le lever du soleil.

– Penses-tu que nous réussirons ?

– Si Wulder le veut.

54

L'AMOUR D'UNE AUTRE MÈRE

La petite rivière serpentait en formant de légères courbes. Pendant la première demi-heure, on put entendre les chansons bruyantes et les ronflements sonores des grawligs sur la rive opposée. Dibl trouva la combinaison tellement drôle qu'il dut entrer à toute vitesse dans la cape de Kale pour ne pas faire de bruit. De l'autre côté, des bisonbecks surgissaient dans les ombres entre les tentes.

Quand elle et ses compagnons dépassèrent le dernier abri de toile et se glissèrent entre des bosquets d'arbre, la respiration de Kale reprit un rythme normal, et elle desserra les poings. Quelques minutes plus tard, elle remarqua des silhouettes illuminées se précipitant le long de la rivière. L'une d'elles s'approcha du rivage et agita la main en direction du bateau qui passait.

– Taylaminkadot, nous devons parler aux kimens.

La tumanhofer manœuvra l'esquif vers la berge. Dès qu'ils se trouvèrent à portée d'oreille, un kimen leur cria :

– Nous avons été envoyés pour vous ramener à Lyll Allerion.

– Il doit s'agir de Mère numéro deux, dit Kale. Mère numéro un ne s'associe pas avec des kimens.

Plusieurs kimens se rassemblèrent derrière le premier.

– Pouvons-nous monter à bord ? demanda leur interlocuteur. Nous descendrons la rivière vers le lac et nous rejoindrons lady Allerion.

Les kimens sautèrent dans le grand canot à rames quand il glissa sur les eaux peu profondes. Tayla et les kimens propulsèrent le bateau de l'autre côté, où cinq kimens supplémentaires embarquèrent à leur tour d'un bond. Ils bombardèrent Kale avec leurs noms, se présentant à elle poliment en lui donnant le titre de Gardienne des dragons. Elle se rappela nettement le prénom Azalone et elle le lia avec celui qu'elle considérait comme le chef.

On penserait qu'avec une douzaine de kimens dans le bateau, nous irions moins vite. Elle observa les petites personnes autour d'elle. *Comment s'y prennent-ils pour augmenter notre vitesse ?*

Elle ne résolut jamais le mystère et elle décida de demander à Régidor de réfléchir à l'énigme. Si quelqu'un pouvait découvrir la réponse, c'était bien lui.

– Azalone ?

– Oui ?

– Sais-tu ce qui est arrivé à mes amis, Régidor et Bardon ? J'étais en compagnie de Régidor quand les grawligs ont attaqué.

– Les deux hommes ont traversé le portail. Ils sont revenus avec de nombreux mariones, le magicien Cam Ayronn et la magicienne Lyll Allerion. Lady Allerion nous a ensuite envoyés à votre recherche.

– Les mariones ne forment pas une force suffisamment importante pour affronter l'armée de Risto.

– D'autres sont venus. Une armée sous les ordres du général Lee Ark ainsi que nos amis les urohms menés par le seigneur Brunstetter. Des dragons sont aussi en route. Certains arriveront par le gigantesque portail. Ceux qui se trouvent assez près volent jusqu'ici.

Ils descendirent le courant pendant plusieurs minutes supplémentaires avant qu'Azalone ne reprenne la parole.

— Nous sommes près du champ où ta Célisse vous attend. Vous devez maintenant vous hâter de rejoindre le campement de vos camarades. Ta mère est blessée et a besoin de tes soins et de ceux de ton dragon guérisseur.

— Blessée ?

Elle pivota sur son siège en faisant osciller le bateau.

— Que s'est-il passé ?

— La blessure est sévère, mais pas mortelle. Quand elle a entendu qu'on t'avait faite prisonnière, elle s'est lancée à ta rescousse. Elle s'est précipitée dans un piège et a dû affronter Risto et Burner Stox sans aide. Le magicien Cam et Régidor, le dragon meech, sont arrivés peu après. Il est probable que lady Allerion serait morte sans leur secours.

Kale se détourna rapidement. Des larmes lui brûlaient les yeux, et elle respirait avec difficulté.

Toopka lui prit la main et la serra.

— Tout ira bien. Toi et Gymn la guérirez.

Kale scruta l'horizon devant elle, essayant de trouver l'endroit où ils pourraient s'amarrer. Le petit corps musclé de Tayla lui bloquait une partie de la vue. Ses épaules se tendaient alors qu'elle maniait les rames avec une force accrue. Kale sentit que la tumanhofer désirait l'aider à rejoindre sa mère plus vite. La femme avait déployé beaucoup d'efforts pour une étrangère, une jeune o'rant qui n'avait rien fait pour elle sauf l'exposer au danger.

— Est-ce que ça ira pour toi, Taylaminkadot ? As-tu un endroit où te réfugier ?

— J'espérais venir avec vous, Mademoiselle Kale. J'aimerais devenir votre servante.

Kale se tourna vers Azalone.

— Pouvez-vous escorter Taylaminkadot à notre camp ?

— Nous descendrons le courant avec elle. Il y a moins de distance à parcourir si l'on marche depuis le lac jusqu'au campement.

— Pouvez-vous la protéger ?

– Nous essaierons.

Le bateau glissa vers le rivage où la forêt dépeuplée laissait voir une clairière. Célisse faisait les cent pas sur le pâle gazon hivernal, y creusant ainsi un sentier. La lune faisait briller ses écailles argentées. Elle leva la tête et accueillit sa cavalière avec un cri sourd.

Kale bondit hors de l'embarcation en saluant les passagers demeurés à bord. Les dragons nains volèrent devant elle. Toopka imposa un rythme rapide à ses petites jambes pour rester à leur hauteur.

Après avoir rapidement enlacé le cou de Célisse, Kale souleva Toopka et grimpa sur le dos de la bête. Dès que ses pieds furent ajustés dans les étriers, elle donna le signal du départ. Célisse battit ses grandes ailes et décolla en flèche dans le ciel nocturne.

Un vent froid fouetta le visage de Kale. Les dragons nains, n'aimant pas du tout les températures froides, allèrent se cacher dans la cape en rayons-de-lune. Kale replia ses jambes vers elle autant que possible et tira la cape sur ses pieds frigorifiés.

Depuis les airs, elle pouvait contempler le camp étendu de Risto, le lac Bartal Springs et un campement qui s'organisait. Célisse effectua un virage sur l'aile et se dirigea vers cette nouvelle installation guerrière.

Célisse lança l'avertissement : un grand dragon sombre volait derrière eux. Plus petit, il avançait plus vite et les rattraperait sous peu. Horrifiée, Kale vit un jet de feu sortir de la bouche de la créature.

Kale tendit l'esprit pour tenter d'envoyer un message clair.

Bardon, Régidor, j'ai besoin d'aide. Dar, magicien Cam, m'entendez-vous ? Nous sommes poursuivis. Régidor, j'ai besoin d'aide. Nous sommes suivis par un dragon de feu, et il rattrape Célisse. Régidor, m'entends-tu ?

Elle regarda par-dessus son épaule. Le dragon gagnait du terrain. Elle ne distinguait pas de cavalier sur son dos, mais elle se souvint que les douze cracheurs de feu qui s'étaient opposés à Paladin n'en avaient pas. Célissa vira brusquement à gauche. L'autre dragon continua à la talonner. Elle monta à toute vapeur, toujours plus haut. L'ennemi fit de même et il cracha un peu de flammes, comme pour dire qu'on l'agaçait.

Bardon, au secours ! Il y a un dragon de feu à nos trousses.

– *J'arrive, Kale.*

Elle regarda au sud et vit un dragon s'élever du petit campement. Un autre bondit dans les airs derrière le premier. Un troisième les suivit. Tournant la tête, elle haleta quand elle constata combien le dragon de feu s'était rapproché d'eux.

Dépêche-toi, Célisse !

L'ennemi crachait ses flammes. La chaleur du brasier était telle que Kale en sentit la force dans son dos. Le jet suivant brûla la queue de Célisse. Elle cria et battit des ailes plus vigoureusement.

Je devrais pouvoir faire quelque chose.

Kale tenta de saisir les pensées du dragon ennemi. Quand elle toucha son esprit, elle recula devant sa fureur pendant seulement quelques instants avant de frapper et de lui transmettre un message.

Tu as choisi la mauvaise cible. Risto sera furieux.

Le dragon de feu hésita, puis il rugit et envoya plus de flammes. Cependant, son hésitation donna à Célisse une avance suffisante pour ne pas être touchée une autre fois.

Ils se trouvaient suffisamment près des dragons arrivant à la rescousse pour que Kale détermine leur identité. Bardon menait l'attaque sur Greer, Brunstetter suivait sur Foremoore et Dar fermait la marche sur Merlander. Bardon et Brunstetter tenaient des lances prêtes à frapper. Ils passèrent en flèche de chaque côté de Célisse. Kale tourna brusquement la tête pour les regarder jeter leurs armes avec force sur le dragon de feu à leur poursuite. Les deux lances atteignirent leur cible. Le dragon hurla. Dar la dépassa à toute vitesse, et elle le vit balançant un hadwig. La sphère garnie de pointes vola dans les airs et frappa le dragon de feu directement sur la tête. Brunstetter et Bardon décrivirent un large cercle et se préparèrent pour un deuxième assaut. Le dragon de feu en avait eu assez. Ses ailes battaient à un rythme irrégulier, et il perdit de l'altitude.

Foremoore, Greer et Merlander prirent position pour escorter Célisse à la maison.

Merci.

Sa gratitude alla à chaque dragon et à son cavalier.

– *Je suis content que tu nous sois revenue.*

La voix de Dar accueillait Kale chaleureusement.

Merci, Dar. Et merci à toi, Bardon. Brunstetter, c'est merveilleux de te revoir ! Où est Régidor ?

Bardon répondit.

– *Régidor agit de façon étrange. Au début, j'ai pensé qu'il avait honte de n'avoir pas pu te protéger des grawligs et les empêcher de te kidnapper. Mais je ne crois pas que c'est vraiment pour cette raison qu'il disparaît sans cesse. Quand il revient, il est encore plus morose.*

Il pourrait ressentir de l'inquiétude à mon sujet. Il est lié à moi.

– *Parle-lui après avoir vu ta mère. Tu pourras peut-être découvrir ce qui ne va pas chez lui.*

Une pensée surgit dans l'esprit de Kale et avec elle, une pointe d'appréhension. Elle garda ses réflexions pour elle en spéculant. Régidor songeait-il à joindre ses efforts à la belle et charmante Gilda ?

Ils atterrirent dans un champ désert. Brunstetter et Bardon offrirent de desseller les dragons afin que Dar puisse amener la jeune o'rant voir sa mère.

– La queue de Célisse !

Kale revint en courant pour savoir si les pattes de derrière de son dragon avaient souffert du dernier jet de feu qui l'avait touchée. Une couche de suie couvrait les écailles scintillantes, mais il n'y avait aucun dommage réel. Kale donna un câlin au dragon noir et argenté et suivit Dar à travers le champ.

– Ma mère est-elle gravement blessée ? demanda la jeune fille alors qu'ils dépassaient en hâte des mariones, des kimens, des o'rants et des tumanhofers dormant sur des matelas et des lits de camp de fortune.

– Oui, répondit Dar, mais les magiciens Fenworth et Cam ont réparé la plupart des dommages. Toi et Gymn la guérirez complètement, j'en suis certain.

Ils pénétrèrent dans une grande tente. Kale rejoignit vite la silhouette allongée sur un bon lit, prit sa main ridée et la pressa sur sa joue. Lyll Allerion avait la même allure que la première fois où sa fille l'avait aperçue à l'auberge des Meiger.

– Mère ?

Lyll ouvrit les yeux, et un sourire las se dessina sur ses lèvres.

Gymn sortit de son antre de poche et sauta sur la poitrine de Lyll. Kale posa une main sur le petit dragon et laissa l'autre dans la main de sa mère.

– J'ai quelque chose à te donner, mon enfant.

Lyll fouilla dans ses vêtements de nuit et en tira un disque sur une chaîne.

– Pendant une minute cet après-midi, j'ai cru que j'avais agi de manière suffisamment imprudente pour perdre la vie. Si cela devait arriver, tu redeviendrais orpheline. J'ai espoir que nous pourrons secourir Kemry. Prends ce disque. Il t'aidera à identifier ton père si Risto tente de te tendre un piège.

– J'en possède un semblable.

– Vraiment ?

La surprise dans la voix faible de sa mère fit sourire Kale.

– Mamie Noon me l'a offert, mais elle ne m'a pas expliqué comment il fonctionne.

– L'as-tu avec toi maintenant ? Je peux te montrer son fonctionnement.

Kale lâcha la main de sa mère et tira sur le cordon autour de son cou, soulevant ainsi la pochette rouge de sous la chemise de nuit qu'elle portait encore. Elle laissa tomber le disque ressemblant à une pièce de monnaie dans sa paume.

Lyll tendit la main.

– Donne-la-moi et observe ce qui se passe.

Kale déposa la pièce entaillée dans la paume de Lyll. Au début, il ne se passa rien. Puis, la brillance du métal s'accentua. Alors qu'elle regardait, l'une des entailles produisit une mousse autour de ses bords, puis se referma. Lorsque l'éclat de la pièce diminua, il ne restait qu'une entaille dans le disque.

Lyll Allerion ouvrit le poing de Kale en tirant doucement sur ses doigts serrés. Elle plaça la pièce dans la main de sa fille.

– Quand tu trouveras ton père, l'autre entaille disparaîtra.

Kale fixa le disque avec une seule entaille et serra lentement ses doigts dessus. Elle leva les yeux vers la femme fatiguée dans le lit.

– Tu es réellement ma mère, murmura-t-elle.

– Oui, je le suis. Qu'est-ce que ça te fait ?

Des larmes roulèrent sur les joues de Kale.

– Je ne sais pas.

– Es-tu désolée que je ne sois pas aussi belle que cette autre mère que tu as trouvée ?

Elle secoua la tête.

– Non, tu as toujours été ma préférée.

– Penses-tu que tu pourrais m'aimer ?

Kale acquiesça d'un signe et se jeta dans les bras de sa mère. Elle sanglota pendant un moment, mais un flot d'énergie secouant le cercle de guérison la fit sursauter. Encore dans les bras de sa mère, Kale examina le visage rajeuni de Lyll Allerion.

Elle gloussa.

– Tu es jeune à nouveau.

Lyll rit.

– Oui, c'était une très puissante guérison. À présent, je dois me lever et m'habiller. Bardon m'a raconté que Régidor a des problèmes. Et si nous allions voir notre ami ?

Kale aperçut le soleil du matin se montrant le bout du nez par le rabat de la tente. Elle était restée éveillée toute la nuit.

Sa mère avait toutefois raison. Elles devaient discuter avec Régidor.

– Quelle couleur devrais-je porter aujourd'hui ? demanda Lyll. Jaune ou bleu ?

– Jaune, répondit Kale. Ce sera une journée claire.

– Tu crois, ma chérie ? Je prédis des problèmes, et par conséquent, jaune est le choix parfait.

Elle hocha la tête en direction de la robe drapée sur une chaise.

– Jaune !

Lyll examina l'accoutrement de sa fille.

– Je crois bien que tu as aussi besoin d'une robe.

55

Trahison

La prédiction de Lyll à propos d'ennuis imminents se vérifia dès qu'elles quittèrent la tente. Dar et Bardon étaient là avec le magicien Cam. Toopka tournait autour d'eux. Ils affichaient tous un air d'enterrement.

Cam s'avança.

— Une heure avant le lever du soleil, tous les dragons dans notre camp se sont envolés. On nous a rapporté qu'ils se sont dirigés vers le nord.

— Ce qui les mènerait à l'ennemi, ajouta Dar. Ils semblent que nos dragons soient passés du côté de Risto.

Bardon regarda uniquement Kale.

— Et on ne trouve Régidor nulle part.

Elle cligna des yeux.

— Lui et Gilda ont convaincu les dragons de déserter ?

— Le subterfuge *est* la spécialité de Gilda, dit Cam en soupirant. J'ai bien peur que son genre de persuasion se soit révélé trop difficile à résister pour Régidor. Souvenez-vous que Risto a augmenté ses aptitudes naturelles. Une fois Régidor converti, ces deux-là ont dû former une formidable paire contre la nature confiante de nos dragons.

— Tous les dragons ?

Kale réalisa l'ampleur de la trahison.

— Célisse ? Merlander ?

Bardon hocha la tête.

— Tous les dragons.

Kale sentit la pression des griffes de Metta dans son épaule.

— Pas les dragons nains, dit-elle. Ils sont toujours ici.

— Oui, acquiesça Cam, mais les dragons nains ne peuvent pas transporter des soldats au combat ni assurer le déplacement des blessés. Ils ne peuvent pas livrer des marchandises ni fournir une vue aérienne d'un champ de bataille à un commandant. Risto détient maintenant une main imbattable.

— Attaquera-t-il aujourd'hui ? s'enquit Bardon.

Cam avait l'air vieux et triste.

— S'il souhaitait gagner uniquement cette bataille, il le ferait. Mais il est assez intelligent pour savoir que nous rassemblons une armée d'une bonne ampleur pour le contrer. S'il attend un jour de plus, il pourra écraser dix mille hommes au lieu de cinq mille.

Kale tordit la pochette pendant autour de son cou.

— Nous devons secourir les dragons. Si je parlais à Célisse, je sais qu'elle reviendrait.

— Envahir le camp ennemi s'avérerait trop dangereux, Kale, dit Lyll Allerion. J'espère que le magicien Cam cache un atout ou deux dans sa manche. Après tout, c'est un magicien du lac. Et il se trouve que le lac Bartal Springs est son lieu de naissance.

Cam hocha la tête.

— Nous nous rendrons à mon château sous le couvert de la nuit.

— Que ferons-nous toute la journée ? demanda Toopka.

— Nous dormirons ! répondit Cam. Du moins, certains d'entre nous. Les autres se mêleront aux nouvelles recrues afin de soutenir leur moral et d'écraser les rumeurs.

— Suis-je l'une de ceux qui écraseront la rumeur ?

— Tu es l'une de ceux qui dormiront.

— J'ai dormi un peu sur le bateau.

— Tu dormiras davantage dans un lit.

— Je pourrais…

Un seau d'eau apparut au-dessus de la tête de la fillette et déversa son contenu sur elle.

Toopka crachota.

– C'était de l'eau chaude, dit Cam. Cependant, tu auras bientôt froid. Un bon bain chaud et un lit douillet sont les meilleures choses pour toi en ce moment.

Il se tourna pour s'adresser à la servante tumanhofer.

– Taylaminkadot, aurais-tu la gentillesse d'accompagner cette petite doneel à la tente que l'on a préparée pour Kale ? Occupe-toi d'elle, si tu le veux bien, et ne la perds pas de vue ! Pas même lorsque tu crois qu'elle dort.

– Je ne pourrai pas dormir, protesta Toopka pendant qu'on l'amenait.

Kale ne pensait pas y arriver non plus, mais un petit déjeuner composé de gruau chaud et de guimauve fondue, un bain apaisant et un lit confortable la firent sombrer dans le sommeil. Elle s'éveilla plusieurs heures plus tard avec un solide appétit, débarrassée de son mal de tête et les muscles soulagés. Gymn se reposait sur son épaule. Quand il la vit réveillée, il se ragaillardit.

– Guérir leurs esprits ?

Kale s'assit et examina son dragon vert.

– Les esprits de qui ?

Gymn émit des trilles, et son explication se clarifia dans le cerveau de Kale.

– Les autres dragons. Ils se font des illusions, et tu crois que c'est une maladie. C'est possible, Gymn. Nous tenterons presque tout pour les récupérer. Comment soignerais-tu une telle maladie ?

Gymn fredonna et cria en réfléchissant.

– Isoler le mauvais et nourrir le bon ?

Kale remarqua un nouvel ensemble de vêtements. Oubliant les théories de Gymn, elle bondit hors du lit et courut les enfiler. Le pantalon et la tunique rappelaient à Kale la tenue que sa mère portait pour combattre les mordakleeps, sauf que ces vêtements n'étaient pas d'un rose tape-à-l'œil. Les bottes souples étaient noires. Le maillot de corps ajusté était fabriqué dans un doux tissu crème. Le pantalon et la tunique étaient ocres comme les uniformes du Manoir.

Boudeuse, Toopka se tenait dans l'entrée.

– Tu es censée venir manger.

Taylaminkadot hochait la tête derrière elle pour marquer son approbation. La tumanhofer suivait Toopka avec l'air de quelqu'un qui bondirait si l'enfant s'écartait ne serait-ce que de un centimètre. Kal sourit en elle-même en observant la polissonne frustrée se diriger au pas vers la tente des repas.

Ils mangèrent en hâte. Le soleil hivernal était déjà couché et le crépuscule enveloppait le camp. Kale et Bardon, Dar et les deux magiciens, Brunstetter et Lee Ark, Taylaminkadot, Toopka et plusieurs kimens marchèrent vers le lac. La randonnée couvrait au moins cinq kilomètres de terrain rude passant à travers des forêts et à flanc de coteaux rocailleux. Personne ne parlait pour rien ; ils se concentraient sur le prochain endroit où poser le pied.

Deux kimens surveillaient le bateau amarré à un pin sur le rivage. Azalone s'assit à la pointe de l'embarcation, à cheval sur la proue.

Dar occupa le siège suivant avec Dibl sur les genoux.

Kale s'installa avec le magicien Cam.

Brunstetter prit le siège du rameur et mania une rame pendant que Lee Ark et Lehman Bardon manœuvraient l'autre.

À l'arrière, Taylaminkadot était assise avec lady Allerion et une demi-douzaine de kimens.

Les kimens restés sur la rive défirent les amarres et poussèrent le bateau sur le lac. L'embarcation oscillait dans les douces vagues. Les rames entraient et sortaient de l'eau. Les trois hommes propulsèrent l'esquif vers les eaux profondes.

– Dans quelle direction ? demanda Brunstetter.

– Oh, vers le milieu, nettement en vue du camp ennemi, je dirais, répondit Cam.

Kale espéra qu'ils n'auraient pas à installer leur forteresse sous les yeux des sous-fifres de Risto.

– Est-ce là où se trouve votre château ?

– Eh bien, il se trouva là où je le veux, à mon choix. Mais il est vrai que nous désirons attirer l'attention de Risto.

– Ah oui ?

– Oui, c'est ce que nous voulons. Je dois te demander de garder le silence à présent, Kale. Je complote toute sorte de surprises sournoises pour le mauvais magicien et ses comparses.

Cela ne dérangeait pas Kale. Fenworth lui aurait ordonné de se taire de manière plus abrupte. Elle découvrit que le vieux magicien lui manquait. Une douzaine de sujets de conversation lui vinrent à l'esprit, mais ils tournaient tous autour de la même chose : que se passerait-il demain, et gagneraient-ils la bataille ?

La quête consistait à trouver le dragon meech et à le libérer – la libérer – de Risto. À secourir les dragons déjà sous l'influence de Risto. Et à contrecarrer ses plans maléfiques. Nous avons localisé Gilda, mais nous ne l'avons pas attirée loin de son maître. Non seulement nous n'avons pas secouru les dragons, mais nous avons perdu ceux que nous avions encore. Et en ce qui a trait à nuire aux plans de Risto…

Ses yeux parcourent le rivage ouest où le camp des bisonbecks s'étendait sur des kilomètres.

Si Wulder envoie Paladin, ce dernier pourrait annihiler toute l'armée. Que pouvons-nous faire seuls ?

Elle jeta un autre coup d'œil au rivage. Des soldats se rassemblaient-ils sur la rive ? Les avait-on remarqués ?

Nous déployons certainement peu d'efforts pour nous cacher. Azalone illumine la proue. Au moins, les kimens à la poupe sont plus subtils. La lueur de la lune sur l'eau semble tracer un sentier directement vers nous.

La fresque ! Ceci représente la peinture sur le mur de L'oie !

– Bardon !

– Cela m'est également venu à l'esprit, Kale, mais souviens-toi que tu dois rester silencieuse.

Bardon !

– Autant que je puisse en juger, cela ne veut rien dire.

Mais ça m'est déjà arrivé. Pendant la quête précédente, il y a eu un moment où nous ressemblions exactement à la fresque sur le mur de l'auberge à Rivière au Loin.

– Je ne vois toujours pas ce que cela pourrait signifier pour nous aujourd'hui. Ce qui aurait de l'importance, c'est si tu voyais une autre fresque où nous ferions tous quelque chose d'autre. Cela pourrait vouloir dire que nous survivrons à demain.

Oh, Bardon, penses-tu que cela soit possible ?

– Nous travaillons pour Paladin, Kale. Tout est possible.

– Cela fera l'affaire, déclara Cam.

Il se leva et regarda l'eau à quelque distance devant eux.

– Le voilà.

Une flèche perça la surface de l'eau et s'éleva vers le haut. Elle était attachée à une tourelle centrale qui apparut rapidement. L'édifice de pierres blanches brillait sous le clair de lune. De l'eau s'échappait en cascade des fenêtres et tombait des balcons. Le château continua de pousser vers le ciel, révélant une structure imposante pendant son ascension.

L'éruption d'un château au milieu du lac attira l'attention sur le rivage. L'eau se déversant du bâtiment créait une chute rugissante. Si les soldats bisonbecks n'avaient pas vu le spectacle, ils l'auraient sûrement entendu.

Cam se tourna et donna Dibl à Kale.

– Merci de me l'avoir prêté, Kale. Il m'a inspiré plusieurs événements intéressants qui se dérouleront dans les prochaines vingt-quatre heures.

Le déversement de l'eau s'arrêta. Tout le château tenait, apparemment, sur le lac.

Cam fit signe aux rameurs de poursuivre la route.

– À la porte d'entrée, je vous prie.

Ils attachèrent le bateau au quai et montèrent les marches humides menant à une double porte très ornée. Cam pivota pour regarder le ciel en fronçant les sourcils.

– On dirait qu'il va neiger, ne croyez-vous pas ?

Kale regarda les étoiles briller dans le ciel dégagé et pensa : *non, pas du tout.*

– Enfin, il y a des couvertures supplémentaires dans chaque chambre à coucher. Vous aurez suffisamment chaud. Et si nous allions dormir ? Une grosse journée nous attend demain, vous savez.

Une flèche en feu tirée depuis la rive décrivit un arc sur l'eau. Elle tomba bien loin de sa cible – le château – et elle grésilla en pénétrant dans l'eau.

Cam plaça les mains sur ses hanches.

– Eh bien, c'était optimiste ! Même si ce type croyait pouvoir la lancer aussi loin, s'imaginait-il que sa seule petite flamme détruirait un château dégouttant encore ?

Il regarda de nouveau les tonnes de soldats bisonbecks fourmillant sur le rivage.

– D'un autre côté, cela est de bon augure pour nous. Ils ne semblent pas régler avantageusement des problèmes sur une impulsion, n'est-ce pas ? Oui, il s'agit d'un bon présage pour nous.

56

Action

Kale fut surprise de découvrir un lit sec pour la nuit et une tempête de neige au matin. Cam sembla un peu malheureux de la vue à travers ses fenêtres de salle à manger.

– Enfin, Cam, dit lady Allerion en beurrant sa rôtie ; tu dois t'attendre à du vent quand tu crées une perturbation avec si peu d'avis.

– Oui ; mais atténuons-la, d'accord ? Je suis certain qu'elle a accompli son travail et que nous n'en avons plus besoin.

– Dès que j'aurai terminé mon petit déjeuner, Cam.

– Quel travail fait une tempête ? demanda Toopka.

Cam se rassit à sa place et se versa une seconde tasse de thé.

– Les ropmas, les grawligs et les schoergs aiment tous leurs petites cambuses et tanières confortables. Ils les apprécient particulièrement quand le temps est inclément.

– In-cli-ment ?

Toopka fit la grimace devant ce nouveau mot.

– Inclément, trempé, dans ce cas-ci, trempé *et* froid. Personnellement, je trouve le temps inclément rafraîchissant.

Il fronça les sourcils.

– Le vent peut s'avérer un peu dérangeant.

– Donc, les grawligs et les autres n'aimeront pas la neige ?

– Ils la détestent.

– Que feront-ils ?

Toopka se pencha en avant.

– Ils rentreront à la maison.

– Oh ! C'est bien, non ?

– Bien pour nous. Agaçant pour Risto. Ce ne sera pas agréable de travailler avec lui aujourd'hui.

Après le petit déjeuner, Lyll et Cam combinèrent leurs talents pour dompter le vent violent. En quelques minutes, le groupe put voir à plus de un mètre par la fenêtre. La neige couvrait tout sur le rivage.

– Écoutez, ordonna Cam.

Ils entendirent au loin le vent sifflant violemment et des bruits de pas tambourinant.

– Un son à donner froid dans le dos, commenta Lyll, un sourire retroussant ses lèvres.

– Qu'est-ce que c'est ? s'enquit Kale.

Cam eut un petit sourire satisfait, content de lui-même.

– Des centaines de dragons se fouettant le sang. Si nous étions sur la terre, nous sentirions la vibration sous nos pieds.

– Je suis certain que les bisonbecks n'aimeront pas que la terre soit ainsi secouée, dit Brunstetter.

– Non, c'est un fait. Et cette impression de tremblement de terre suffira à faire rentrer à la maison les guerriers les moins disciplinés avant que la bataille ne commence.

Cam caressa sa barbe humide.

– Il est temps pour nous de faire notre visite matinale.

– Où allons-nous ?

Toopka talonnait le magicien.

– Tu restes ici avec Taylaminkadot.

– Nan.

– On ne dit pas cela. Ce n'est pas bien parlé.

– Que veux-tu que je dise, alors ?

– Je veux que tu dises : « Oui, magicien Cam, je ferai ce qu'on me dit. »

– Grrrr ! grogna Toopka entre ses dents serrées.

Une heure plus tard, la doneel se tenait sur les marches devant le château, la main fermement enchâssée dans celle de Taylaminkadot. Le reste du groupe poussa l'esquif loin du bâtiment et se dirigea vers la rive à l'extrémité nord du lac.

Kale regarda vers le château et eut un hoquet de surprise. Un soldat armé montait la garde à chaque fenêtre et à chaque parapet.

– Le château est habité par une armée !

– Une illusion, ma chère. Risto dira à ses soldats qu'il s'agit d'une illusion, mais son spectacle affaiblira leur détermination. C'est tellement difficile de croire ses oreilles plutôt que ses yeux quand les apparences répondent aux attentes.

– Nous révéleras-tu notre destination à présent ?

– Oh, je ne l'ai pas dit ? Nous allons solliciter les dragons.

Son cœur s'arrêta une seconde. Bientôt, elle toucherait Célisse. Tous ses efforts pour s'adresser à son dragon par télépathie avaient échoué.

Si je peux la voir et la toucher ; si elle me voit, je sais qu'elle voudra revenir.

Les rames fendaient l'eau, et elle soupçonna encore une fois les kimens d'augmenter la vitesse du bateau. Lorsqu'ils approchèrent de la place couverte de schistes à l'extrémité nord du lac, elle s'émerveilla devant l'étalage de dragons colorés. Avec la neige en arrière-plan, les couleurs vives ressemblaient à celles sur les vitraux d'une fenêtre.

Régidor se tenait sur le rivage quand l'embarcation glissa sur les eaux peu profondes et racla le fond grossier. Il les accueillit avec un sourire.

– Mission accomplie, magicien Cam.

– Merveilleux. Lord Brunstetter, Lee Ark, vous trouverez vos montures prêtes à vous ramener vers vos troupes.

Lady Allerion agita le doigt sous le nez de son collègue magicien.

– Il s'agissait d'une ruse, Cam !

Cam ne tenta pas de dissimuler son sourire suffisant.

Kale sauta hors du bateau et lança ses bras autour de Régidor. Il parut surpris, puis il l'enserra dans une étreinte et la fit tournoyer sur la planche enneigée.

– Où souhaitez-vous m'envoyer, Monsieur?

La voix de Bardon calma Kale.

Une bataille les attendait encore. Régidor la déposa par terre, et ils regardèrent leurs aînés en face.

Cam observa sérieusement Bardon.

– Va avec Lee Ark, Lehman.

– Oui Monsieur.

– Et moi?

Kale se réjouit que son ton ne soit pas aigu.

Lyll Allerion passa un bras autour de ses épaules.

– Tu restes avec moi.

⁂

Lee Ark, Brunstetter, Régidor et Bardon prirent leur envol sur leurs nobles montures, accompagnés par la plupart des dragons qui les suivirent très haut dans le ciel. Le plan préparé par Cam et Régidor avait fonctionné. Gilda s'était montrée trop confiante quant à l'influence que Risto avait gagnée sur les bêtes grâce à sa personnalité persuasive à elle. Elle s'était moquée de la possibilité que Régidor puisse amener les dragons loyaux dans le camp de Risto et regagner la faveur de ceux subissant l'ascendant du magicien.

Les gentils dragons s'étaient mêlés aux dragons devenus sauvages et la voix de la raison avait triomphé. Les dragons allaient revenir vers les hommes qu'ils avaient désertés à peine quelques semaines auparavant. Plusieurs des soldats sous les ordres de Lee Ark pourraient maintenant participer à la bataille en volant.

— J'aimerais que Toopka soit ici pour poser certaines de ses innombrables questions, dit Kale alors que le bataillon de dragons disparaissait lentement au loin en se dirigeant vers le sud.

— Quelles questions te poses-tu ? demanda Lyll.

— Les fermiers accepteront-ils leurs dragons après leur trahison ?

— Oui.

Lyll serra doucement l'épaule de Kale et commença à marcher, guidant sa fille sur la plage.

— Les blessures prendront peut-être un certain temps à guérir, mais il y a un besoin immédiat de collaboration. Se battre côte à côte contribuera beaucoup à réparer les actes du passé.

— Gagnerons-nous cette bataille ?

Lyll partit de son profond rire de gorge qui réconfortait Kale.

— Nous avons déjà gagné, Kale. Nous avons choisi la bonne voie, et c'est une victoire en soi. Par contre, à savoir si nous sortirons vivants de cet affrontement, c'est une autre affaire. Mais personne ne peut nous enlever notre conquête personnelle du bien contre le mal qui a fait rage dans notre propre cœur avant que la guerre ne commence. Et en fin de compte, si notre camp est vaincu sur ce champ de bataille, d'autres se lèveront demain pour se battre. Tant que Wulder règne — et Il règne pour toujours —, il y aura toujours des gens pour choisir le bien au lieu du mal.

— Quand même, pour maintenant, j'aimerais que tu puisses répondre « oui, nous gagnerons ».

Lyll émit un rire doux et discret en se penchant pour poser sa tête contre celle de Kale.

— J'aimerais cela aussi.

57

L'ÉPREUVE DU FEU

Kale ne demanda pas d'où venaient les selles. Elle avait conscience que Cam et sa mère pouvaient fabriquer le nécessaire avec ce qui les entourait. Pendant que les deux maîtres magiciens se préparaient, Kale passa son temps à présenter ses excuses à Célisse.

— J'aurais dû avoir la certitude que tu ne m'abandonnerais pas. Je sais à présent que la désertion devait paraître vraie afin que Risto ne soupçonne pas la ruse, mais j'aurais dû écouter le doute dans mon cœur au lieu de croire mes yeux.

Sous peu, le magicien Cam, lady Allerion et Kale décollèrent sur des dragons pour se diriger exactement au centre du camp de Risto.

Où allons-nous ? demanda Kale au magicien Cam.

— *Sur le pas de la porte de Risto.*

Pourquoi ?

— *Pour l'arrêter. Une fois qu'il ne sera plus dans le paysage, son armée se désintégrera. En bout de piste, nous sauverons beaucoup de vies.*

Elle prit une profonde respiration pour se calmer et observa la terre sous eux. En effet, les grawligs, les ropmas et les schoergs avaient déserté. Les traces dans la neige pointaient toutes vers la chaîne de montagnes Morchain. Au sud, les deux camps se battaient férocement. Kale pensa avoir aperçu le dragon noir distinctif de Paladin sur la ligne de front des guerriers en vol. Leur armée repoussait avec succès les bisonbecks.

Avec Cam en tête, les dragons amorcèrent leur descente. Ils atterrirent dans un endroit bondé, renversant des tentes et des cordes à linge, des drapeaux de régiments et une manche à air alors qu'ils tentaient de se faufiler dans les sentiers du campement ennemi.

Cam et Lyll glissèrent en bas de leurs montures et prirent d'assaut la tente la plus grande et la plus sophistiquée. Kale sauta à terre, tira son épée et les suivit. Elle jaillit par la porte d'entrée et s'arrêta en dérapant juste derrière sa mère.

Risto était debout sur une plateforme surélevée où une table jonchée de cartes géographiques dominait la pièce. Les cheveux sombres du magicien frôlaient les épaules de son veston de bonne coupe. Son corps svelte et musclé se raidit quand il remarqua les visiteurs, mais ses yeux n'exprimèrent aucune inquiétude. Ses lèvres se courbèrent en un sourire qui donna à la jeune o'rant des frissons dans le dos. Elle avait constaté dans le passé que le visage de Risto ressemblait de manière troublante à celui de Paladin. Mais l'expression narquoise du magicien maléfique anéantissait toute similitude.

La femme que Kale appelait Mère numéro un était assise en face du magicien Risto.

Mère numéro deux parla :

— Je crois que tu as déjà rencontré Risto auparavant, Kale. Toutefois, laisse-moi te présenter officiellement sa compagne. Voici Burner Stox.

Burner se leva avec un sourire fourbe aux lèvres et les yeux froids.

— Je suis si enchantée de vous voir ici.

Kale se glissa plus près de la Lyll Allerion qu'elle revendiquait comme sa véritable mère. Burner Stox lui donnait la chair de poule.

Risto rit.

— Malgré toute votre habileté, Lyll, Cam — il hocha la tête en direction de chacun des magiciens —, vous réussissez quand même à tomber droit dans mon piège. Voyez-vous, tout ceci — il agita la main au-dessus des plans de combat et il esquissa un geste vers la campagne environnante —, nous l'avons combiné afin d'attirer la Gardienne des dragons jusqu'à nous. Comme c'est agréable de recevoir en même temps deux magiciens agaçants. Je dois admettre ma déception de ne pas voir Fenworth et le dragon meech ici également. Cependant, ce n'est qu'une question de temps avant qu'eux aussi ne tombent entre mes mains.

Il lança un clin d'œil et un sourire sardonique à Burner Stox.

— Et si nous procédions, ma chère?

Elle acquiesça, et les deux tournèrent des regards mauvais sur leurs visiteurs.

Une boule de feu éclata autour de Cam et de Lyll. Cam leva à peine les bras, et un torrent d'eau descendit en cascade sur les flammes. Il se déplaça pour se placer directement en face de Risto alors que Lyll s'approchait de Burner à la manière agile d'une chatte guettant sa proie.

Burner la tourna en ridicule.

— Nous te voulions, Lyll Allerion, et la brillante stratégie de Risto a fonctionné. Une fois débarrassés du cercle intime d'élite de Paladin, nous dirigerons facilement Amara.

— Où se situe Crim Cropper dans tout cela, Burner? demanda Lyll. Ton mari devrait certainement se trouver ici pour savourer cette victoire.

Le sourire tordu de Burner s'élargit.

— Il joue les scientifiques dans une région au sud. Il n'aime pas le « travail sur le terrain ». Il me sera extrêmement reconnaissant si je lui apporte de nouveaux spécimens pour ses expériences.

Kale tournait la tête de gauche à droite en regardant les magiciens s'affronter. Des éclairs de lumières, des boules de feu, des tornades, des nids de frelons et toute autre chose que les combattants capturaient dans la nature pour se les jeter aux visages dans le petit espace qui les séparait. Les magiciennes se lançaient des insultes et s'approchaient de plus en plus. Cela suffisait à troubler Kale.

Son instinct lui disait que Burner Stox ne devait pas lever un seul petit doigt sur sa mère. Elle se dirigea lentement vers le côté de la tente. Lorsqu'elle réussit à prendre une position sur le flanc, elle cria un avertissement.

– Il y a deux Risto et deux Burner Stox. Vous regardez une réflexion. Le vrai Risto...

Elle ne put terminer sa phrase.

Simultanément, Risto et Burner Stox s'emparèrent de leurs adversaires. Cam et Lyll se raidirent. La couleur disparut de leur peau et de leurs vêtements. Quand les magiciens maléfiques retirèrent leurs mains, il ne restait que deux statues.

Kale hurla.

Risto se tourna vers elle.

– S'occuper de toi devrait être beaucoup plus facile. Mais d'abord, je veux que mes troupes voient que je t'ai en mon pouvoir. Cela devrait faire des miracles pour leur moral.

Kale leva sa petite épée et la regarda quitter son poing sous l'ordre de Risto.

Il lui saisit le bras.

– Burner, empêche son dragon de nous suivre.

Il traîna Kale hors de la tente. Célisse lâcha un cri, et sa grande tête pivota vers eux. Une lumière brilla, et le dragon gémit. Le dragon tenta une nouvelle fois d'étirer le cou pour bloquer le départ de Risto. La lumière réapparut, et Célisse tomba.

Kale donna des coups de pied à son ravisseur, sans résultat. Une fois sur le dos d'un dragon et dans les airs, elle n'osa pas s'écarter de lui. Elle se promit cependant de fuir à la première occasion.

Ils atterrirent sur un flanc de coteau surplombant une bataille féroce entre des troupes terrestres. Burner Stox les suivit. Quand elle descendit de sa monture, elle s'empara du bras de Kale avec une poigne de fer.

Depuis ce point d'observation avantageux sur la colline, Risto cria des encouragements à ses soldats en pointant du doigt la Gardienne des dragons capturée. Il marmonna des sortilèges, et ses hommes se battirent avec une vigueur renouvelée. Il fixa une ligne de guerriers mariones avec son œil maléfique, et les hommes s'effondrèrent devant les brutaux bisonbecks prêts à les tuer.

– Non, non ! s'écria Kale.

Oh, où est Paladin ? Que devrais-je faire ?

– Toi ? Ha !

Risto la regarda en souriant, et elle se raidit.

– Tu ne peux rien faire. Tu es une apprentie magicienne. Quelle résistance peux-tu développer ? Tu ne détiens aucune formation et tu n'as pas accru tes pouvoirs depuis notre dernière rencontre, particulièrement sous la tutelle d'un vieil homme décrépit et dépassé comme Fenworth ! Que pourrais-tu apprendre d'un magicien qui forme plus souvent un tronc d'arbre qu'un homme ?

– Je ne l'ai jamais aimé, Thorp.

Fenworth se tenait sur la colline derrière eux, bâton de marche en main, des feuilles s'accrochant à ses vêtements, Thorpendipity sur une épaule et une souris grimpant le long d'une manche.

Risto rit, se collant sur un rocher pour s'y appuyer comme si Fenworth ne représentait pas une menace, mais un genre de divertissement très amusant.

Le rire criard de Burner déchira l'air comme une série de petits coups de tonnerre net.

– Pourrions-nous vous offrir une collation, vieil homme ? Une tasse de thé ? Un daggart ?

Fenworth lui lança un regard menaçant.

– Silence ! ordonna-t-il.

Burner Stox s'arrêta, haleta, puis disparut. Une odeur de soufre flottait dans l'air.

– Est-elle morte ? souffla Kale.

– Non, dit Fenworth en grimaçant. Simplement silencieuse. Dans une pièce pleine de canards qui cancanent. Elle n'aimera pas cela.

Risto rugit.

– Tu es un idiot ; davantage un clown qu'un magicien.

Fenworth secoua la tête.

– Bon, bon, Risto ; tout cela parce que je préfère ne pas accomplir d'actes méchants.

La rage transforma l'expression du mauvais magicien, et Kale se recroquevilla devant sa fureur. Elle s'effondra au sol et serra les poings. Elle voulait disparaître pour se retrouver en sécurité, comme Burner, mais elle savait qu'elle bénéficierait peut-être d'une petite chance d'aider les autres.

Risto ne me croit pas une menace. Il ne se rappelle même pas ma présence. C'est bien. Peut-être cela me fournira-t-il une occasion.

Risto bondit sur ses pieds à l'instant où le bâton de marche de Fenworth s'enflammait subitement. Thorpendipity cria et s'envola pour se percher sur les branches nues d'un arbre. Fenworth parcourut l'espace entre lui et le mauvais magicien comme un ouragan. Le vieillard lança ses bras musclés autour du plus jeune magicien et l'agrippa.

– Je sais que tu penses que je suis trop vieux pour présenter une réelle menace pour toi, Risto. Cependant, tu n'as pas pris une chose en considération ; j'aimerais mieux mourir que de te laisser vivre.

Risto se débattit et fit tomber le bâton de marche des mains de Fenworth. Les bras de Fen enveloppaient le plus jeune magicien dans une prise qui s'avéra impossible à desserrer. Kale sauta sur ses pieds et courut pour s'emparer de la branche crochue qui servait de bâton de marche à Fenworth.

Dès qu'elle souleva l'objet de sur la neige, les flammes brûlèrent sur le dessus du bâton. Au lieu de s'élever vers le haut, elles jaillirent vers la tête des deux magiciens et descendirent en cascade pour engouffrer Risto et Fenworth. Kale hurla et tenta de laisser tomber le bâton, mais ses doigts refusaient de relâcher le bois usé.

Risto se tortillait dans l'embrasement, et Fenworth le libéra et recula. Cependant, le brasier léchait encore les vêtements du vieillard. Le feu consuma Risto, mais dansa autour de Fenworth.

Kale secoua la main et lança le bâton par terre, puis leva les bras pour se couvrir les yeux. Elle entendit le cri perçant de Risto. La chaleur provenant de la boule de feu s'intensifia avec des craquements et des crépitements. Elle trébucha vers l'arrière et tomba, puis elle jeta un regard furtif au-dessus de son bras et vit Fenworth tendre la main. Le bâton bondit du sol et retrouva les doigts ouverts du magicien. Un instant plus tard, il avait disparu. Son bâton demeura sur place un moment, puis il se renversa.

Risto s'effondra pendant que les flammes se regroupaient pour former une boule autour de lui. La sphère de feu diminua jusqu'à ce qu'il ne reste qu'une petite étincelle à l'extrémité du vieux bâton.

Sanglotante, Kale courut s'emparer du bâton intact. Le feu s'éteignit dès qu'elle enroula ses doigts autour de la branche.

En tenant tout ce qui restait du vieux magicien, elle examina les environs à la recherche de secours. À une courte distance de là, des hommes continuaient à se battre.

Ses genoux se dérobèrent sous elle. Elle s'assit sur la neige piétinée, berçant le bâton dans ses bras en pleurant à chaudes larmes.

— Le truc, c'est de se glisser dans l'intérieur sécuritaire du bâton à la toute dernière minute.

La voix de Fenworth interrompit ses lamentations.

Elle regarda le bâton dans ses mains. Il s'épaissit et s'alourdit. Elle posa une extrémité au sol, et il s'inclina en deux endroits alors qu'elle tenait doucement le haut entre ses bras.

— Je n'arrive pas à croire que je suis coincé. Non, je vais simplement me reposer un moment et réessayer.

La voix provenait du bâton qui enflait.

Elle rigola et essuya les larmes dans ses yeux. Elle entendit la profonde respiration du bâton, elle le sentit prendre de l'expansion et l'observa pendant qu'il se transformait en une silhouette semblable à un arbre qu'elle reconnaissait.

— Metta, Gymn, Ardéo, Dibl, sortez, cria Kale.

Les dragons nains pointèrent le nez avec précaution hors de la cape.

— Aidez Fenworth.

Gymn, Metta et Dibl s'assirent sur les branches de Fenworth. Ardéo se percha sur l'épaule de Kale, luisant doucement dans la lumière faible de ce jour d'hiver au ciel couvert. Metta chanta d'une voix douce. Gymn s'enroula autour de ce qui ressemblait à l'un des bras du vieillard. L'arbre perdit sa raideur de bois et il lui poussa des bras quand Fenworth récupéra son corps. Il était assis à côté d'elle sur le sol froid et mouillé, le haut de son corps et la tête posés sur ses genoux.

Il ouvrit les paupières et lui sourit.

— Ah, ma bonne enfant, je crois que je vais prendre ma retraite. Je ne voudrais pas que cela se sache, mais je pense que je deviens trop vieux pour toutes ces histoires d'aventure.

Il regarda autour de lui.

— Où sont Cam et Lyll ?

— En ce moment, ils sont des statues dans le quartier général de Risto.

— Tut tut. Oh zut, il me faudra reporter ma retraite d'une journée ou deux, je vois. Nous avons quelques problèmes à régler.

– Vous pouvez vous en charger, magicien Fenworth, dit-elle en le serrant dans ses bras. Vous êtes un grand et fort magicien.

– Oh zut, tut tut. Je dois me décider à te donner quelques leçons supplémentaires avant ma retraite. Tout d'abord, donner des câlins à un magicien n'est pas du tout un comportement correct. Ensuite, je ne suis pas un grand et fort magicien. Il n'y a aucune puissance là-dedans. Je suis un serviteur dévoué et digne de confiance, comme tu le deviendras un jour.

58

Où est la maison ?

Le magicien Cam n'employait pas de serviteurs dans son château, alors ils préparèrent le repas ensemble, le servirent et lavèrent la vaisselle. Taylaminkadot fit des histoires à propos des gens qui ne connaissaient pas leur rang. Elle se serait chargée de tout le travail si on l'avait écoutée. Quand elle apprit que Paladin s'ajoutait comme invité supplémentaire pour le dîner, elle lança son tablier sur sa tête et s'assit dans un coin jusqu'à ce que Librettowit la convainque de se montrer.

Kale se promenait lentement, Gymn enroulé autour de ses épaules comme une écharpe. Ils avaient passé la majorité des deux derniers jours à aider les soldats blessés, dont la plupart étaient des fermiers mariones ayant fait le voyage avec courage pour affronter le mal face à face. Tous ceux qui le pouvaient avaient secouru les victimes. Évidemment, Kale et Gymn avaient été très sollicités. Ils avaient également soigné les blessures des dragons. Ces derniers la gênaient parfois avec leur adoration flagrante et leurs demandes de pardon.

— Fais simplement ce qui est juste à partir de maintenant, avait-elle répété sans cesse. Tu dois régler cela avec Wulder. Montre-Lui que tu es désolé en agissant pour le bien de ta famille.

Elle retourna au château du magicien du lac avec un soupir de soulagement.

Ils s'assirent autour d'une table en planches de bois dans la cuisine du château. Un feu brûlait dans l'âtre, des poissons sautaient dans le ruisseau coulant dans la pièce, et Dar avait déposé des tasses de guimauves chaudes sur un plateau avec des piles de daggarts.

Il s'appuya contre le dossier de sa chaise, sortit son harmonica et il leur offrit une musique paisible pour favoriser leur digestion.

— Vous avez bien réussi, déclara Paladin en observant son groupe de serviteurs.

La lumière des bougies soulignait les reflets roux dans ses cheveux brun foncé. Son sourire atténuait la dureté de ses traits acérés. Kale sentit la douce chaleur de son regard et elle savait que cet homme important l'aimait.

Il déposa sa tasse sur la table et s'adressa au groupe se détendant dans la pièce.

— Que souhaitez-vous faire à présent que la menace sur Amara a été écrasée ?

— Je veux rentrer à la maison, dit Librettowit. Les étagères auront besoin d'être époussetées. Et les livres que j'ai achetés à Prushing doivent être arrivés à présent.

Paladin hocha la tête.

— Magicien Fenworth, Librettowit, Kale, ses dragons, Taylaminkadot, Toopka et Régidor retourneront au marais de Bedderman.

Il sourit à Kale.

— J'ai vu que Bardon t'avait enseigné à te défendre. Je soupçonne que vous avez aussi tous les deux appris de Régidor. Tu dois maintenant te concentrer sur tes talents de magicienne.

Le magicien Fenworth eut un mouvement convulsif, provoquant la débandade hors de ses manches d'un groupe de coccinelles.

— Je suis à la retraite, vous savez.

– Oui, j'en ai entendu parler. Qui enseignera les techniques de la magie à Kale et Régidor ?

Cam leva un doigt.

– Je ne suis pas débordé en ce moment.

Paladin décocha un clin d'œil dans sa direction.

– Veux-tu rester dans ton château ou dans celui de Fenworth ?

– Une minute ! s'exclama Fen. Peste de cousin. Un cousin éloigné. Au neuvième degré, de la vingt-deuxième génération, au moins. Il n'a pas été invité.

– Oui, dit Paladin d'un ton raisonnable, mais s'il se trouvait sur place pour s'occuper des peccadilles imprévues, tu pourrais profiter plus pleinement de ta retraite.

Fenworth se racla la gorge, mais n'émit plus d'objections.

Cam sourit à son cousin.

– Je vais passer quelque temps avec Fenworth aux Marais. Je suis certain qu'il s'ennuierait du tohu-bohu s'il se retrouvait seul avec Librettowit et Thorpendipity. Mais j'amènerai les enfants en voyage d'études. Il n'y a rien de mieux que la formation sur place.

Paladin acquiesça et leva un sourcil en direction de Régidor.

– Je n'ai pas oublié Gilda.

Régidor laissa tomber une main pour couvrir un endroit sur le côté de sa robe.

– Elle est en sécurité.

Le sourcil de Paladin s'arqua davantage.

– Veux-tu dire qu'il n'y a aucun danger à la côtoyer ou qu'elle est en sécurité dans ta poche ?

Les minces lèvres de Régidor se plissèrent. Il regarda Paladin droit dans les yeux.

– J'aimerais être responsable d'elle. Elle est liée à Risto et à présent il est mort. Il me semble pouvoir l'aider.

– Ainsi soit-il, dit Paladin en se tournant pour parler à la mère de Kale. Lady Allerion ?

– J'aimerais voyager. Je n'ai pas beaucoup apprécié l'emprisonnement dans un donjon. Et je pourrais bien découvrir une façon de libérer Kemry.

Elle posa une main sur le bras de Fenworth.

– J'espère réellement que tu me permettras de vous rendre visite souvent, Fen. J'aimerais apprendre à connaître ma fille.

Fenworth leva un sourcil dans sa direction, mais il ne répondit pas.

– Merci.

Lyll se pencha pour embrasser le front du vieil homme comme s'il l'avait gracieusement invitée à venir quand elle le souhaitait.

– Hum. Il semble que j'ai négligé cette leçon pour toi aussi. Ta fille me serre dans ses bras. Tu m'embrasses. Pas du tout ce qu'il faut. On doit respecter les magiciens au plus haut point. Inabordables. Imposants.

Une souris glissa de sous son chapeau et déguerpit le long de sa manche, sur sa cuisse pour ensuite filer sur le plancher.

– Rien, déclara Fenworth, ne devrait diminuer la dignité d'un magicien.

Paladin se caressa le menton avec ses doigts effilés et hocha gravement la tête.

– Je ne pourrais pas être plus d'accord, magicien Fenworth.

Il se tourna vers ses guerriers.

– Lee Ark et Seigneur Brunstetter, où souhaitez-vous aller ?

– À la maison, répondirent-ils à l'unisson.

– Ainsi soit-il.

Les yeux de Paladin exprimaient la compassion.

– Dar ?

Le doneel retira l'harmonica de sur sa bouche assez longtemps pour répondre.

– À la maison, à Wittoom.

– Et Bardon ?

Kale retint son souffle et baissa les yeux vers le daggart dans sa main. Où irait Bardon ? Il ne répliqua pas, et elle jeta un coup d'œil furtif à travers la table juste à temps pour le voir hausser les épaules.

Paladin tambourina sur la table avec ses doigts pendant un moment avant de parler.

— Je pense que tu as appris ce que souhaitait le Grand Ebeck quand il t'a fait quitter le Manoir. Es-tu prêt à commencer ta formation de chevalier ?

Bardon se redressa vivement sur sa chaise.

— Oui, Monsieur.

Il se mordit la lèvre et cligna des paupières. Kale vit sa main bouger comme pour tirer une mèche de cheveux sur ses oreilles, mais il stoppa son geste.

Était-il censé apprendre quelque chose à propos de sa mère et de son père, tout comme moi ? Devait-il apprendre à accepter ses origines ? Parce que si c'est cela, je ne crois pas qu'il a réussi !

Bardon se redressa un peu plus. Kale observa la détermination familière raffermir le contour de sa mâchoire.

— Monsieur, je ne sais pas ce que le Grand Ebeck s'attendait à me voir apprendre.

Paladin sourit de cette façon lente et détendue qui, d'une manière ou d'une autre, portait Kale à avoir confiance en lui et en sa sagesse.

— Je ne suis pas étonné. Souvent, les leçons de la vie les plus révélatrices sont aussi les plus difficiles à comprendre. Wulder t'a fait don d'un grand potentiel. Il a utilisé tes parents pour t'offrir des traits uniques. Grand Ebeck a constaté que ces talents innés étaient retenus par ton adhésion rigide aux règles. Il t'a jeté hors de ton environnement austère du Manoir afin que tu puisses devenir plus flexible.

Paladin fit pivoter son bras dans un grand geste enveloppant les membres de la quête assis autour de la cuisine de pierres.

— En compagnie de ce groupe disparate, comment pouvais-tu t'empêcher de t'assouplir un peu ?

Kale sourit en grand quand Librettowit et Fenworth se raclèrent la gorge, que Dar et Cam gloussèrent, et que Toopka rit aux éclats.

Les lèvres de Bardon s'étirèrent en un sourire, et son corps se détendit.

— Donc, je devais apprendre à me montrer plus accommodant avant d'intégrer une discipline qui ne l'est pas ?

Paladin lui assena une claque sur l'épaule.

— Exactement ! Tu dois apprendre à être malléable avant d'être transformé en instrument de justice. Autrement, tu manies ton épée sans miséricorde et sans discernement.

Bardon hocha la tête pensivement, puis il regarda Kale et lui décocha un clin d'œil.

Tu as vraiment changé, Bardon !

— Et j'ai l'intention de changer davantage. Dans trois ans, je serai chevalier, Kale. Et si nos routes ne se croisent pas d'ici là, je promets de te chercher afin que tu puisses t'émerveiller devant le rapporteur.

Kale haleta, puis sourit. Il connaissait le surnom que tous lui donnaient au Manoir.

Paladin hocha la tête comme s'il avait saisi leur échange.

— Tu auras besoin d'un objet que notre vénérable magicien Fenworth a conservé pour toi, je crois.

Il tendit sa paume ouverte devant le vieil homme comme s'il s'attendait à ce que Fen lui remette l'article.

— Oh zut, tut tut. Où l'ai-je mis ? Tut tut, oh zut.

Le magicien s'assit droit et commença à tapoter sa barbe et sa robe. De minuscules créatures filèrent dans toutes les directions. Les dragons nains se précipitèrent sur le festin d'insectes, ignorant les lézards, les oiseaux et les rongeurs en fuite.

La main du magicien Fenworth plongea dans un pli de sa robe.

— Ah ! Ah !

Il sortit son poing fermé, le tourna et déroula lentement les doigts. Une toute petite épée se trouvait dans sa paume.

Bardon se leva, et le chef d'Amara fit de même.

Paladin ramassa l'objet entre le pouce et l'index.

— Fen, tu m'étonnes continuellement. Je crois que ceci serait plus utile à notre futur chevalier dans une dimension différente.

L'épée chatoya et s'allongea à un rythme lent et régulier jusqu'à ce que la poignée soit assez grande pour que Paladin enroule confortablement sa main autour. L'auditoire silencieux observa la lame luisante s'étirer jusqu'à une pointe brillante.

Paladin agita l'épée dans les airs pour tester son équilibre.

— Une arme finement fabriquée.

Il retourna adroitement la lame et l'offrit à Bardon. Le jeune homme la prit sans un mot.

Kale pensait éclater de fierté pour son ami. Elle s'apprêta à s'infiltrer dans ses pensées pour le féliciter, mais son expression l'en empêcha. Ce moment était trop important pour Bardon pour qu'elle s'impose.

Paladin posa une main sur l'épaule du lehman abasourdi.

— Tu iras à Wittoom avec Dar. Sire Dar te formera.

La mâchoire de Kale se décrocha, et elle tourna brusquement la tête pour découvrir le doneel se détendant, les jambes drapées sur le bras d'un fauteuil. Elle enfonça ses poings dans ses hanches.

— Tu es vraiment un chevalier ?

Dar fit courir ses lèvres sur l'harmonica, émettant une portée de trilles sonores qui résonnèrent dans la cuisine caverneuse.

Il lui lança un clin d'œil et sourit largement, son visage presque fendu en deux.

— Oui, ma chère Kale, mais seulement un tout petit chevalier.

Glossaire

Amara
Continent entouré par l'océan sur trois côtés.

Arbre à gommes
Un arbre avec des feuilles collantes et des fleurs à pétales jaunes dont on peut cueillir le centre pour le mâcher.

Arbre à l'envers
Semble à l'envers. Un buisson dense entoure la base. Au centre, des branches sans feuilles forment un entrelacement serré. De loin, il ressemble à un gros tronc. Sur le dessus, ses rameaux se séparent et ressemblent à un système de racines.

Arbre borling
Arbre à l'écorce brun foncé portant des noix profondément ridées enchâssées dans une écale aromatique globulaire.

Arbre trang-a-nog
Écorce lisse vert olive.

Armagot
Arbre national ; feuilles bleu violet à l'automne.

Bande herbacée
Un bracelet finement tissé par les kimens avec des vignes provenant de la plante herbacée. Il chasse les guêpes et autres insectes piqueurs, ainsi que les reptiles venimeux.

Bisonbeck
La plus intelligente des sept races inférieures. Elle compose la majorité de l'armée de Risto.

Blimmet
L'une des sept races inférieures. Créature creusant des terriers et sortant en masse du sol pour s'adonner périodiquement à une séance d'alimentation frénétique.

Brillum
Une bière qu'aucune des sept races supérieures ne consommerait. Elle sent l'eau de mouffette et tache comme le jus noir de noix de borling. Les mariones la vaporisent sur leurs champs afin d'éloigner les insectes.

Broer
Une substance sécrétée par les glandes buccales des dragons femelles et utilisée pour construire des nids. Elle durcit comme le roc et ressemble à une meringue grise.

Chaîne de montagnes Dormanscz
Chaîne de montagnes volcanique dans le sud-est d'Amara.

Chaîne de montagnes Morchain
Des montagnes s'étirant du nord au sud au centre d'Amara.

Chukkajoop
Un ragoût de betteraves, d'oignons et de carottes, le favori des o'rants.

Coccinelle batteuse
Petite coccinelle brune qui produit un claquement sonore avec ses ailes quand elle n'est pas en vol.

Courbettes
Un jeu de cartes.

Cynœud
Un arbre tropical poussant en sol extrêmement humide ou dans les eaux peu profondes. Les branches sortent du tronc comme des rayons au milieu d'une roue et s'entrecroisent souvent avec celles des arbres voisins.

Débalafreur
Une substance huileuse utilisée dans des préparations médicinales.

Dévisageur
Personne qui fixe quelqu'un impoliment.

Doneel
L'une des sept races supérieures. Ces gens sont couverts de fourrure, ils ont des yeux protubérants, de minces lèvres noires et des oreilles situées sur le devant de la tête. Ils ont un petit gabarit et mesurent rarement plus de un mètre. Ils sont habituellement doués pour la musique et aiment porter des vêtements flamboyants.

Dragon de feu
Sortis des volcans dans les temps anciens ; ces dragons crachent du feu et sont plus portés à servir les forces du mal.

Dragon géant
Dragon de la taille d'un éléphant plus souvent utilisé pour le transport personnel.

Dragon meech
Le plus intelligent des dragons, capable de parler.

Dragon nain
Le plus petit des dragons, de la taille d'un chaton. Les différents types de dragon nain possèdent des capacités diverses.

Druddum
Animal ressemblant à la fouine qui vit tout au creux des montagnes. Ces créatures sont des bandits et elles voleront tout ce qu'elles peuvent emmagasiner. Elles aiment obtenir de la nourriture, mais sont aussi attirées par tout ce qui brille et a une texture inhabituelle.

Écorce de moerston
Lorsqu'on la mâche, elle calme la faim et rafraîchit la bouche. Bosselée, brune et mince.

Émerlindian
L'une des sept races supérieures. Les émerlindians naissent avec un teint pâle, des cheveux blancs et des yeux gris pâles. En vieillissant, ils brunissent. Un groupe d'émerlindians est de petite taille, tout au plus un mètre et demi. L'autre groupe distinct mesure entre un mètre quatre-vingt et deux mètres.

Ernst
Buisson à feuillage vert persistant fleurissant à l'automne. Les minuscules fleurs jaune pâle ressemblant à des étoiles dégagent un parfum semblable à la cannelle.

Ersatz
Une imitation, un substitut artificiel et inférieur à une chose réelle.

Feuillecourbe
Arbre à feuilles caduques et étroites avec de longues branches minces et tombantes.

Forêt Fairren
Une grande forêt surtout composée d'arbres à feuilles caduques dans le sud-ouest d'Amara.

Fortaline
Buisson avec des épines de cinq centimètres.

Gloménard
Grand oiseau aquatique au long cou mince et au bec beaucoup plus court que le canard. Il pond de grandes couvées d'œufs et c'est une volaille idéale à rôtir.

Grand dragon
Le plus grand des dragons, capable de transporter plusieurs hommes ou cargaisons.

Grawligs
Des ogres de montagne et l'une des sept races inférieures.

Grenouille batteuse
Amphibien semi-aquatique sans queue, à la peau lisse et humide, aux pieds palmés et avec de longues pattes de derrière. Teintes de vert; pas plus gros que le poing d'un enfant; capable de produire un son tonitruant.

Hadwig
Une arme ressemblant à une fronde, avec une sphère garnie de pointes à l'extrémité.

Herbes dos-d'âne
Des herbes hautes poussant en massifs et formant leurs propres petites buttes.

Hèrenots

Tronc longiligne à l'écorce blanche, ressemblant à un poteau, avec des feuilles rondes vert pâle attachées par une tige plate, ce qui les fait bruisser au moindre souffle de vent. Les gens disent souvent que ces arbres murmurent ou bavardent.

Jimmin

N'importe quel petit animal utilisé pour sa viande. Nous parlerions de veau, d'agneau et de jeune poulet.

Kimen

La plus petite des sept races supérieures. Les kimens sont insaisissables, lilliputiens et rapides. Moins de soixante centimètres de haut.

Les Marais

Composée de quatre marais aux frontières indistinctes. Situé dans le sud-ouest d'Amara.

Mamie émerlindian

Les mamies sont hermaphrodites. On dit qu'elles ont cinq cents ans et plus. Leur peau est à présent brune, et leurs yeux et leurs cheveux sont brun foncé.

Margua

Une plante ornementale cultivée pour ses capitules spectaculaires avec leur profusion de pétales aux couleurs vives.

Marione

L'une des sept races supérieures. Les mariones sont d'excellents fermiers et guerriers. Ils sont petits et larges d'épaules, habituellement tout en muscles plutôt que corpulents.

Mordakleep

L'une des sept races inférieures. Associés aux sources d'eau douce, ces êtres peuvent changer de forme.

Mordat
Un arbre qui produit de la sève à partir de laquelle on fabrique un sirop sucré.

Mullins
Beignets frits en bâtonnets.

Noix de borling
Noix de l'arbre borling.

O'rant
L'une des sept races supérieures. Entre un mètre et demi et un mètre quatre-vingt.

Oiseau demiportion
Oiseau de grandeur moyenne aux couleurs vives.

Paspoire
Fruit vert ressemblant à une poire.

Petit pain nordy
Pain à grains entiers sucré et au goût de noix.

Petite endormeur des rues
Un genre d'arnaqueur qui utilise une naïveté apparente pour duper ses victimes.

Pierre-soleil
Toutes les pierres ressemblant à des quartz et émettant une lueur.

Pin de roche
Arbre à feuillage persistant avec des pommes épineuses aussi lourdes que des roches.

Plante rayons-de-lune
Une plante mesurant entre un mètre et un mètre vingt portant de grandes feuilles luisantes et de petites fleurs rondes ressemblant à la Lune. Les tiges sont fibreuses et utilisées pour fabriquer du tissu.

Poisson blattig
Poisson d'eau douce mesurant souvent soixante à quatre-vingt-dix centimètres, voracement carnivore, reconnu pour attaquer et dévorer des animaux vivants.

Pommes de terre pnard
Tubercule contenant de l'amidon avec une chair rose pâle.

Poudre feufollet
Composé jaune cristallin utilisé comme explosif.

Quiss
L'une des sept races inférieures. Ces créatures possèdent un énorme appétit. Tous les trois ans, elles développent la capacité de respirer l'air et, pendant six semaines, elles s'approvisionnent le long de la côte océanique et font des ravages. Elles sont extrêmement glissantes.

Razbaies
Petites baies rouges qui poussent en grappe à flanc de montagne, un peu comme des raisins. Les vignes sont utiles pour grimper.

Rivière au Loin
Village marione dans l'est d'Amara.

Rivière Pomandando
Rivière courant sur la frontière est de Vendela.

Ropma
L'une des sept races inférieures. Cette créature mi-homme mi-animal est utile pour rassembler les troupeaux et prendre soins des bêtes.

Schoerg
L'une des sept races inférieures. Poilue, petite et mince.

Shérif de maison
Un serviteur de maison, armé et désigné pour protéger la famille et la propriété.

Tapageur
Un oiseau mangeur d'insectes aux plumes marbrées de brun. On le voit rarement, mais son cri puissant et tapageur est fréquemment entendu dans tous les types de boisé.

Thé ébercorce
Thé fait d'écorce de racine séchée provenant de l'ébercorce, un arbre à feuilles caduques aux lobes irréguliers, et des feuilles, une écorce et des branches aromatiques. Contient une huile volatile utilisée pour aromatiser et pour un usage médicinal.

Tour Torsk
Une des trois tours du Manoir. Quatre horloges ornent sa cime. La rumeur veut qu'un portail servant à traverser le temps existe dans cette tour.

Tour Trell
Une des trois tours du Manoir. Celle-ci abrite les portails.

Traqueur
Race de chien à poil court avec une grosse tête, de courtes jambes arquées et un corps trapu. Une forte mâchoire avec un fanon, utile pour réduire la vermine.

Tumanhofer
Une des sept races supérieures ; ce sont de puissants guerriers petits et trapus, mais ils préfèrent pour la plupart utiliser leur intelligence.

Urohm
La plus grande des sept races supérieures. De doux géants bien proportionnés et très intelligents.

Vendela
Capitale de la province Wynd.

Vénérable émerlindian
Les vénérables sont âgés de presque mille ans et sont noirs.

Wittoom
Région peuplée par les doneels dans le nord-ouest d'Amara.